# Éloges pour Alyxandra Harvey

« Alyxandra Harvey est tout simplement géniale. Son style d'écriture est parfait et ses histoires sont captivantes. »
— *Falling Books*

« On ne peut nier qu'Alyxandra Harvey est une auteure fabuleuse. Elle réussit à insuffler la bonne dose d'aventure, de danger et de romantisme à ses livres. »
—*Totally Bookalicious*

« Rempli d'actions, d'aventures, de mystères et même d'une pincée de romantisme, *Un souffle de givre* est le début éclatant de L'héritage des Lovegrove. »
— *All things Urban Fantasy*

« *Un souffle de givre* est un roman incroyable [...]. Contenant tout le meilleur de ce que la période de la Régence anglaise a à offrir, des histoires d'amour pétillantes et une intrigue paranormale indéniablement palpitante, ce livre est un incontournable. »
— *Chasm of Books*

« Si [*Un souffle de givre*] était une friandise, je l'aurais dévoré... J'ai apprécié chaque minute passée à le lire. »
— *The Social Potato*

« J'ai adoré [*Un souffle de givre*]. Ceux qui aiment les univers créés par Cassandra Clare doivent se procurer ce livre ! »
— *Guardian Children's Books website*

LE
CHUCHOTEMENT
DES MORTS

L'HÉRITAGE
DES
LOVEGROVE

# Le chuchotement des morts

ALYXANDRA HARVEY

Traduit de l'anglais par
Nathalie Tremblay

Éditeur : François Doucet
Traduction : Nathalie Tremblay
Révision linguistique : Féminin pluriel
Correction d'épreuves : Nancy Coulombe, Catherine Vallée-Dumas
Montage de la couverture : Matthieu Fortin
Photo de la couverture : © Shutterstock
Mise en pages : Sébastien Michaud
ISBN papier 978-2-89752-470-8
ISBN PDF numérique 978-2-89752-471-5
ISBN ePub 978-2-89752-472-2
Première impression : 2015
Dépôt légal : 2015
Bibliothèque et Archives nationales du Québec
Bibliothèque Nationale du Canada

**Éditions AdA Inc.**
1385, boul. Lionel-Boulet
Varennes, Québec, Canada, J3X 1P7
Téléphone : 450-929-0296
Télécopieur : 450-929-0220
**www.ada-inc.com**
**info@ada-inc.com**

**Diffusion**

| | |
|---|---|
| Canada : | Éditions AdA Inc. |
| France : | D.G. Diffusion |
| | Z.I. des Bogues |
| | 31750 Escalquens — France |
| | Téléphone : 05.61.00.09.99 |
| Suisse : | Transat — 23.42.77.40 |
| Belgique : | D.G. Diffusion — 05.61.00.09.99 |

**Imprimé au Canada**

Participation de la SODEC.
Nous reconnaissons l'aide financière du gouvernement du Canada par l'entremise du Fonds du livre du Canada (FLC) pour nos activités d'édition.
Gouvernement du Québec — Programme de crédit d'impôt pour l'édition de livres — Gestion SODEC.

**Catalogage avant publication de Bibliothèque et Archives nationales du Québec et Bibliothèque et Archives Canada**

Harvey, Alyxandra, 1974-

[Whisper the Dead. Français]
Le chuchotement des morts
(L'héritage des Lovegrove ; 2)
Traduction de : Whisper the Dead.
Pour les jeunes de 13 ans et plus.
ISBN 978-2-89752-470-8
I. Tremblay, Nathalie, II. Titre. III. Titre : Whisper the Dead. Français.

PS8615.A766W4414 2015 jC813'.6 C2014-942669-0
PS9615.A766W4414 2015

« Attention ! Je connais maintenant une langue
si belle et assassine que ma bouche saigne
quand je la parle. »
– Gwendolyn MacEwen

# CHAPITRE 1

Gretchen était en route pour la soirée musicale des Worthing lorsque sa tête explosa.

Elle sut finalement ce que pouvait ressentir un melon mûr qui éclate. Honnêtement, elle aurait pu facilement vivre sans le savoir.

Elle avait dit à son chaperon qu'elle partait de l'académie Rowanstone pour aller à la soirée musicale annuelle de lady Worthing; elle avait dit à l'école qu'elle partait de la maison et elle avait tout simplement évité sa mère. Tout cela pour voler quelques minutes de solitude sans chaperon qui tourne autour ou domestique qui rapporte chacun de ses déplacements à ses parents. Gretchen trouvait son subterfuge particulièrement habile, mais à l'instant, de toute évidence pour la punir de son mensonge, sa tête explosait.

Et cela ne lui permettrait même pas d'éviter une autre soirée ennuyeuse, hélas.

La magie brûlait en elle comme de la braise, prête à s'enflammer. Plutôt que de faire quelque chose d'intéressant, elle se dirigeait vers une soirée où les jeunes filles devaient chanter et se produire devant les jeunes aristocrates célibataires traînés là par leurs mères. Au cours des deux dernières semaines seulement, elle s'était rendue à trois bals, à l'opéra, au théâtre et à deux repas. Elle avait dansé le quadrille avec le fils poli d'un pair, fait des révérences à des duchesses et ne s'était réfugiée dans la bibliothèque qu'à deux reprises. Une jeune fille avait ses limites.

Cependant, son état magique actuel ne s'était pas grandement amélioré.

Elle posa un sourcil contre la vitre froide de la diligence et tenta de comprendre ce qui se passait. Elle aperçut des gargouilles accroupies sur les gouttières et les coins des toits, mais elles étaient immobiles et inanimées. Aucune magie noire ne les avait réveillées, il n'y avait pas de jeteurs de sorts sur le trottoir et pas de sœurs Greymalkin, qui avaient récemment terrorisé Londres. Il n'y avait qu'un groupe de gentlemen avec des cannes à pommeau en ivoire, tous rassemblés devant une auberge, et une femme qui se pressait pour rentrer chez elle avec une pile de paquets emballés.

Gretchen martela le toit de la diligence pour indiquer au cocher d'arrêter. Elle descendit sur les pavés.

– J'ai simplement besoin d'un peu d'air, croassa-t-elle. Je ne me sens pas bien.

Elle devait être aussi verte qu'elle se sentait, car il ne protesta pas.

Il y avait un drôle de grincement dans sa tête, comme les dents rouillées d'une horloge invisible. Son don magique, appelé le « chuchotement », n'était pas très utile. Il l'avertissait lorsqu'un sort ne fonctionnait pas bien, mais malheureusement, cet avertissement était des plus douloureux. Elle n'avait toujours pas appris à le déchiffrer ou à le maîtriser.

Elle venait à peine d'apprendre à ne pas être malade lorsqu'il exerçait ainsi une pression sur elle.

Elle descendit sur le trottoir et mit la main autour d'un réverbère pour reprendre son équilibre. Un autre survol furtif des environs ne l'aida pas du tout à comprendre ce qui lui arrivait. Le fer froid était usé sous sa main et lui égratignait la paume. Son nœud de sorcière s'embrasa. Toutes les sorcières portaient ce symbole dans la paume de leur main, et il n'était visible qu'aux autres sorcières. Gretchen avait déjà remarqué qu'il avait tendance à lui démanger lorsqu'il y avait de la magie dans l'air. En regardant de plus près, elle perçut un signe cabalistique gravé sur le réverbère. En gros, il s'agissait de lignes croisant des petits cercles. Elle ignorait ce que cela signifiait. La peinture noire s'écaillait alors qu'elle traçait le dessin pour modifier une des lignes.

Le réverbère au-dessus de sa tête éclata.

Le verre brisé tomba en pluie sur elle, et un des gentlemen poussa un cri d'alarme avant de se précipiter vers elle.

— Est-ce que tout va bien, mademoiselle ?

Gretchen hocha la tête en silence. Elle aurait peut-être dû se préoccuper de la pluie d'éclats de verre sur sa tête, mais le répit de cet horrible bourdonnement en valait largement la peine. Ce qui avait provoqué le bris du réverbère avait également réduit au silence sa tempête magique intérieure.

Le gentleman fronça les sourcils et regarda le réverbère brisé.

— Ils ont beau affirmer que les lampes à gaz sont sécuritaires, c'est la troisième que je vois éclater, cette semaine.

Gretchen savait pertinemment que les lampes à gaz n'étaient pas le problème. Il y avait de la magie dans l'air. Le silence soudain et béni dans sa tête en témoignait.

– Puis-je vous raccompagner chez vous? offrit poliment le gentleman.

– Ma diligence m'attend juste là, répondit Gretchen, je vous remercie.

Elle attendit qu'il ait rejoint ses amis avant de faire le tour du réverbère. Il n'y avait pas d'autre signe, rien qui pouvait suggérer qu'il y avait des ingrédients de sorts dans les parages.

Son compagnon sortit sa tête de lévrier de sa poitrine et bondit sur le trottoir. Le chien géant était la forme que sa magie prenait, brillant comme le clair de lune sur un lac glacé. Toutes les sorcières avaient un compagnon qu'elles pouvaient expulser de leur corps pour différentes raisons. Alors qu'il refermait sa mâchoire de brume sur l'ourlet de la robe de Gretchen pour la tirer, elle se dit que la plupart des compagnons devaient être mieux élevés que le sien.

– Quoi encore?

Un autre lévrier étincelant se précipita vers elle en jappant. Ses yeux sombres étaient tristes. C'était le compagnon de son frère jumeau, Godric, mais il le faisait rarement sortir. Il expliquait que cela lui donnait la nausée. Le chien jappa encore une fois, puis les deux compagnons s'éloignèrent rapidement. Si Gretchen se concentrait soigneusement, elle pouvait voir ce que voyait son lévrier, même si les lumières étaient plus brillantes et les couleurs plus éclatantes. Tout était brouillé comme de la craie sur les pavés, quand il pleuvait. Toutefois, elle reconnut suffisamment les édifices et leurs colonnes imposantes pour savoir qu'il courait en direction de la rue Bond plus vite que n'importe quel animal ordinaire. Il vira dans Piccadilly et longea la Strand, jusqu'à proximité du pont de Londres.

Soit Godric avait envoyé son lévrier la chercher, soit il était venu la chercher de son propre chef.

D'une manière ou d'une autre, son frère avait des problèmes.

Le marché des gobelins était plein à craquer comme lors d'une foire estivale. Les sorcières se mêlaient aux jeteurs de sorts, les gobelins crachaient sur les pavés, et les changelins dérobaient des babioles magiques des boutiques pressées les unes sur les autres comme des amoureux peu recommandables. C'était une foule que les habitués du pont de Londres ne voyaient pas. Sous les lanternes de grenade, les chevaux ailés étaient aussi fréquents que les chevaux de trait, et des ingrédients étranges remplissaient des pots de verre un peu partout. Chaque toit, peu importe sa taille, était protégé par une gargouille accroupie, prête à absorber la magie qui traînait, voilée d'un sort d'invisibilité.

Les sorcières prudentes se drapaient de perles de mauvais œil, portaient de la poudre de bannissement de cheval blanc et remplissaient leurs poches de sel et de clous de fer. Tous ces ingrédients pouvaient être achetés à n'importe quelle échoppe, mais les articles plus puissants et légèrement illégaux étaient disponibles auprès d'un vagabond. Ou d'une vieille sorcière, mais celles-ci étaient pire que les vagabonds bagarreurs qui se promenaient sur le pont en se battant, en volant et en dérangeant tout le monde. Ils n'étaient pas vraiment des jeteurs de sorts, mais ils caracolaient tout de même avec les limites de la magie et du bon sens.

Ce soir-là, Moira était seule sous le pont. Les autres garçons manqués s'étaient dispersés dès que l'Ordre avait doublé ses patrouilles. Les toits étaient à peine sécuritaires, sans compter que les barbes grises insistaient de plus en plus pour réclamer les sorcières, particulièrement les garçons manqués, qui étaient doués avec les gargouilles. Toutefois, un garçon manqué ne se laisserait pas prendre, mort ou vif. Moira y verrait.

Les funérailles de garçon manqué étaient rares. Trop souvent, quand un garçon manqué disparaissait, son corps n'était jamais retrouvé. Cependant, Moira, qui avait tenu son amie Fraise dans ses bras alors qu'elle mourait, savait exactement ce qu'il était advenu du corps. Elle l'avait elle-même volé de la charrette des barbes grises, toujours emballé d'un sort de préservation pour éviter la décomposition.

C'était déjà assez terrible que Fraise ait été assassinée par une satanée débutante des sœurs Greymalkin, ces jeteuses de sorts. Elle méritait un meilleur départ que ce que l'Ordre avait prévu pour elle. Les os des sorcières moulus étaient un excellent ingrédient pour les charmes de protection ou pour des fins plus abjectes. L'Ordre n'utiliserait pas une dame de qualité pour ce genre de chose, seulement une orpheline en guenilles comme Fraise. En fait, Moira était encore plus déterminée à lui offrir des funérailles traditionnelles de garçon manqué, le genre de funérailles qui étaient rarement célébrées à Londres, depuis que l'Ordre avait refermé son poing de fer sur la ville.

La plante de ses pieds lui démangeait, mais elle n'avait pas besoin de cet avertissement magique pour savoir qu'elle avait envie d'être n'importe où, sauf là. Sentant son humeur, une petite gargouille trapue tourna autour d'elle comme un bourdon. Moira l'avait amenée avec elle à la maison des Greymalkin pour distraire la gargouille de la maison afin qu'elle et les cousines Lovegrove puissent entrer. Toutefois, la gargouille ne voulait maintenant plus retourner dormir.

– Il est temps, murmura Moira.

La lune luisait suffisamment pour exposer les bateaux, les chaloupes et les écumeurs des berges le long de la rivière, à la recherche de babioles perdues et de cadavres. Les cadavres avaient parfois des dents ou des boutons en or. Les ossements de Fraise s'accompagnaient seulement de la magie de garçon manqué et d'une gargouille de garde.

Son amie était couchée dans une petite chaloupe brisée, ses cheveux blonds étalés et entrelacés de rubans. Son corps était saupoudré de sel. Il y avait également des pommes, une petite gargouille en terre cuite bon marché et un poignard de fer pour sa traversée des Enfers vers les îles des Bienheureux. Toutefois, Fraise ne saurait même pas quoi faire d'un poignard, quel que soit le côté du voile où elle se trouvait.

Le côté de la chaloupe était peint d'un œil bleu avec un charme d'illusion, afin de dissimuler les funérailles à ceux qui ne possédaient pas la magie nécessaire pour les voir.

Moira répandit les pétales de fleur sur l'eau noire et huileuse de la Tamise. Des bateaux passèrent à proximité, des lanternes accrochées à la proue. Elle aurait aimé connaître la vieille chanson d'adieu que les sorcières libres chantaient, avant d'être réduites à une poignée de garçons manqués tachés de charbon.

— Puisses-tu trouver la route des îles des Bienheureux, murmura-t-elle plutôt.

La torche dans sa main droite oscilla violemment, éclairant l'eau, le drap blanc, l'œil peint qui la dévisageait. Elle refusa de verser une larme, peu importe le nœud dans sa gorge. Elle leva la main gauche et salua de son nœud de sorcière.

— Hé, tu gaspilles de la magie, aboya soudainement quelqu'un derrière elle.

Moira avait depuis longtemps appris à réagir, avant de poser des questions. Elle lança la torche, mais manqua le bateau. Elle réussit toutefois à attraper un poignard dans chaque main. Elle en lança un, qui se planta dans l'épaule d'un vagabond. Il tomba à la renverse en jurant. Les autres s'approchèrent avec des ricanements méchants.

— Arrête, et nous ne t'étriperons pas comme un poisson, l'avertit l'un d'eux.

— Arrêtez, et je ne nourrirai pas ma gargouille avec vos foies, répliqua Moira.

Son compagnon, un chat tigré à l'oreille cassée, bondit hors de sa poitrine en crachant. Les vagabonds se déplaçaient rarement en groupe. Personne ne les aimait, même pas les autres vagabonds.

— Je savais que ça finirait mal, grommela-t-elle.

— Amenez-moi au pont de Londres, ordonna Gretchen à son cocher.

Il se retourna pour la dévisager.

— Êtes-vous cinglée ?

— J'ai dix shillings dans mon réticule. Ils sont pour vous, si vous m'y menez.

— Et que donnerez-vous à ma veuve si votre mère m'égorge ?

— Une guinée, alors ! Et ce n'est que pour un instant, vous pourrez me déposer à cette satanée soirée musicale par la suite, lui assura-t-elle.

Le vent soufflait dans ses cheveux courts, alors qu'elle rentrait dans la diligence.

— Ça durera des heures. Je ne manquerai rien.

— Rentrez avant que quelqu'un vous voie, grogna-t-il, mais il poursuivit sa route sur la rue Bond plutôt que de virer et d'entrer dans le quartier résidentiel où se dressait le manoir des Worthing.

Il arrêta les chevaux en bordure du pont.

— Les quais et le pont de Londres, à cette heure ? demanda-t-il. Vous ne devriez pas…

Mais Gretchen avait déjà bondi hors de la diligence pour disparaître dans la nuit avec cette insouciante promesse :

— Ça ne prendra qu'un instant !

Gretchen ignorait ce que faisait Godric près du pont, si près du marché des gobelins. Il ne refusait peut-être pas sa magie comme le faisait leur mère, mais il n'était pas si empressé de l'adopter. Il y avait juste assez de clair de lune pour apercevoir les mâts des bateaux, l'ombre inquiétante de la Tour et une série d'entrepôts.

Le compagnon de Godric fit des allers-retours devant elle pour s'assurer qu'elle le suivait, avant de repartir de plus belle. Se promener seule le soir était dangereux, sans parler de sa robe de soie blanche et de son collier d'émeraude. Elle n'avait pas vraiment d'endroit où cacher un poignard ou un pistolet. Des voix s'élevaient des tavernes, et des torches brûlaient, laissant des traces de suie sur les murs. Au moins, il n'y avait pas de lampes à gaz dans ce quartier de Londres.

Elle s'amusait déjà plus qu'elle ne l'aurait fait à la soirée musicale.

L'amusement dura, même lorsqu'elle trouva son frère dans une de ces alcôves de pierre, qui empestait malheureusement la rivière. Elle s'attendait à ce qu'il soit coincé par une bête magique quelconque, ou au moins en train de combattre une bande de brigands, mais pas à boire du whisky à même une flasque, avec ce qui semblait être un amas d'os d'oiseaux à la main.

— Oh, Godric, vraiment, soupira-t-elle.

— Qu'est-ce que tu fais ici ? demanda-t-il avec un faible clignement des yeux.

— Tu as envoyé ton lévrier me chercher.

— Absolument pas. Je l'ai envoyé chercher plus de bière.

— Bon, alors, ton compagnon est plus intelligent que toi, dit-elle. Et je suis plutôt persuadée que les chiens magiques ne peuvent pas aller chercher d'alcool.

— Ça valait la peine d'essayer.

Ses boucles blondes tombaient sur son front, et il y avait des taches d'herbe sur ses manches. Ce n'était pas là son frère enjoué et intelligent. Elle lui pinça le bras.

— Aïe ! s'écria-t-il en lui lançant un regard noir. Pourquoi as-tu fait cela, merde ?

— Tu sais pourquoi, rétorqua-t-elle en le pinçant de nouveau.

Il était trop ivre pour s'éloigner d'elle. Il la regardait simplement, l'air penaud. C'était comme pincer un chiot.

— Tu empestes la taverne.

Il se frotta le visage.

— Je ne peux le supporter, Gretel, s'écria-t-il, utilisant le vieux surnom qu'ils employaient lorsqu'ils jouaient à Hansel et Gretel essayant d'échapper à la maison de la sorcière.

Cela se passait avant qu'ils sachent qu'ils étaient eux-mêmes des sorciers.

— Tu devras éventuellement t'y faire. Ça ne peut pas durer. Ce n'est pas bon pour ta santé.

Elle garda un ton vif. Si elle lui laissait voir la moindre pitié, elle avait peur qu'il disparaisse tout simplement devant ses yeux.

— Le prince régent peut boire quinze bouteilles de bière dans une seule journée.

— Le prince régent transpire et sent le fond de bouteille. Est-ce là ce que tu désires ?

— Tu avais l'habitude d'être plus gentille, se plaignit Godric.

— Tu avais l'habitude d'être sobre, répliqua-t-elle, lui attrapant le bras lorsqu'il commença à pencher dangereusement vers la gauche.

— Je ne peux pas croire que… *ah* !

Elle avait oublié que lorsqu'elle touchait à Godric, son don de voir les esprits se transférait à elle.

Le corps brisé d'un homme en toge romaine était étalé sur les pavés, des marques de brûlures de corde autour du cou. La roue arrière d'une diligence lui passa sur le corps. Il ne le remarqua pas et se contenta de se relever, puis de traverser la rue jusqu'à la maison la plus près avant de passer à travers le mur. Un instant plus tard, elle l'aperçut sur le toit, une corde à la main. Il était coincé dans le cycle spectral de son propre suicide.

Un deuxième fantôme, une femme en robe de style Tudor que Penelope, la cousine de Gretchen, aurait bien aimée, glissa sur le trottoir, son collier de perles étincelant vivement. Elle laissait derrière elle une trace de givre et semblait parfaitement heureuse d'être un fantôme. Elle sourit même à Godric.

Il serra la mâchoire et détourna le regard.

Il se dégagea de l'emprise de Gretchen, ce qui brisa le lien magique.

— Ils sont partout. Tu n'as aucune idée de leur abondance à Londres.

Elle ne pouvait plus voir ni les fantômes ni le froid qu'ils laissaient derrière eux. Elle remarqua les déchirures sur ses manches et les brûlures vives sur le côté de sa main. Les fantômes sapaient tellement d'énergie du monde qui les entourait que leur toucher brûlait, même s'ils gelaient tout le reste sur leur passage. Les esprits des sœurs Greymalkin leur avaient fait la même chose lorsqu'elles les avaient attaqués. Seulement, elles étaient si puissantes que n'importe quelle sorcière pouvait sentir leur toucher. Ces fantômes ne vaquaient qu'à leurs occupations de fantômes, hantant des tombes ou quoi que ce soit d'autre que les fantômes faisaient plutôt que de passer leur chemin.

— Que fais-tu ici, de toute façon ? demanda-t-elle. Outre t'apitoyer sur ton sort ?

— L'Ordre envoie les élèves d'Ironstone ranimer les gargouilles qui restent après leur fuite du mois dernier. Après cette nuit avec les sœurs Greymalkin, personne ne veut courir de risque. Nous avons besoin de toute la protection possible, affirma-t-il, d'un ton nullement impressionné.

Elle était verte d'envie.

— C'est trop injuste, grommela-t-elle. Les jeunes filles de Rowanstone n'ont pas le droit de s'amuser. Je dois apprendre la broderie. Et des poésies, se plaignit-elle avec un haussement d'épaules.

Godric rit si fort qu'il dut se tenir la tête à deux mains lorsque le bruit l'atteignit comme des poignards.

— Tant mieux, conclut-elle prestement. De toute façon, pourquoi t'envoient-ils, toi ? Tu n'es pas un gardien et tu n'es à Ironstone que depuis quelques semaines.

— La plupart des gardiens d'expérience sont de l'autre côté de la Manche à combattre ce bon vieux Napoléon.

— Ils combattent Napoléon avec de la magie ? Génial.

— Le seul résultat concret jusqu'à présent est que Londres est maintenant vulnérable aux sœurs Greymalkin.

— Mais Napoléon a été capturé la semaine dernière, souligna Gretchen.

Il y avait eu un défilé improvisé pour brûler des effigies et boire des barils de gin libérés d'une taverne mal verrouillée. Godric lui en avait parlé.

— Les gardiens devraient revenir bientôt, n'est-ce pas ?

— J'imagine que oui, opina-t-il en clignant des yeux. Pourquoi tes cheveux luisent-ils ?

— C'est de la poussière de verre.

Il cligna de nouveau des yeux.

— Dans tes cheveux ? Pourquoi ?

— J'ai trouvé un signe cabalistique magique sur un réverbère qui a éclaté méchamment.

Il ne sembla pas surpris.

— Encore ? Nous avons fait des pieds et des mains pour tenter de maîtriser les protections de la ville dernièrement.

— Alors, l'Ordre est déjà au courant ?

— Évidemment.

— Quels idiots, grommela-t-elle, parce qu'elle ne pouvait s'empêcher d'injurier l'Ordre chaque fois que c'était possible.

Godric haussa les épaules et manqua de tomber à la renverse.

— Oh, franchement, Godric, ajouta-t-elle, gardant le ton d'une petite sœur ennuyée pour cacher son inquiétude. Est-ce que cela en vaut vraiment la peine ? Être ivre ainsi, tout le temps ?

— Cela ne fait mal que lorsque j'arrête.

Elle lui donna un coup de pied sur le tibia.

— Ne sois pas ridicule.

— Aïe. Ne peux-tu pas me laisser mourir en paix ?

— Absolument pas. Bon, où est cette gargouille ?

Il sortit de l'alcôve avec la précaution exagérée de celui qui n'est pas tout à fait solide sur ses pieds. Il indiqua le toit en dôme de l'alcôve, sur lequel était accroupie une gargouille de pierre aux dents monstrueuses, mais aux ailes fort délicates.

— Je tentais de trouver le moyen d'y grimper sans tomber sur la tête.

— Pas étonnant que tu sois ici depuis si longtemps.

C'était toujours Gretchen qui grimpait dans les arbres et aux échelles, alors que Godric devenait verdâtre s'il regardait par la fenêtre du deuxième étage.

— Comment doit-on faire pour les ranimer ?

Godric désigna la boîte de bois sur le banc à côté de lui dans l'alcôve. Lorsque Gretchen l'ouvrit, l'odeur du cèdre et du miel combattait celle du fer et celle de poisson mort de la Tamise. Dans la boîte, il y avait une dizaine de petits sacs de soie grise. Elle en ouvrit un avec précaution pour y découvrir des os d'oiseaux pâles.

— Quelle barbarie.

— Apparemment, ce sont des os d'oiseaux qui ont vécu une belle vie, élevés par des sorcières d'oiseaux sur la côte à Douvres. Ils sont morts de façon naturelle, précisa-t-il avec un hochement de tête, avant de se rappeler qu'il était ivre et qu'il risquait de perdre l'équilibre. Cette magie est un peu n'importe quoi, non ? Je veux dire, peux-tu t'imaginer maman scandant des vers pour des oiseaux morts ?

Gretchen sourit à l'idée.

— J'imagine que c'est la raison pour laquelle elle a tourné le dos à l'univers de la sorcellerie. C'est trop salissant.

Elle tenta d'utiliser la pierre comme prise de pied, mais sa robe était trop serrée. Elle jeta un regard à son frère.

— Godric, rends-toi utile.

— Je ne parlerai pas aux morts.

Elle leva les yeux au ciel.

— Aide-moi, tout simplement, idiot.

Il lui tendit d'abord la flasque en argent.

— Apparemment, elles ont également besoin de whisky.

Il noua ses mains ensemble, et elle y grimpa. Il lui faisait la courte échelle depuis des années, particulièrement pour voler des biscuits dans les armoires. Elle se stabilisa sur la courbe d'une pierre, avant de grimper jusqu'en haut et de s'étirer pour glisser le petit sac dans la gueule de la gargouille. Les plis de la sculpture étaient noirs de suie, et une de ses narines était ébréchée. Elle y ajouta une larme de whisky. Godric dénoua ses mains, et elle retomba au sol.

— C'est tout ? demanda-t-elle.

— Pour l'instant. À minuit, une autre sorcière viendra l'animer.

— Pourquoi ne peuvent-elles pas également la nourrir ?

— Elle a quatre-vingt-sept ans pour commencer, lui dit Godric.

— Bon, c'était génial, mais je suis déjà en retard pour la soirée musicale.

— Maman te mariera à un vieil homme sans dents, si tu continues de la provoquer, l'avertit Godric, qui se pencha pour prendre son chapeau, dont le bord était légèrement abîmé.

— Moque-toi tant que tu le veux, répliqua-t-elle. Elle te fera épouser une jeune fille qui glousse tout le temps et qui ignore où se trouve l'Inde.

— Il y a pire, tant qu'elle est jolie.

Gretchen l'ignora, consciente qu'il plaisantait. Il ne voulait pas plus qu'elle d'un mariage forcé. La différence était qu'il était beaucoup plus agréable et mieux disposé qu'elle envers les gens, tout jouait en sa faveur. Surtout, il préserverait son autonomie et sa richesse après les noces. Gretchen devrait légalement et socialement obéir à son mari.

Obéir.

— Il n'en est absolument pas question, grommela-t-elle.

Elle dut avoir l'air paniquée, puisque Godric lui donna un coup de coude.

— Laisse tomber, lui conseilla-t-il. Tu sais que je ne les laisserai pas t'intimider.

Il s'arrêta et fronça les sourcils.

— As-tu entendu cela ?

— Nous voulons simplement la fille, affirma un des vagabonds, comme si c'était tout à fait raisonnable. Elle est déjà morte, qu'est-ce que ça change ?

— Allez au diable, répondit furieusement Moira, alors que la douleur et la rage lui laissaient un goût amer à la bouche.

Elle aurait pu cracher le feu.

— Parce que cela *m'importe*.

Il se précipita vers elle. Il était bâti comme un bœuf, avec des épaules assez larges pour appartenir à trois personnes. Elle se déplaça vers le côté, mais elle n'avait nulle part où aller si elle voulait rester près du bateau. Le vagabond referma ses doigts sur ses cheveux. Elle les avait laissés libres, comme le voulait la tradition, pour s'assurer que la magie ne reste pas coincée dans ses tresses. Elle voulait garder tout chuchotement pour Fraise.

Le vagabond l'arrêta net, et son crâne lui fit affreusement mal. Elle monta son coude pour le frapper sous le nez. Il le remarqua à peine, même lorsque le sang coula de sa narine gauche. La petite gargouille de Moira attaqua le vagabond et pratiqua de nouvelles entailles. Elle donna un coup de pied pour tenter de le frapper à l'aine. Il grogna de douleur et la gifla sur le côté de la tête. Elle tomba à genoux, le bruit résonnant dans ses oreilles. L'ami du vagabond lui tendit une chaîne de fer qui brillait comme une flamme bleue, un pendentif de roue à rayons de fer de contrebande oscillant à une extrémité. Personne ne fabriquait de charme de contrainte comme l'Ordre, même dans les mains de criminels magiques insignifiants.

Les autres vagabonds se tournèrent vers le corps de Fraise alors que la chaloupe se balançait au bout d'une corde usée.

— Gretchen, attends !

Godric fonça à ses trousses en jurant. De sous le pont provinrent des bruits de combat, pire, des bruits d'une jeune fille combattant quelque chose de beaucoup plus gros qu'elle. Gretchen avait de la difficulté à discerner leurs silhouettes, car une chaloupe et une torche crachotaient au sol. Elle ignorait qui elle devait secourir, puisque la jeune fille avec du sang sur les dents rigolait.

— J'ai besoin d'une arme ! exigea Gretchen.

Elle n'allait même plus prendre le thé sans un poignard, désormais. Sa mère avait confisqué son réticule, car il était trop volumineux. Il était gros en raison des clous de fer, du poignard et des petits sacs de sel protecteur qu'il contenait. Il ne contenait pas les sels à respirer et les cartes à jouer qui, selon sa mère, devaient se retrouver dans un réticule.

— Attends-moi, sapristi, la pria Godric, mais il lui lança le poignard de fer qu'on lui avait donné lorsqu'il était entré à Ironstone.

Quand Gretchen était entrée à l'académie Rowanstone, elle avait reçu un jeu d'anneaux avec de petites perles et un œil peint pour la protéger du mauvais œil.

Cela ne l'avançait pas tellement.

— Des vagabonds, la prévint Godric. Sois prudente.

Gretchen reconnut que la jeune fille était Moira, la sorcière garçon manqué qui les avait aidés à vaincre les sœurs Greymalkin. Moira bondit sur ses pieds, sauta par-dessus un des corps sur le sol et donna un coup de pied au visage d'un vagabond en atterrissant. Gretchen sauta dans la mêlée et fracassa la poignée de son poignard derrière la tête d'un vagabond. Il grogna et tomba. Godric était soudainement à ses côtés à éviter les coups.

Gretchen poussa un vagabond dans la rivière. Le plouf fit voler de l'eau noire dans les airs. Gretchen tourbillonna sur elle-même, dans un fol amusement. Deux autres vagabonds descendirent la pente vers eux. Chaque leçon de lutte et d'escrime que Godric avait suivie, il les lui avait enseignées par la suite. Sa révérence était peut-être lamentable, mais son crochet droit était aussi précis qu'une satanée aiguille de broderie. Meilleur que celui de Godric, il fallait le dire. Un vagabond évita son attaque et réagit si vicieusement que Godric vola dans les airs, en sang. Il tomba violemment au sol et roula pour éviter le coup suivant.

— Ne meurs pas, lui cria Gretchen, qui donna un coup de pied derrière le genou du vagabond. C'est un ordre.

— Tu as toujours été autoritaire, grommela Godric, qui se releva.

Il lui fit un clin d'œil, attentif à l'inquiétude dans son regard.

— C'était mon chapeau préféré, dit-il tristement alors que Moira faisait valser un vagabond en colère dans un autre vagabond en colère.

Le dernier vagabond jura avant de s'enfuir.

Moira dégagea ses cheveux boueux de son visage.

— Toujours au bon moment, Gretchen, n'est-ce pas ? Tu as déchiré ta robe.

Gretchen sourit.

— Tant mieux. Elle est horrible.

— Qui est-ce ? demanda-t-elle.

— C'est mon idiot de frère, répondit Gretchen.

— Je préfère Godric Thorn, lord Ashby, en fait, déclara-t-il formellement, avec une révérence parfaite. Comment allez-vous ?

Elle le regarda comme s'il jouait à l'écervelé. Moira haussa les sourcils quand elle se rendit compte qu'il était sérieux.

— Que voulaient ces vagabonds ? demanda-t-il. Devrions-nous convoquer l'Ordre ?

Moira lui montra les dents.

— Pas de barbes grises. Ils voulaient les ossements de Fraise.

— Pourquoi ? demanda Gretchen, qui fronça les sourcils, reconnaissant le nom de celui d'une des victimes que Sophie avait assassinées pour convoquer les sœurs Greymalkin.

— Voilà la vraie question, n'est-ce pas ?

L'adrénaline faisait trembler les mains de Moira, alors qu'elle ramassait la torche au sol. Elle était presque complètement consumée, plus de fumée que de feu.

Elle pataugea dans l'eau froide pour stabiliser la chaloupe, lorsqu'elle pencha la torche. Le foin tassé sous Fraise s'enflamma immédiatement, la fumée sifflant. Moira poussa la chaloupe, et la magie la tira, puis les flammes s'élevèrent de tous bords tous côtés.

Lorsque Moira leva la main pour afficher son nœud de sorcière, Gretchen et Godric en firent autant, incertains de ce qu'il fallait faire lorsqu'on se présentait sans être invité à des funérailles de garçon manqué.

En silence, ils regardèrent la chaloupe s'éloigner, jusqu'à ce qu'elle ne soit plus qu'une colonne de feu, des flammes dorées éclatant dans le ciel nocturne. Elle s'effondra enfin, s'enfonça dans les eaux sombres de la rivière, loin des limites de Londres. La fumée épaisse avait une odeur de fenouil.

Moira serra le poing autour de son nœud de sorcière.

— Au revoir, Fraise.

Elle se retourna, les yeux étonnamment secs.

— Merci, dit-elle à Gretchen et Godric avant de s'éloigner.

— Elle était magnifique, s'émerveilla Godric, qui, s'il n'était pas encore sobre, était du moins dégrisé. Elle sentait la menthe.

— Elle t'a probablement également fait les poches, souligna Gretchen. Même avec tout ce qui se passait.

Godric tripota ses poches.

— Sapristi. Bof, ajouta-t-il. Ça n'a pas d'importance. Elle peut avoir tout mon or.

Il regarda Moira s'éloigner d'un bon pas, sans se retourner.

Gretchen lui donna un coup d'épaule.

— Dis au revoir, grand frère.

Il sourit.

— Nous verrons bien, petite sœur.

# CHAPITRE 2

— En es-tu certain? demanda Cormac. Tu es de retour depuis à peine deux jours. Une double tâche, c'est beaucoup, même pour toi.

Cormac et Tobias formaient une paire incongrue : le gardien charmant sans pouvoir magique propre et avec une certaine indifférence des règles, et le bon gardien qui suivait les mêmes règles avec une dévotion quasi religieuse. Pourtant, ils étaient partenaires depuis un an et utilisaient ces différences pour se sauver la vie l'un l'autre.

— Ça ira, répondit Tobias, sa canne à pommeau d'ivoire martelant le sol alors qu'il marchait. Et la maison est plutôt bondée, admit-il.

Sa famille était rarement en ville. Elle préférait la vie à la campagne. La ville était trop contraignante pour eux avec tous ces corsets, ces règlements et cette courtoisie. Cela ne leur ressemblait pas du tout, mais c'était taillé sur mesure pour Tobias.

Il adorait les statues romaines, les pavés, les diligences, les colonnes corinthiennes et les lampes à gaz. Il aimait la retenue, la constance et les règles de bienséance qui simplifiaient tout. La Tamise puait, mais elle puait toujours. Elle aussi était prévisible, à sa façon.

La résidence de campagne de sa mère sentait peut-être la cire d'abeille des chandelles et les branches de pin que sa sœur accrochait partout, mais elle était désorganisée et chaotique. Personne d'autre ne semblait s'en préoccuper. Ils aimaient les poils de chien sur les meubles, les bottes boueuses dans l'entrée et la moitié des cristaux du lustre, brisés en raison du vent qui soufflait tout le temps par les volets toujours ouverts. Parfois, Tobias se disait qu'ils pourraient tout aussi bien vivre dans la forêt, ce qui semblait être la raison, en fait.

Il préférait son matelas de plumes et un valet qui savait nouer convenablement une cravate.

Cormac pouffa de rire, au courant des secrets et des préférences de la famille de Tobias. Il avait lui-même cinq sœurs plutôt sauvages.

— On dit que ton frère a toujours de mauvaises fréquentations.

Un muscle se tendit dans la mâchoire de Tobias lorsqu'il répondit affirmativement.

— Te souviens-tu de ces frères gobelins ? sourit Cormac.

Tobias lui rendit son sourire, malgré lui.

— Tu veux dire ceux qui ont bu tant de bière noire que des champignons de sorcière noirs ont poussé sur eux et qu'ils ont dû les tremper dans le sel pendant trois jours ?

— Si je me souviens bien, c'est toi qui les as enfermés dans ce baril de bière.

— Seulement parce que…

Tobias leva les yeux au ciel brusquement.

Cormac reconnut son regard.

— As-tu senti quelque chose ?

Il fronça les sourcils et hocha la tête.

— Je n'en suis pas certain, c'est trop faible.

De la pluie tomba, tachetant les pavés.

La magie indomptée érafla les protections intérieures de Tobias, qui combattit jusqu'à ce que la transpiration perle sur son front. Refuser son don lui était de plus en plus difficile. Des griffes l'écorchaient de l'intérieur.

Cormac lui jeta un regard entendu.

— Tu ne peux continuer ainsi, dit-il. Et pour quelle raison ?

N'ayant pas hérité de don de sa puissante famille, il ne pouvait pas comprendre pourquoi Tobias refusait d'embrasser sa magie familiale. Ils en débattaient régulièrement. Particulièrement lorsqu'elle aurait pu lui sauver la vie le jour de l'attaque des sœurs Greymalkin. Tobias était plutôt persuadé du contraire. L'ajout d'un éclat de magie aurait pu les rendre assez puissantes pour tuer Cormac.

— Ça va, répliqua Tobias d'un ton glacial et impassible.

Il lui avait fallu des années pour être simplement capable de parler quand le loup se réveillait. La manipulation était une épée tranchante.

— C'est parti, de toute façon.

La maison des Greymalkin se dressait de l'autre côté de la rue, le jardin étouffé de mauvaises herbes et les fenêtres couvertes de poussière. Elle était vide et à l'abandon depuis des années, invisible à tous sauf au peuple des sorcières. Une magie malveillante battait encore à l'intérieur, ce qui libérait des vrilles de colère, de désespoir et de tristesse. Les gardiens qui la surveillaient jour et nuit devaient ensuite prendre des bains de sel et se purifier avec de la fumée de sauge.

Des pas se firent entendre derrière eux, alors qu'un de ces gardiens émergeait de derrière un arbre, une flasque à la main. Cormac tourna la tête, son expression dangereusement polie.

— Je croyais que tu devais surveiller la maison, Virgil, avança doucement Tobias, conscient que Cormac serait incapable de dire quoi que ce soit de gentil.

Virgil prenait un malin plaisir à le provoquer.

— Je la surveillais, précisa-t-il en enlevant une poussière imaginaire du revers de sa chemise. Certains d'entre nous possèdent non seulement des dons, mais également le bon sens de se protéger de la pluie, ajouta-t-il en désignant les cheveux mouillés de Cormac.

— Et certains d'entre nous sont fiers de notre travail, dit Tobias d'un ton glacial, peu importe le temps qu'il fait.

Le sourire de Virgil se fit plus hypocrite. Il n'était pas étonnant que Tobias passe tant de temps à retenir les coups de Cormac.

— Évidemment, Killingsworth. Personne ne questionne tes talents de gardien. Surtout si on considère le poids mort de Cormac que tu dois traîner derrière toi. J'ignore pourquoi ils te gardent, Cormac. Tu es inutile sans magie.

Tobias baissa le regard avec dédain, conscient que cela rendait Virgil furieux.

— Ton intolérance est plutôt malhabile, Virgil. Peut-être devrais-tu te concentrer sur tes tâches ?

Il renifla et salua brusquement. En tant que vicomte qui devait hériter d'un comté, le rang de Tobias était plus élevé que celui de Virgil, tant au sein de l'Ordre qu'au sein de la société londonienne.

— Comme tu dis, je vais poursuivre ma ronde.

Tobias fronça les sourcils.

— As-tu vu comme ses pupilles étaient dilatées? demanda-t-il à Cormac alors que Virgil s'éloignait d'une manière guindée. Je n'ai pas vu d'yeux comme ceux-là depuis que mon frère a mis les pieds dans ce repère d'opium. Nous devrons le surveiller attentivement.

Cormac jeta un regard méfiant en direction de Virgil.

— J'en ai bien l'intention.

Lorsqu'un hibou hulula par-delà les rues brumeuses de Londres, Tobias jura. Il y eut un long silence avant qu'un chien à proximité se mette à japper nerveusement.

— Pas tout à fait subtil, fit remarquer Cormac.

— Les gens s'imagineront qu'il s'agit d'un chien, dit Tobias ironiquement. Il n'y a pas de loups en Angleterre, évidemment.

— Évidemment, lui répondit Cormac, tout aussi ironiquement.

La réponse du hibou fut perçante.

Et beaucoup plus près.

— Celui-là vient du parc, précisa Tobias, qui s'éloigna au pas de course, traversa précipitamment la rue et évita de justesse deux chevaux tirant une charrette remplie de bouteilles vides.

Hyde Park était sombre comme de l'encre et rempli de chuchotements de feuilles et d'animaux.

Pas seulement d'animaux. De loups.

Il y eut un craquement d'os, et quelqu'un se métamorphosa en loup et hurla un message de réponse de l'autre côté de Londres. Tobias franchit rapidement la bordure des arbres, et les lapins et les souris s'esquivèrent à son approche. Ses narines étaient dilatées alors qu'il distinguait les couches d'odeurs dans le vent nocturne : le lilas, la terre, un terrier de blaireau, du fer, du musc, un loup.

Pas n'importe quel loup.

Son frère.

— Ky est ici, renseigna-t-il Cormac.

— Merde, répondit-il avec lassitude en sachant très bien où cela les mènerait.

Tobias s'enfonça dans l'ombre, évaluant la direction prise par la meute. Il tourna autour d'un chêne et s'accroupit dans un buisson de mûres, maîtrisant brutalement son compagnon loup qui cherchait à rejoindre les autres.

Le clair de lune filtrait à travers les feuilles alors qu'ils s'approchaient pour se refléter sur des dents bien aiguisées et le blanc d'yeux trop humains. Tobias savait parfaitement que son frère était en avant. Ils étaient au moins quatre, peut-être cinq. Il entendait le craquement des brindilles, les respirations haletantes. Le premier loup qu'il vit prendre le virage et charger était fauve avec une tache blanche sur le poitrail. Ses longues enjambées survolaient le sol, jusqu'à ce qu'il donne l'impression de voler.

Tobias sortit brusquement du buisson. Il planta son bâton de marche dans le sol selon un angle aigu. Surpris, le loup n'eut pas le temps de modifier sa trajectoire. Il écarta les pattes en raclant dans la boue. Il glissa sur le côté et fit un saut périlleux.

Le reste de la meute chargea Tobias et Cormac en grognant. Ceux-ci se tenaient épaule contre épaule, avec les loups qui les entouraient. Ky était affalé sur le sol, jurant méchamment alors qu'il terminait sa métamorphose en humain. Il avait les cheveux blond foncé, une mâchoire bien définie et aucun vêtement.

— Que diable, Tobias? demanda-t-il en crachant des feuilles qui roulèrent à ses pieds.

Alors que les loups s'approchaient, un jeune garçon, de quatorze ans tout au plus, trébucha dans la clairière, laissant tomber un paquet avec une veste qui dépassait des sangles aux pieds de Ky. Il portait trois paquets supplémentaires en bandoulière. Il avait encore des boutons au menton et il était aussi mince qu'un jeune arbre sous sa chemise.

— N'est-il pas un peu jeune pour être un carnyx? demanda Tobias.

Les carnyx tiraient leur nom d'une trompette de guerre utilisée pour provoquer la peur chez l'ennemi. C'était surtout des loups rebelles qui protégeaient les meutes des louvetiers et des chasseurs, même si, à l'occasion, ils protégeaient également d'autres métamorphes.

— Je suis en formation, leur apprit le garçon, qui se redressa avec fierté.

— Tu transportes leurs effets.

— Et ils en sont reconnaissants, interrompit Cormac avec son sourire charmeur. Pour ma part, je suis assez soulagé que ces horribles ivrognes n'errent pas nus dans les rues.

Les vêtements n'étaient pas flexibles, et la métamorphose d'une forme à une autre donnait lieu à un humain nu.

— Nous répondions à un appel d'avertissement quand tu nous as interrompus, grand frère, fulmina Ky. Je suis sûr que tu l'as entendu.

— Oui, confirma Tobias, qui, par comparaison, avait parlé sans intonation.

— Quelques-uns d'entre nous n'ignorent pas leurs frères, affirma Ky, qui sourit avec mépris.

Un des loups émit un jappement semblable à un rire.

— Habille-toi, petit frère, lui intima Tobias, qui donna un coup de pied sur le paquet. Et laisse l'Ordre s'en occuper.

Hargneux, Ky enfila des hauts-de-chausses avec une ceinture où étaient suspendus des poignards et de petits sacs.

— L'Ordre n'a pas à se mêler des affaires des loups.

— Tu n'as aucun moyen de savoir s'il s'agit d'une affaire relative aux loups, souleva-t-il avec une patience détachée et précise. Tu ne cherches qu'à courir en liberté et tu es trop vieux pour exagérer, Ky. Maintenant, rappelle tes bâtards, ajouta-t-il alors qu'un des loups, les poils dressés, essayait de mordre Cormac. Tu sais aussi bien que moi que Cormac n'est pas une menace.

— Il a raison, approuva Ky, qui fit un signe au loup méfiant.

Le loup fit un pas en arrière, mais ne reprit pas sa forme humaine.

— Es-tu cinglé pour te métamorphoser ? demanda Tobias d'un ton sec et froid. N'importe qui aurait pu te voir.

— Dans le parc ? se moqua Ky. La nuit ? J'en doute.

— Tu as plus de jugement que ça.

— Je ne serai pas restreint comme un chien de manchon, Tobias, remarqua-t-il. Je n'ai pas peur de ce que je suis. Contrairement à toi.

— Tu es un imbécile, Ky.

— Et tu es un lâche.

L'air grésillait. De la magie à peine maîtrisée pétillait entre eux comme de l'électricité statique.

— Comme gardien, c'est ce que je fais, enquêter sur ce genre d'affaires, *petit frère.*

Les deux frères étaient presque nez à nez.

— En tournant le dos à ton loup, rétorqua Ky. *Vieil homme.*

— Les réunions de famille chaotiques sont toujours tellement plaisantes, répliqua Cormac avec désinvolture au garçon qui tenait les paquets et qui se recroquevillait en tournant son corps de côté dans un mouvement inconscient de soumission.

Cormac lança un coup d'œil à Tobias, son expression faussement détendue.

— Est-ce qu'on devrait continuer, Killingsworth ? Je n'ai pas envie que l'une de ces bêtes pisse sur mes bottes. Elles sont neuves.

Une partie de la tension se relâcha. Ky ricanait encore, et Tobias était aussi froid qu'une statue de marbre, mais ils s'éloignèrent l'un de l'autre. Ky s'éloigna, froissé, les loups à sa suite.

— Je déteste ajouter l'insulte à l'injure, déclara Cormac, qui tapa sur l'épaule de Tobias, mais si tu veux exécuter tes nouvelles directives, nous devons assister à une soirée musicale.

— Ma mère a l'air d'avoir envie de me poignarder avec sa fourchette, murmura Gretchen à sa cousine Emma.

Les chandelles reflétaient sur suffisamment d'argent pour éblouir les yeux, avec des assiettes peintes de délicates fleurs bleues, des coupes en cristal et les plus grosses pivoines roses que Gretchen n'eût jamais vues. Elles balançaient leurs lourdes têtes parfumées, l'air aussi ennuyées qu'elle de toute cette affaire. Des pétales pendaient au-dessus de plats de veau aux olives, de ris de veau, de céleri à l'étuvée avec des crêpes de betterave, des asperges, des morceaux de venaison en pot et des gâteaux au ratafia. Une énorme soupière en argent trônait au centre de la table, avec des poignées en forme de griffon et des lièvres bondissant tout autour. Il semblait que quelqu'un aurait voulu qu'un lapin passe à travers sa soupe.

Les convives avaient de la classe et étaient polis, les dames prenaient de petites bouchées, et les hommes portaient des pointes à leurs cols, certains si empesés que les hommes pouvaient à peine tourner la tête. La conversation formait un murmure digne, au-dessus des cliquetis de la coutellerie en argent. Le tout était très élégant et sophistiqué.

Autrement dit, une torture, purement et simplement.

La mère de Gretchen, la très convenable lady Cora Wyndham, lui lança un autre regard réprobateur. Même l'éclat vif de ses imposants diamants semblait la juger.

— Emma, distrais ma mère. Fais pleuvoir le lustre ou souffle la ridicule perruque de lord Chilcott, d'accord ? De préférence, directement sur l'assiette de ris de veau de ma mère.

Emma s'arrêta pour prendre la demande en considération.

— Mieux vaut pas, refusa-t-elle avec un sourire désolé.

Lady Worthing, leur hôtesse et bonne amie de la mère de Gretchen, se leva gracieusement de sa chaise.

— Mesdames, laissons ces messieurs à leur verre et retirons-nous au salon.

Gretchen bondit comme un saumon tentant de remonter le courant. Sa chaise grinça de façon inconvenante sur le parquet. Un valet l'attrapa avant qu'elle tombe à la renverse. En passant devant sa mère, celle-ci lui donna un coup d'éventail sur les jointures. Un bon coup.

— Un peu de tenue, Gretchen, s'il te plaît.

Elle insistait pour se comporter comme si tout ce qui importait était que son fils soit formé pour devenir comte, que sa fille épouse un comte et qu'elle soit la parfaite épouse d'un comte. Le père de Gretchen n'était pas un sorcier et ne connaissait rien du Londres secret où évoluait alors Gretchen. Sa mère ne voulait rien savoir du monde de la sorcellerie, même si elle était née dans une famille qui baignait dans la magie depuis le XIVe siècle. Même à ce jour, après que sa fille et ses nièces eurent aidé à vaincre les sœurs Greymalkin, elle faisait comme si de rien n'était. Elle se préoccupait davantage du teint malencontreusement hâlé de Gretchen.

— Qu'as-tu fait ? demanda sa mère d'un ton ferme, lui bloquant l'accès au salon.

— Pardon ? Rien du tout ! répondit Gretchen, qui baissa rapidement les yeux.

Elle portait une robe de soie parfaitement convenable qui flottait autour de ses chevilles. Si la robe se voulait simple et évoquait des lignes classiques, pourquoi devait-elle se tenir de façon guindée ? Ne devrait-elle pas être capable de respirer ? Son foie devait-il être si étroitement enlacé avec sa rate ?

— Ton ourlet est *sale*. Et pourquoi es-tu en retard ? lui demanda sa mère. Réponds-moi.

— Je... euh.

— Gretchen, je suis ta mère depuis toujours. Tu me causes plus de soucis qu'une maison remplie d'adolescents, lui reprocha-t-elle en reniflant, l'air horrifiée. Et tu empestes la magie.

Elle grimaça.

— Ce n'est qu'un peu de magie, maman, se justifia-t-elle d'un ton qu'elle souhaitait rassurant.

— Cela fait de toi une cible, Gretchen, l'avisa-t-elle d'un ton brusque, pas du tout rassurée. Tu dois pourtant le savoir, non ?

Elle n'avait pas tort.

— Je crois que tu devrais quitter cette école, ajouta tout à coup sa mère. Tu profiterais davantage d'une véritable école de bonnes manières.

Elle faisait déjà semblant de suivre des cours dans une école de bonnes manières plutôt qu'à l'académie Rowanstone pour jeunes filles. Pour les gens de la haute société, elle apprenait le dessin, le français, l'italien, la harpe et la broderie. En vérité, elle apprenait l'histoire des familles de sorcières, comment jeter des sorts et comment envoyer son compagnon lévrier parmi les gens. Et également, pour son malheur, la broderie. Il faudrait ajouter à cela des heures et des heures de révérence, d'élocution et de conduite ? Elle haussa les épaules.

— Tu n'es pas sérieuse.

— À quoi nous a servi la magie ? demanda amèrement sa mère. Outre le fait d'avoir empoisonné l'esprit de ma sœur et d'avoir divisé ma famille ?

— Je suis au courant pour la mère d'Emma, dit doucement Gretchen. Ce n'est pas ce qui est arrivé.

Lady Wyndham leva le menton, pour se cacher derrière son habituel air hautain.

— Elle a pris ses décisions, et j'ai pris les miennes.

Gretchen aurait voulu dire que Theodora avait pris une décision pour protéger Emma, mais sa mère n'aurait pas compris. Elle n'aurait pas vu plus loin que cette enfant mal née, sans parler de la liaison avec un jeteur de sorts Greymalkin.

— Ce n'est pas si simple, répondit-elle plutôt.

— Permets-moi de te préciser ce qui est simple, Gretchen. Trouve-toi un mari, avant qu'il soit trop tard. Le pouvoir social est le seul véritable pouvoir des femmes. Sers-t'en.

— Tu ne peux pas me sortir de l'académie, argumenta-t-elle. *Maman*[1], je suis une chuchoteuse. C'est déjà… pénible.

— Raison de plus pour tourner le dos à ce monde.

— Ce n'est plus une option. Le sort de contrainte de tante Theodora a été brisé. Je sais qui je suis maintenant, maman, que cela te plaise ou non.

Elle se dégagea et entra dans le salon, avant que sa mère ait le temps de répondre. Penelope glissa son bras sous celui de Gretchen.

— Tu veux que j'interprète une chanson de pirate ?

Penelope était une chanteuse accomplie et était déjà reconnue pour ses prestations au piano.

1. N.d.T.: En français dans le texte original anglais.

Le repas de lady Worthing serait suivi de l'arrivée d'autres invités pour la soirée musicale.

— C'est tentant, mais ma mère te donnerait un coup, mais pas un coup d'éventail, l'avertit Gretchen.

— Elle n'a même pas remarqué la dernière fois, sourit Penelope.

— Les filles, dit lady Wyndham d'un ton ferme, de la porte. Mêlez-vous aux invités !

— Honnêtement, ma mère devrait travailler pour l'Ordre. Elle est pire qu'un gardien lorsqu'il est question de surveillance. Je commence à me sentir comme un cerf blessé.

Emma pouffa de rire en les rejoignant.

— Essaie un peu avec des bois sur la tête.

— Je croyais que Joe-le-borgne t'avait donné un camée exactement pour cela, répliqua Gretchen alors qu'elles s'avançaient dans le salon.

— Ta mère m'a demandé de le retirer avant le repas. Elle a dit que cela n'était pas convenable pour la soirée, sourit-elle. Je lui ai répondu que les bois ne l'étaient pas plus, et alors elle est devenue silencieuse et inquiète. J'ai donc utilisé un sort de protection pour les dissimuler moi-même.

Le fond de la pièce avait été vidé de ses meubles, sauf les rangées de chaises devant le piano et une harpe dans le coin. Des chandelles de cire d'abeille coulaient des lustres en argent et des appliques sur les murs crème. Le plafond représentait une mosaïque de moutons qui gambadaient et de chérubins joufflus.

— Beurk, s'écria Penelope, qui leva les yeux vers le plafond. C'est horrible.

— Pourquoi y a-t-il tant de papillons de nuit ? demanda Gretchen, qui utilisa son éventail pour les chasser.

— Ils pullulent, ce printemps, acquiesça Emma. Mes fenêtres en sont couvertes, la nuit.

— Des insectes dans le salon ! sourit Gretchen. Ma mère sera enragée.

Il fallut compter une autre demi-heure avant que les hommes les rejoignent dans le salon. Les autres invités arrivèrent au compte-gouttes, traînant avec eux l'odeur de la pluie et de la brume jaune de Londres qui collait aux fenêtres. Lorsque Cormac, vicomte de Blackburn, arriva, Penelope jeta un regard à Emma.

— Si Cormac et toi tentez toujours de faire semblant de vous connaître à peine, vous devriez peut-être cesser de vous dévisager ainsi, souligna-t-elle. Sans mentionner que tu risques de mettre le feu au tapis. Je rougis.

— Mais non, protesta Emma, même si ses propres joues étaient empourprées.

Elle détourna le regard. Cormac et ses amis traversèrent la pièce pour venir saluer leurs hôtes.

— Qui l'accompagne ? s'enquit Gretchen.

— Le grand jeune homme blond semblait si froid et convenable qu'elle eut tout de suite l'impression qu'elle devait le froisser. Sa cravate était blanche et impeccable ; elle aurait pu être faite de neige. Malgré la perfection de statue grecque de ses traits, il dégageait quelque chose de dangereux.

— C'est Tobias Lawless, précisa Penelope, dont les longues boucles noires volèrent sur ses épaules alors qu'elle tentait de se retourner discrètement sur un talon pour mieux le voir. Il avait retiré sa veste le soir du feu au bal des Pickford, te souviens-tu ?

— Non, répondit vivement Gretchen.

Le regard bleu de Tobias se posa sur elle comme s'il l'avait entendue. Ce satané garçon la regardait de haut.

— Non, je ne m'en souviens pas.

Il détourna le regard dédaigneusement. C'était pire encore.

— Dommage, soupira légèrement Penelope. Il a des épaules solides.

— Tu es incorrigible, sourit Emma, qui lui donna un coup de coude.

— Ma mère dit que le corps humain est un miracle superbe qu'il faut savoir apprécier.

— Ma mère dit que le corps physique est quelque chose qu'une dame doit savoir ignorer, ajouta Gretchen, qui leva les yeux au ciel. Évidemment, elle dit toujours cela quand mon nez me démange ou que j'ai envie de gâteaux.

La mère d'Emma, qui s'était récemment métamorphosée en biche, ne disait pas grand-chose sur grand-chose.

— Pourquoi nous regarde-t-il fixement ? grommela Gretchen. Il a sûrement déjà vu les sorcières Lovegrove auparavant.

— Il ne nous regarde pas fixement, ricana Penelope. Il *te* dévisage.

— Ne sois pas idiote, rétorqua-t-elle, rejetant l'idée par un sourire. Je n'ai encore rien fait pour mériter cela.

— Et tu continueras ainsi, Gretchen Thorn, déclara sa mère d'un ton ferme, debout derrière son épaule. Tobias Lawless, vicomte de Killingsworth, est l'héritier du comté de Starkwood. Ainsi, s'il te regarde, tu souriras poliment.

Cela expliquait pourquoi toutes les jeunes filles le regardaient par-dessus leurs éventails, mais pas pourquoi il *la* surveillait.

— Et il n'est pas marié, annonça sa mère en un murmure enthousiaste qui convenait mieux aux déclarations concernant les rois et les royaumes.

— Oh, maman, grogna Gretchen.

Elle croisa le regard compatissant d'Emma. Penelope était trop occupée à regarder Tobias avec curiosité

— Lord Gilmore non plus n'est pas marié.

— Il a trente-sept ans!

— Et sa sœur est une duchesse, répondit sa mère, comme pour faire fi de tout argument. Choisis, Gretchen, ou je le ferai pour toi.

Elle s'éloigna, alors que les conversations se taisaient et que les invités étaient priés de s'asseoir.

Une jeune fille mariable s'installa à la harpe et chanta avec enthousiasme au sujet d'un chat pris dans une maison de glace. Son père mesurait avidement du regard chaque jeune homme.

— Cachez-moi, s'il vous plaît, demanda un jeune homme en se glissant près de Penelope.

Il jeta aux cousines un regard suppliant. Ses yeux étaient d'un superbe vert mousse.

— Il n'arrête pas de me regarder d'un air interrogateur. J'ai l'impression de subir de nouveau un examen.

Penelope eut un petit rire.

— Êtes-vous marié?

— Non.

— Alors, lord Herringdale vous dévisage effectivement.

— Il fait plutôt peur. Dois-je comprendre que c'est sa fille non mariée qui maltraite en ce moment la harpe ?

— Oui, mais elle est inoffensive.

— C'est bon à savoir. Et je vous demande bien le pardon, ajouta le jeune homme avec un salut.

Il était très beau. Penelope fondait déjà.

— Nous n'avons pas été présentés en bonne et due forme, mais j'étais plutôt désespéré. Je suis lord Beauregard. Et vous m'avez sauvé la vie, lady… ?

— Penelope Chadwick, répondit Penelope. Et mes cousines, lady Emma Day et lady Gretchen Thorn.

— Je vous en suis reconnaissant.

Des boucles brunes lui tombaient sur le front, et son sourire en coin était charmant. Il salua de nouveau, puis renversa du vin de son verre. Des gouttes tombèrent sur les gants roses de Penelope, ce qui les tacha sur les jointures. Il rougit, humilié.

— Je suis vraiment désolé, lady Penelope, s'excusa-t-il. J'ai de sales manières. Permettez-moi de les faire nettoyer pour vous.

Penelope sourit simplement.

— Ce ne sont que des gants, mon cher. Je les ferai teindre rouge vin et lancerai une nouvelle mode.

— Vous êtes aussi bonne que jolie.

Penelope rougit. Emma et Gretchen sourirent derrière elle, se retournant légèrement pour ne pas déranger. Après quelques minutes, Emma s'éloigna, marmonnant quelque chose à propos du thé, et Gretchen recula dans l'ombre d'un palmier en pot.

Quand vint le temps pour Penelope de s'installer au piano, Gretchen avait atteint une des portes de côté. Elle recula rapidement dans la sécurité du couloir, évitant de justesse de percuter un valet qui passait.

— Je suis désolé, mademoiselle, s'excusa-t-il, même si c'était elle qui sortait de nulle part.

Elle l'aida à stabiliser son plateau, avant de disparaître dans la bibliothèque. Elle était remplie d'ombres et de livres reliés en cuir. Une chandelle brûlait dans la fenêtre la plus éloignée, et une autre, sur une des tables. Il n'y avait pas de feu dans l'antre. Parfait. L'odeur de la poussière s'accrocha à Gretchen, alors qu'elle pénétrait davantage dans la pénombre.

Elle ne se cachait pas dans les bibliothèques parce qu'elle était une intellectuelle comme Penelope, qui récitait sans cesse de la poésie, mais parce que dans la plupart des soirées musicales et des bals, c'était la pièce habituellement la moins occupée. Les couples souhaitaient voler des baisers habituellement dans les serres, et les dames âgées qui s'endormaient en raison d'un verre de brandy de trop se retrouvaient généralement dans les salons, ce qui laissait heureusement les bibliothèques à l'abandon.

Et, autre chance, Gretchen connaissait la bibliothèque des Worthing aussi bien que la sienne, jusqu'aux romans populaires dissimulés sur les dernières tablettes près du balcon. Autre bonne chose, juste la semaine précédente, elle s'était retrouvée prise au piège dans la bibliothèque des Brookfield pendant des heures sans rien d'autre à lire que des livrets sur la tonte des moutons et l'avantage de la rotation des cultures. Elle s'était endormie quelque part entre les lentilles et la culture des oignons égyptiens.

Le contraste entre le combat avec les vagabonds et l'affichage d'un joli sourire pour les fils célibataires des comtes était trop saisissant. Un résidu de magie brûlait en elle. Elle était étonnée que l'air autour d'elle ne crépite pas. Sa mère ne devrait pas lui reprocher un moment de solitude dans la bibliothèque, pas si l'autre choix impliquait que de la magie jaillisse du bout de ses cheveux. Ce n'était pas très subtil.

Sans mentionner que ce n'était pas très mariable.

Quoique…

Il ne valait mieux pas. Elle avait déjà tenté sa chance en partant avec Godric.

Bon, la culture des oignons égyptiens, alors. Elle arpenta les étagères, consulta les titres et jeta un regard aux vitrines qui renfermaient la collection de globes peints de lord Worthing. C'était endormant, poussiéreux et rassurant. Son nœud de sorcière cessa de lui démanger.

Subitement, quelqu'un la prit par le bras, la tira vers l'arrière et la retourna brusquement. Sa joue était collée contre le verre froid du cabinet . Une douleur transperça son coude quand elle tenta de bouger.

– Qui êtes-vous ? demanda un homme, dont la voix était douce et froide à son oreille.

– Qui *je* suis ? aboya-t-elle. Qui êtes-*vous*, plutôt ?

Il évita le coup de pied qu'elle dirigeait vers ses parties sensibles. Ses jupes, enroulées autour des genoux, la faisaient boiter et la mettaient en colère. Il lui fit faire brusquement volte-face.

Tobias Lawless.

Elle ignorait lequel des deux était le plus surpris.

Quelqu'un de si frais et si parfait, portant une cravate si impeccable, n'aurait pas dû attaquer les jeunes filles dans les bibliothèques sombres. Il n'aurait pas non plus dû avoir tant de petits poignards de fer glissés dans sa redingote. La vue de ces poignards augmenta un peu, seulement un tout petit peu, l'attirance de Gretchen pour lui, ce qui révélait le côté rebel de son caractère.

— Lâchez-moi, dit-elle en tirant sauvagement pour se défaire de son emprise.

Il ne recula pas, et son corps la coinçait toujours contre le cabinet. Le verre vibra.

— Que faites-vous ?

Il se rapprocha davantage. Elle dut lever le menton.

— Je me fais aborder, s'écria-t-elle d'un ton ferme, plantant le talon de sa chaussure dans le pied de Tobias.

Il eut un mouvement de recul et grogna. Il grogna. Cela ne semblait vraiment pas son genre.

Elle ferma le poing, pas à la façon d'une jeune fille qui ne l'avait jamais fait. Elle avait déjà frappé un vagabond, le soir même. Elle était très à l'aise de frapper Tobias, lord Killingsworth. Elle en avait envie, en fait.

— Qu'est-ce qui *ne va pas* chez vous ? demanda-t-elle finalement. Êtes-vous ivre ?

— Absolument pas.

Elle haussa un sourcil.

— C'est moi qui me fais attaquer, et c'est *vous* qui jouez les offensés ?

— Je peux sentir l'odeur sur vous, répondit-il, sans vraiment répondre. Inutile de tergiverser.

— Je n'ai pas l'habitude de mentir au sujet du parfum, répondit-elle, plus étonnée qu'inquiète.

— Je ne parle pas de parfum, s'écria-t-il, comme si *elle* le frustrait, mais plutôt de magie noire.

Elle plissa les yeux en signe de colère.

— Je vous demande bien pardon ?

— Et vous le devriez.

Elle visa sa tête. Elle était grosse et trop bien coiffée, comment pourrait-elle rater sa cible ?

Il lui prit le poignet et le serra. Avec force. Il n'aurait pas dû être si rapide.

Un pendentif de roue en fer glissa de son col. Gretchen le regarda fixement, puis transféra son regard sur son visage arrogant, désagréable et superbe.

— Je le savais, affirma-t-elle en lui décochant un sourire qui aurait convenu à un animal d'un jardin zoologique. Vous êtes un satané gardien.

— Et c'est la raison pour laquelle je savais que vous aviez joué avec une magie au-delà de votre compréhension, précisa-t-il en se penchant légèrement. Je peux la sentir sur vous.

— Ce que vous sentez, répliqua-t-elle en lui plantant un doigt dans la poitrine jusqu'à ce qu'il recule d'un pas. Ce sont les funérailles d'une pauvre sorcière qui ont failli être ruinées par une bande de vagabonds. Que l'Ordre devrait garder sous son emprise, si je ne m'abuse.

Et à cet instant, il la *reniflait*.

Hum, il était plutôt subtil. Une autre fille aurait pu croire qu'il s'intéressait à elle, qu'il lui faisait la cour ou qu'il se penchait pour lui donner un baiser. Mais elle savait qu'il n'en était rien.

— Et que faites-vous, *maintenant* ? demanda-t-elle d'un ton exaspéré.

Il s'immobilisa.

— J'évalue la vérité de ce que vous dites.

— En me reniflant ? s'étonna-t-elle, les yeux levés. Franchement, est-ce que ça fonctionne avec toutes les filles ?

Vous ne pouvez vous jouer de moi, Killingsworth. Vous n'êtes pas la première barbe grise que je croise.

Elle le poussa, simplement parce qu'elle le pouvait.

— Maintenant, arrêtez.

— Vous êtes une chuchoteuse, dit Tobias.

— Et alors ?

— Alors, les chuchoteuses cueillent des trucs étranges pour leurs sorts. Des os, des dents et des fleurs empoisonnées. Des trucs pas très propres.

— Pas moi, répondit Gretchen à contrecœur. Toutefois, franchement, cela me paraît plus intéressant que la broderie qu'ils veulent me faire apprendre. Je vous l'ai dit, ce que vous sentez, c'est de la magie de vagabond et un pendentif de contrainte. Alors, si ce n'est pas propre, c'est la faute de l'Ordre. Et si c'est si remarquable, je rentre immédiatement à la maison prendre un bain.

Il posa un bras de chaque côté d'elle pour l'emprisonner. Son regard bleu était rivé sur elle. Elle avait l'impression qu'il fouillait les tiroirs de sa commode dans sa chambre. Elle dut se retenir de ne pas se tortiller.

— Je vous reconduis au salon, murmura-t-il finalement, apparemment satisfait de ce qu'il avait trouvé.

— Je crois que je peux faire quelques pas dans le couloir moi-même, merci quand même.

— Ce n'était pas une offre.

Elle croisa les bras.

— Et je vous le répète : non merci.

Il parut frustré. C'était l'émotion la plus humaine qu'elle avait vue jusqu'alors sur son visage.

— Personne ne vous a dit ?

— Ne m'as dit quoi ? Que vous étiez cinglé ? Je l'ai découvert toute seule.

Il la regarda du haut de son air aristocrate.

— Que j'ai été envoyé pour vous surveiller.

Elle écouta le bourdonnement qui lui indiquait qu'un sort ne fonctionnait pas bien et incidemment, que quelqu'un lui mentait. Il n'y avait que le bruit de leur respiration dans la pièce silencieuse et les accords atténués de la harpe, qui leur parvenaient du salon.

— Pour votre protection, ajouta-t-il.

Le bourdonnement était si fort alors qu'on aurait dit une gifle.

Il lui mentait à cet instant.

Quoi qu'il fasse, cela n'avait rien à voir avec sa protection.

# CHAPITRE 3

Rentrer à l'académie Rowanstone plutôt que chez son père à quelques rues de là paraissait encore étrange à Emma.

Toutefois, honnêtement, elle préférait cela.

Elle aimait franchir la porte d'entrée avec les autres jeunes filles qui avaient assisté à la soirée musicale, même si peu d'entre elles lui avaient adressé la parole. Elles étaient habituées à ses bois, mais pas au fait qu'elle ait pénétré dans la maison des Greymalkin.

Elle aimait toujours l'académie, avec son grand escalier sculpté de feuilles et de sorbes, ses longs couloirs pleins de courants d'air aux étages et sa vaste salle de bal remplie de marques des cours de sorts. Elle était plutôt fière des nouvelles traces de brûlure au sol provenant du vampire qu'elle avait vaincu à coups d'éclairs, à peine quelques semaines auparavant. Tout, jusqu'à l'échoppe d'apothicaire avec son étrange collection de fleurs, de cristaux, de dents d'animaux, de plumes et de pierres trouées, était plus accueillant que la maison opulente et vide de son père. Le marbre luisant, les vases de cristal et les napperons dorés n'arrivaient pas à cacher le fait qu'Emma avait passé des journées complètes sans dire plus que « merci » aux domestiques, qui n'avaient pas le droit de lui répondre.

Elle passa une jambe sur le rebord de la fenêtre, pour glisser sur sa partie préférée du toit. Un papillon de nuit voleta près d'elle, évitant la lumière attirante. Elle se coucha sur les bardeaux, et les nuages au-dessus de sa tête se dissipèrent pour révéler un essaim d'étoiles. Sur l'autre rue, la pluie bombarda les jardins et siffla vers les torches. Ses dons magiques avaient certains avantages.

Un bruit se fit entendre derrière elle, puis Cormac lui cacha la vue des étoiles un bref instant avant de s'asseoir à côté d'elle. Il posa un doigt sur ses lèvres avant qu'elle puisse dire quoi que ce soit. Il sortit deux charmes de la poche de sa veste. L'un avait la forme d'une oreille, l'autre était rond comme une bille et peint comme un œil. Il les posa sur les bardeaux et les brisa du revers de son poing. Elle sentit plus qu'elle ne vit la magie virevolter autour d'eux. On aurait dit qu'ils se trouvaient dans un coussin de brume, sauf qu'elle pouvait voir le ciel. Une des gargouilles à proximité émit un petit bruit, comme un éternuement.

— Personne ne peut nous voir ni nous entendre, dit-il. Pas même le gardien qui doit te surveiller.

— Ce n'est pas toi, alors ? demanda-t-elle, déçue sans être surprise.

— C'est Virgil, répondit Cormac, la mâchoire serrée.

Emma grimaça. Ils se détestaient depuis l'école, et Emma savait parfaitement que Virgil n'hésiterait pas à se servir d'elle contre Cormac, s'il soupçonnait leur lien. C'était d'autant plus important de garder leur relation secrète.

— Bon, il n'est pas si futé, commenta légèrement Emma. Alors, je ne suis pas trop inquiète.

Cormac esquissa un sourire, mais le sérieux reprit le dessus rapidement.

— Non, mais il est ambitieux, alors sois prudente.

Elle glissa une main dans la sienne, et leurs doigts se nouèrent. Elle sourit timidement. Les cheveux foncés de Cormac lui tombaient sur le front alors qu'il tournait la tête vers elle, prêt à être distrait.

— C'était difficile d'être si près de toi toute la soirée, mais d'être à la fois si loin, lui confia-t-il d'une voix rauque.

Elle croisa son regard, s'efforçant de ne pas rougir. Une jeune fille normale aurait su à quoi s'attendre : Cormac lui aurait fait la cour en se baladant dans Hyde Park et lui aurait volé des baisers dans les jardins des salles de bal. Il demanderait éventuellement à parler à son père, et ils s'épouseraient par contrat spécial un matin à l'église St. James, où ses parents s'étaient mariés.

Mais elle n'était pas une jeune fille normale. Elle ne l'était plus. Elle était une sorcière avec un secret de famille qui pourrait la faire bannir de la société ou l'enfermer dans une bouteille de sorcière. Cormac tendit la main pour adoucir les rides entre ses sourcils.

— Tu réfléchis trop.

Elle ne s'y opposa pas. Il sourit à moitié.

— Et tu t'inquiètes trop.

— Peut-être, acquiesça-t-elle, mais tu cours un grand risque.

— Cela en vaut la peine, répondit-il en mettant son bras autour de ses épaules laissées nues par sa robe de bal.

— Mais je suis techniquement une Greymalkin, précisa-t-elle en murmurant, même si elle savait que les charmes les protégeaient. Tu as travaillé si fort pour faire tes preuves auprès de l'Ordre. Je pourrais tout gâcher.

— Alors, cela n'en valait pas la peine, rétorqua-t-il, sûr de lui en relevant un sourcil et en s'écartant légèrement. As-tu changé d'avis, Emma ?

— Non, bien sûr que non.

— Alors, rien d'autre n'importe.

Il l'embrassa. Les lèvres de Cormac étaient chaudes et habiles. Elle se pencha pour lui rendre son baiser, mais les doigts de Cormac s'enroulèrent dans ses cheveux. Il l'étendit sur les bardeaux, et le reste de Londres disparut. Lorsque la langue de Cormac toucha la sienne, le monde entier disparut. Elle avait l'impression de flotter ou de tomber, elle n'en était pas certaine. Elle s'agrippa à sa veste pour se retenir. Le souffle de Cormac était chaud et bruyant contre son oreille. Elle en avait des frissons dans le cou.

Ils pouvaient finalement se perdre l'un dans l'autre. Elle pouvait faire fi de la surveillance de l'Ordre, des inquiétudes à l'égard de son père dans les Enfers, de sa mère dans la forêt. Cormac pouvait faire fi de son manque de magie qui brûlait en lui, des mensonges racontés quotidiennement à l'Ordre et de la crainte de ne pas être en mesure de la protéger.

Pendant un moment, il n'y eut que deux bouches, deux corps et une certaine mélodie dans le sang. Les mains de Cormac étaient sur la taille d'Emma, et ses jambes se pressaient contre les siennes, lorsque la pluie se mit à tomber. Rapidement, les gouttelettes se transformèrent en grosses gouttes froides qui les bombardaient. Le temps de se précipiter sous l'abri de fortune du pignon de la fenêtre du grenier, ils étaient déjà détrempés. Ils rigolèrent, essuyant l'eau de leurs visages.

Emma sentit ses cheveux glisser hors de son chignon.

— Désolée, s'excusa-t-elle, le nez plissé.

Cormac sourit. Elle tenta de ne pas rougir. Ils savaient tous les deux que la pluie tombait parce qu'elle s'était laissé emporter par les baisers. Il lui était encore parfois difficile de maîtriser sa magie.

Il dégagea ses cheveux mouillés de son visage. Puisque sa cravate était froissée autour de son cou, il la retira, ce qui révéla un bout de peau.

— Je dois partir, de toute façon, dit-il. Je dois retourner à la maison des Greymalkin.

— Je suis désolée pour la pluie, regretta-t-elle. Ta soirée sera maussade, maintenant. As-tu trouvé quelque chose ?

Il secoua la tête, perplexe.

— Rien du tout. La maison n'a pas changé.

Elle réprima un frisson qui n'avait rien à voir avec sa robe mouillée. Cormac glissa son bras autour de ses épaules. Même si son toucher était doux et protecteur, son ton de voix était plutôt amer.

— J'aurais dû pouvoir te protéger.

— C'est grâce à toi si je n'ai pas été enfermée dans la bouteille de la sorcière pleureuse qui a emprisonné les sœurs Greymalkin.

Elle en faisait parfois des cauchemars.

— Tu as même fait plus que le premier légat.

Et le tout sans magie propre, ce qu'elle n'avait pas besoin d'ajouter.

Cormac ne semblait pas convaincu. Elle savait qu'il devait faire un grand effort pour adoucir son froncement de sourcils et lui décocher son sourire le plus charmeur. C'était celui qu'il avait utilisé avec bon nombre de jeunes filles et de femmes.

Elle ne lui rendit pas son sourire.

— Arrête, dit-elle doucement.

Il ne fit pas semblant de ne pas comprendre.

— Je trouverai moyen de te protéger, Emma.

Elle le regarda disparaître dans l'obscurité poussiéreuse du grenier, la pluie dégouttant de ses bois.

— Et je trouverai moyen de *te* protéger, lui promit-elle tout bas.

Plus tard ce soir-là, elle se réveilla pour trouver le plancher de sa chambre à quelques centimètres de son nez. Ses paumes lui démangeaient, et elle s'était éraflé le genou gauche. Le cauchemar était particulièrement violent, et elle s'était de toute évidence jetée en bas du lit.

Elle s'assit et repoussa les cheveux moites de son visage. Son cœur battait la chamade dans sa poitrine comme si le tonnerre était emprisonné dans une cloche en verre. Elle alluma une chandelle de ses doigts tremblants, s'efforçant de se souvenir qu'elle était en sécurité dans ses appartements de l'académie. Ses ongles étaient bleus, et elle claquait des dents, à cause du clair souvenir du froid perçant des sœurs Greymalkin.

Dans son rêve, elle était de retour dans la maison des Greymalkin, ou elle courait pieds nus dans Londres alors que des oiseaux morts tombaient du ciel. Les sœurs Greymalkin étaient toujours à ses trousses, propageant de la glace aussi inexorablement que de l'encre sur du papier.

Elles s'approchaient d'elle, et malgré sa rapidité, Emma ne courait jamais assez vite.

Et lorsqu'elle était assez chanceuse pour rêver à autre chose, elle rêvait plutôt à son père. Ewan Greenwood, banni dans les Enfers, sans jamais pouvoir rejoindre les îles des Bienheureux, où les morts retrouvaient les leurs. La flèche ensorcelée de l'Ordre lui avait retiré ce droit fondamental, et cela emplissait Emma d'une sombre tristesse. Elle se réveillait alors davantage en pleurs qu'effrayée.

Elle enroula sa couverture autour de ses épaules pour se protéger du froid qui circulait encore dans ses os. Elle ne pouvait pas faire grand-chose contre les cauchemars à propos des sœurs Greymalkin, mais elle pouvait faire quelque chose pour Ewan. Elle devait trouver un moyen de le sauver. Il s'était sacrifié pour aider à fermer le dernier portail et il ne devrait pas en être puni. Sans mentionner qu'il avait été tué et banni une première fois à cause du nom de famille de sa mère, pas parce qu'il avait fait quelque chose.

Ce n'était pas juste.

Et elle savait trop bien qu'il pouvait lui arriver la même chose, si l'Ordre découvrait son secret. L'Ordre les soupçonnait, elle et ses cousines, en raison de leur présence dans la maison des Greymalkin, le soir où les sœurs avaient été vaincues, mais l'Ordre n'avait aucune preuve.

Elle sortit les livres qu'elle avait empruntés à la bibliothèque de l'académie et cachés dans le coffre au pied de son lit. Ils portaient tous sur les mêmes sujets : les Enfers, les portails et les sœurs Greymalkin.

Elle en ignorait la manière, mais elle allait trouver un moyen de renverser le bannissement d'Ewan, même si cela devait lui prendre des décennies. Elle ne pouvait pas sauver sa mère de sa folie, ne pouvait plus la retrouver, depuis qu'elle s'était métamorphosée en cerf, mais elle trouverait absolument moyen de sortir Ewan des Enfers.

Ce qu'il lui en coûterait n'importait pas.

Lorsque Gretchen sortit de chez elle le lendemain matin, Tobias l'attendait sur le pas de la porte.

Le bleu foncé de sa veste et le blanc éclatant de sa cravate faisaient ressortir ses yeux pâles. Ses pommettes étaient aristocratiques, tout comme sa lignée impressionnante, mais la forme de ses lèvres était diabolique. Trop diabolique pour appartenir à un tel lord. Sa beauté lui jouerait des tours. Elle le fusilla du regard. Il n'eut même pas la décence de lui rendre son regard, et ne fit que saluer froidement et poliment.

— Que faites-vous ici ? demanda-t-elle.

— Je vous escorte à l'académie, évidemment, répliqua-t-il d'un ton neutre, mais le regard brillant.

— J'ai ma propre diligence, précisa-t-elle, les bras croisés, parfaitement vexée. Allez-vous en, Tobias.

— Il n'en est pas question.

Il s'approcha si près qu'elle put sentir le savon sur sa peau et voir la bouclette de cheveux qui refusait de rester sous son chapeau et qui lui tombait sur le front. C'était charmant. *Agaçant*. Elle voulait dire « agaçant », évidemment.

Et juste comme elle se demandait à quelle proximité il était prêt à s'avancer, il passa le bras près d'elle pour ouvrir la porte.

— S'il vous plaît, dites à lady Wyndham que le vicomte de Killingsworth est là, demanda-t-il au majordome.

— Que faites-vous ? murmura Gretchen, offusquée. Vous ne pouvez pas parler à ma mère.

Elle tenta de traîner Tobias vers sa diligence, lorsque les talons de sa mère cliquetèrent sur le marbre de l'entrée.

— Gretchen, arrêtez immédiatement.

Gretchen grogna.

— Je vous le revaudrai, marmonna-t-elle à Tobias à voix basse, persuadée qu'il tentait de réprimer un sourire.

C'était *à cet instant* qu'il décidait de sourire.

Il salua sa mère.

— Lord Killingsworth, dit-elle, la tête inclinée.

— Je me demandais si vous me feriez l'honneur de me permettre d'escorter lady Gretchen à l'académie, ce matin ?

Gretchen eut un petit sourire narquois. Sa mère n'accepterait jamais. C'était trop scandaleux.

— J'ai pris ma barouche découverte, et le temps est splendide, ajouta-t-il gentiment.

Le sourire de Gretchen s'évanouit. C'était bien moins scandaleux. Tout le monde pouvait les voir. Les commérages iraient bon train, mais il n'y avait aucune possibilité d'indiscrétion dans un tel véhicule en ville.

Sa mère sembla satisfaite. Il était évident que si elle avait pu glisser Gretchen dans une robe de mariée et la pousser dans les bras du jeune homme, elle l'aurait fait.

— Je vous le permets avec plaisir.

Gretchen se demanda à quoi servait la magie, si ce n'était pour creuser un grand trou où se cacher.

– J'ai déjà demandé la diligence, s'essaya-t-elle, très consciente que sa tentative était vaine.

– Ne sois pas ridicule, Gretchen, la vitupéra sèchement sa mère. Tu iras avec lord Killingsworth, qui te fait une grande faveur.

Tobias lui tendit le bras. Gretchen le prit, de crainte que sa mère tente de l'enchaîner dans la cave, si elle refusait.

– Tu sais qu'il ne fait cela que parce que l'Ordre le lui a demandé, dit-elle.

Sa mère fit une moue méprisante. Ce n'était jamais un bon signe.

– Allons-y, ajouta Gretchen, qui tira Tobias dans l'escalier.

Son seul réconfort fut qu'il souffrirait autant qu'elle. De toute évidence, elle ne lui plaisait pas, puisque son visage se crispait chaque fois qu'il regardait dans sa direction. Au moins, sa barouche avait de bons ressorts, et il maniait ses chevaux habilement, leur intimant d'aller plus vite qu'elle ne l'aurait cru à l'aise.

Lorsqu'ils arrivèrent à l'école, elle descendit sans attendre son aide et se précipita sans attendre de voir s'il la suivait. Elle trouva tout le monde rassemblé à l'arrière, là où les grilles du jardin séparant l'académie Rowanstone pour jeunes filles et l'académie Ironstone pour jeunes hommes étaient ouvertes pour créer un grand espace ouvert. Les élèves des deux académies étaient répartis sur la pelouse, impatients de voir la démonstration. Gretchen se souvint que Mme Sparrow avait dit quelque chose à propos de l'Ordre et d'un tournoi traditionnel. Elle aurait bien aimé mettre la main sur une lance.

Elle trouva Penelope et Emma sous un frêne.

— C'est si romantique, dit Penelope, sur la pointe des pieds pour apercevoir les élèves plus âgés d'Ironstone, qui attendaient dans le cercle de pierres. Comme un tournoi des récits du roi Arthur. Comme j'aimerais que Cedric puisse voir cela, ajouta-t-elle. C'est trop injuste qu'il soit écarté de tout, simplement parce qu'il est le petit-fils d'un cocher.

Gretchen et Emma échangèrent un regard entendu derrière son dos, alors qu'elles se faufilaient à travers la foule.

— Voilà Godric, dit-elle en désignant son frère étalé sur un banc de marbre.

Elle traversa la foule de jeunes filles qui flottaient sur des pantoufles de satin. Ses bottes d'équitation claquèrent agréablement sur les pierres. Le regard de Godric était à peine voilé, et il sentait l'eau de Cologne plutôt que le vin. Elle pencha la tête.

— Est-ce là un oiseau dans ta poche ?

Il ajusta sa veste rapidement. Il y eut une étrange palpitation et un éclair de parchemin crème.

— Non, ce n'est rien.

Les cousines s'avancèrent ensemble, tout sourire. Son regard alla de l'une à l'autre, mais lorsqu'il comprit qu'aucun secours ne venait, il soupira.

— Arrêtez.

— Pas question, s'opposa gaiement Gretchen.

— C'est un poème, grommela-t-il, plié comme un oiseau. J'essaie de jeter un sort au papier pour qu'il s'envole.

Elle grimpa pour s'asseoir sur le dossier du banc à côté de lui.

— Tu veux l'envoyer à Moira, n'est-ce pas ?

Ses oreilles s'empourprèrent.

— Laisse-moi le lire, insista Penelope.

— Pas question, grogna-t-il.

— Pourquoi pas ? J'adore la poésie, dit-elle en faisant une moue.

— Oui, mais tes opinions sont tranchées, rétorqua-t-il en croisant les bras de façon protectrice sur ses poches.

Une cloche sonna avant qu'elles puissent le taquiner davantage. Le bruit retentit dans les jardins printaniers, ce qui réduisit les élèves au silence. Mme Sparrow s'avança sur l'herbe, près du directeur de l'académie Ironstone. Il était assez séduisant pour faire soupirer la plupart des jeunes filles. Penelope s'agita, jusqu'à ce que Gretchen la pince.

— Bienvenue à tous, les accueillit Mme Sparrow sans élever la voix, mais personne n'osa parler. Comme vous le savez, l'Ordre a récemment fermé plusieurs portails des Enfers, pour bannir et embouteiller les trois sœurs Greymalkin.

— L'Ordre ne les a pas embouteillées, se sentit obligée d'ajouter Gretchen. C'était Emma.

— Le genre de magie de la famille Greymalkin attire les esprits les plus agités et les plus affamés, poursuivit Mme Sparrow. Ainsi, les sorts et les protections peuvent s'avérer plutôt volatiles. L'Ordre assurera, évidemment, votre sécurité, mais vous devez être sur vos gardes.

Un gardien près de la directrice fronça les sourcils. Gretchen fut persuadée qu'on avait intimé à Mme Sparrow de ne pas inquiéter ses élèves.

— Et comme vous savez sûrement aussi, chaque été nous présentons une démonstration des diplômés d'Ironstone afin que l'Ordre évalue où ils seraient les plus utiles. À la suite des événements récents, M. Whitehall a décidé que ses élèves devraient démontrer leurs talents afin de vous rassurer quant à votre sécurité.

— Et comment cela nous rassurera-t-il ? murmura Gretchen avec dégoût. Savez-vous ce qui nous ferait nous sentir plus en sécurité ? Apprendre à faire ces choses *nous-mêmes.*

— Tu peux prendre ma place, grommela Godric. Je t'en prie.

La pelouse fut libérée, et deux élèves s'avancèrent dans le cercle créé par les pierres et les élèves. L'un d'entre eux tenait un bouclier d'énergie si bien fait qu'il semblait vrai, si ce n'était de la faible lueur bleue. Son adversaire tenait un poignard fait entièrement de clous de fer.

— Oliver Blake et Finnegan quelque chose, dit Godric aux cousines.

— Lady Daphne, s'il vous plaît, l'appela Mlle Hopewell, une des professeures.

Daphne s'approcha du cercle gracieusement dans une robe blanche bordée de perles. Ses cheveux brillaient comme le miel.

— En tant que meilleure élève de Rowanstone, lady Daphne jouera le rôle de la demoiselle en détresse, annonça M. Whitehall.

— Si elle est la meilleure élève, ne devrait-elle pas combattre ? protesta Gretchen, froissée.

— Ce n'est pas ce que font les jeunes filles de Rowanstone, murmura Olwen, une des sœurs de Cormac, de l'autre côté de l'arbre.

Gretchen se mit debout sur le banc, l'air préoccupée.

— J'aurais préféré que tu ne dises pas ça, Olwen, grogna Penelope.

Le combat simulé commença avant que Gretchen puisse s'en mêler. Oliver avait la responsabilité de protéger Daphne, qui s'était enroulée sur une statue d'Hercule à proximité. Finnegan attaqua avec des éclairs d'elfe créés de toutes pièces. Ils frappèrent le bouclier d'Oliver comme des guêpes. Oliver sourit lorsque quelques jeunes filles lui crièrent des encouragements.

Finnegan se mit en chasse sur l'herbe. Il lança une bombe fumigène qui fit tousser tout le monde. Oliver la traversa en attirant la lumière des torches et en la fixant comme un rayon de soleil. Finnegan riposta avec des fouets de feu. Oliver tomba à genoux. Quelqu'un haleta bruyamment.

Finnegan lança son poignard. Il se défit en tourbillonnant vers Oliver, lançant des clous de fer comme des flèches. Les clous laissèrent derrière eux une traînée d'éclairs bleus et une odeur de pommes brûlées.

Oliver lança son bouclier pour éviter le plus gros de l'attaque. Il fit volte-face, attrapa Daphne par la taille et la posa en sécurité derrière la statue. Les clous de fer qui n'avaient pas été arrêtés par le bouclier se dirigèrent vers eux. Oliver les bloqua en lançant les mains dans les airs. Les clous planèrent et vibrèrent pendant un long moment sans faire de bruit. Les protections invisibles qu'il avait établies tinrent solidement. Les clous tombèrent au sol avec fracas, mais de façon inoffensive. Des applaudissements fusèrent.

Oliver et Finnegan se serrèrent la main et saluèrent. Daphne fit une révérence. Gretchen émit des bruits grossiers.

Une fois les applaudissements terminés, des oiseaux en papier furent lancés dans les airs, animés par la magie. Ils volèrent rapidement et de façon erratique, des éclairs mauve et bleu fusant de leur plumage. Ils plongèrent, donnant des coups de bec aux élèves d'Ironstone debout en ligne et aux jeunes filles agglutinées derrière eux.

Un par un, les garçons d'Ironstone démontrèrent leur précision et leur habileté. Le premier utilisa une fronde pour lancer un charme en forme de bille de verre à l'oiseau de papier le plus près. Il lui brisa les ailes, et l'oiseau chuta en tourbillonnant. Lorsqu'il tomba au sol, il se métamorphosa en pétales de rose.

Le deuxième élève se servit d'un pendentif de roue à rayons de fer, l'enroulant autour du cou d'un oiseau de papier en forme de pie. Il tira, et l'oiseau tomba, s'enflammant dans sa chute. Son exploit fut suivi d'éclairs d'elfe, de cailloux soulevés par lévitation et de roues enflammées. Des compagnons se précipitèrent dans la mêlée. Il y avait trois chats, deux crapauds, un héron, un renard, un lapin et un colibri.

Les oiseaux de papier disparurent un à un, jusqu'à ce qu'il ne reste qu'un loup fait entièrement d'énergie magique. Il rôda dans le cercle, pour éviter une combinaison de charmes, d'amulettes et un sort en forme de gobelin. La magie éclatait et crépitait comme des feux d'artifice. Le loup était plus rapide que toutes les amulettes réunies, qu'il évitait en se transformant en une traînée blanche comme une queue de comète.

Il n'était pas aussi rapide qu'une balle de fusil.

Elle le transperça, et il s'évanouit en une volée de rembourrage et de fils. Tout le monde se retourna pour tenter de voir qui avait réussi. Les garçons d'Ironstone restèrent bouche bée.

Gretchen était debout sur le banc, le pistolet de son frère à la main et un sourire prétentieux sur les lèvres. Elle salua de façon théâtrale. Il y eut des clignements d'yeux frénétiques, et les applaudissements éclatèrent.

Impassible, Godric tendit la main pour reprendre son pistolet.

— Donne-moi cela, dit-il en le lui arrachant des mains, mais il avait le même sourire suffisant qu'elle.

C'est lui qui lui avait appris à tirer, après tout.

La magie étincela dans les airs, tandis que les restes du loup se consumaient.

Tobias s'avança pour déclarer d'un ton brusque :

— *Finis*[2].

Les restes magiques disparurent, et il ne resta que de la fumée.

— Merci, lady Gretchen, dit Mme Sparrow. Ce fut très proactif de votre part.

Elle ne semblait pas en colère. En fait, elle semblait tenter de ne pas éclater de rire. Elle fit un signe de tête aux élèves.

— C'est terminé.

Les élèves se dispersèrent dans un murmure frénétique. Un enthousiasme foudroyant se répandit de plus en plus, au fur et à mesure qu'ils s'éloignaient de la pelouse brûlée. Des groupes se réunirent, pour profiter de la proximité des élèves de l'autre école.

— J'ignorais que tu savais tirer de la sorte, dit Olwen. Colette le sait-elle ? demanda-t-elle en faisant référence à une de ses sœurs.

— Je l'ignore. Est-elle ici ?

— Non, elle a été expulsée avant Noël.

— Pourquoi ?

2. N.d.T.: En français dans le texte original anglais.

— C'était un tir précis, interrompit Finnegan, qui se faufila à travers la foule jusqu'à eux. Bien joué !

Gretchen lui fit sa révérence la plus féminine. Il éclata de rire.

— S'ils te laissaient entrer dans l'armée, le vieux Bonaparte serait déjà mort.

— C'est le plus gentil compliment qu'on m'ait jamais fait, répondit-elle tout sourire.

— Vous ne devriez pas l'encourager, interrompit froidement Tobias, derrière son épaule gauche. Les pistolets sont inutiles dans la plupart des combats magiques. Et ce genre d'imprudence est dangereux.

— Et *ça*, c'est ce qu'on m'a dit de plus *ennuyeux*, rétorqua Gretchen. Nous ne sommes pas toutes des demoiselles en détresse attendant d'être secourues, mon cher, ajouta-t-elle d'un ton cinglant. Et puisque je suis sur le terrain de l'école, je ne crois pas que vos services d'espionnage, pas plus que vos opinions d'ailleurs, ne sont les bienvenus.

— L'Ordre vous a-t-il demandé de la surveiller ? entendit-elle Olwen demander alors qu'elle s'éloignait. Ont-ils complètement perdu l'esprit ?

Gretchen s'était piqué le doigt plus souvent qu'elle ne pouvait compter. La broderie devrait être classée comme une magie de sang. Le mouchoir blanc sur lequel elle tentait de reproduire un nœud de sorcière acceptable était désespérément taché de sang. Elle se piqua de nouveau lorsque l'aiguille se bloqua et qu'elle tira trop fort.

Mlle Teasdale leva les yeux de sa reproduction parfaite d'Aphrodite sortant du coquillage. Cela semblait facile. Et elle ne tachait jamais ses fils de sang.

— Gretchen, encore une fois ? Tu dois être douce.

Son regard était celui d'un lapin blessé, les yeux grands, sombres et étonnés, comme si Gretchen l'avait poignardée tout comme elle avait massaré sa broderie.

Elle abandonna son mouchoir pour faire les cent pas. Le boudoir de Mlle Teasdale était reconnu pour son effet calmant. Les tapis doux étaient de la couleur du thé à la menthe. Tout était joli et parfait, conçu pour égayer et encourager une éducation distinguée. Gretchen était un chien sauvage parmi des caniches parfumés.

Deux jeunes filles plus jeunes étaient assises sous la fenêtre et travaillaient paisiblement à leur ouvrage. Elles ne jetaient jamais de regard d'envie par la fenêtre. Le compagnon de Gretchen était déjà sur la pelouse, à courir gaiement en rond. Le désir de le rejoindre était physiquement douloureux.

— Ne puis-je pas apprendre le lancer de la hache ? demanda-t-elle en tournant son anneau de mauvais œil autour de son doigt. Ou le tir à l'arc ?

— Ce ne sont pas là des arts nécessaires aux chuchoteuses, répondit Mlle Teasdale, tandis que Mme Sparrow entrait dans le salon.

Ses cheveux poivre et sel étaient noués en chignon comme à l'habitude.

— Tu dois d'abord apprendre tous les aspects de la sorcellerie. Comment pourras-tu autrement créer des sorts ?

— Instinctivement.

— L'instinct, c'est pour les animaux, ma chère, répondit Mlle Teasdale. Tu es une dame.

Mme Sparrow jeta un regard aux poings serrés de Gretchen et à sa moue dépourvue de toute féminité.

— Mmm. Même les dames ont besoin d'exercice, dit-elle. Viens avec moi, Gretchen. Allons marcher.

Gretchen courut presque hors de la pièce. Elle ne se préoccupait pas d'être grondée par Mme Sparrow, tant qu'elle n'avait pas du fils et des aiguilles dans les mains. Elles franchirent les pierres du sentier qui contournait la fontaine. Des pivoines en fleurs les entouraient.

— Les chuchoteuses sont très rares, affirma Mme Sparrow, qui ne paraissait pas particulièrement fâchée.

— Oui, répondit Gretchen, principalement parce qu'elle avait l'impression de devoir donner une réponse.

— Il n'y a eu que deux chuchoteuses à l'académie, poursuivit-elle. Alors que l'école des garçons a connu cinq chuchoteurs. Et ils en ont développé un véritable sentiment de supériorité.

Là, elle semblait fâchée.

Gretchen sentit le feu de l'indignation avant de se rendre compte que c'était l'effet désiré par sa directrice.

— Bien joué, Mme Sparrow, la félicita-t-elle avec une admiration réticente.

Savoir qu'elle s'était jouée d'elle ne lui enlevait pas ce désir de prouver qu'elle était aussi bonne, sinon meilleure, que n'importe quel élève d'Ironstone. Ancien ou actuel. Particulièrement les anciens. Et particulièrement si cet élève était Tobias Lawless.

— Que leur est-il arrivé ? demanda-t-elle. Sont-elles toujours à l'école ?

— L'une d'elles est à sa première année. Elle est à peine âgée de treize ans.

— Et l'autre ? demanda-t-elle, alors qu'elles approchaient de la statue grandeur nature d'Hécate, avec ses chiens de bronze à ses pieds.

— Elle est devenue cinglée.

Gretchen s'arrêta net.

— Pardon ? Personne ne m'en a jamais parlé !

— Elle ne pouvait tolérer le bourdonnement. Il grandissait sans cesse, jusqu'à ce qu'elle ne puisse entendre que cela. Sa famille l'a menée à une île isolée d'Écosse, mais il était trop tard pour qu'elle puisse reprendre ses esprits, j'en ai bien peur.

Gretchen s'assit sur le banc de marbre. Elle songea à la mère d'Emma, cinglée dans les bois.

— Ne croyez-vous pas qu'il y ait beaucoup de sorcières cinglées ?

— Tout a un prix, répondit Mme Sparrow. Surtout le pouvoir.

— Même le vôtre ? demanda-t-elle. J'aimerais bien être capable d'endormir ma mère par magie chaque fois qu'elle parle de me trouver un mari.

— Pour chaque instant de sommeil que je donne à quelqu'un, le même temps de sommeil m'est également retiré. Cela devient, hum, lourd à porter. La magie ne doit pas être prise à la légère, ajouta Mme Sparrow. C'est une force. Et comme les chevaux sauvages, si elle n'est pas apprivoisée, elle te piétinera à mort.

Gretchen cligna des yeux.

— Cela n'a rien d'un discours inspirant.

Mme Sparrow eut un bref sourire.

— Tu n'as pas besoin de mots doux, Gretchen. Tu as besoin d'entendre la vérité. Le chuchotement était auparavant un synonyme de sorcellerie, poursuivit-elle. Pour l'œil inexercé, une sorcière qui récite un sort semble parler toute seule. Après des années à être pendues ou brûlées au bûcher, nous avons appris la subtilité, dit-elle sèchement. Toutefois, les chuchoteuses comme toi peuvent encore entendre la récitation des sorts. C'est ce bourdonnement horrible que tu entends. Des centaines de sorcières pendant des centaines d'années qui jettent toutes leurs sorts en même temps.

— Pas étonnant que je me sente si drôle, observa Gretchen.

Ce n'était pas moins étonnant de penser qu'elle entendait les voix de sorcières mortes. Pas étonnant que Godric boive autant.

— Oui, mais avec un peu de discipline, tu devrais être en mesure de te concentrer sur les sorts dont tu as besoin. Du moins, tu seras capable de transformer ce bourdonnement en un simple chuchotement.

— Je l'ignorais, murmura Gretchen.

Honnêtement, elle ne s'était pas jetée corps et âme dans l'histoire de la sorcellerie comme Emma l'avait fait.

Mme Sparrow les ramena vers son bureau personnel. Les étagères étaient remplies de livres et de pots d'anneaux de mauvais œil et de sorbes. Le tout était moins ordonné que prévu. Le bureau était solide et simple, rien à voir avec le bureau orné et doré que sa mère préférait, avec ses pattes recourbées et ses décorations de feuilles d'or. Mme Sparrow ne s'assit pas. Elle prit plutôt un vieux journal relié de cuir de la taille d'une lettre pliée.

— Je crois que tu devrais avoir ceci, dit-elle en le tendant à Gretchen.

La couverture de cuir était usée et douce, et les pages étaient de parchemin épais et inégal. Certaines étaient reliées de fil rouge, une avait un petit triangle sur un des coins où était accrochée une petite cloche. Lorsqu'elle ouvrit le livre, une violette séchée tomba sur le tapis.

— C'est superbe, murmura-t-elle.

Et ce l'était, mais avec beaucoup d'usure. Quelqu'un avait aimé ce livre, jusqu'à la reliure renforcée de fil d'or.

— Qu'est-ce que c'est ?

— C'est un grimoire, répondit la directrice.

Le soleil entra par la fenêtre à côté d'elles et tomba sur la mèche blanche de sa tempe. Le reste de sa chevelure était si noire qu'elle absorba la lumière.

— C'est un journal magique, expliqua-t-elle. Rempli de sorts et de bribes de folklore. La plupart des familles en ont un qu'elles s'échangent de génération en génération.

Gretchen leva les yeux du livre.

— Existe-t-il un grimoire des Lovegrove ?

Mme Sparrow hocha la tête.

— Ta tante a dit à l'Ordre que Theodora Lovegrove l'avait brûlé.

Que la mère d'Emma ait brûlé un souvenir de famille rempli de magie précieuse accumulée au fil des siècles dans l'un de ces accès de folie n'avait rien de surprenant. C'était tout de même décevant.

— J'ai trouvé celui-ci dans une librairie du marché des gobelins. J'ignore à qui il a appartenu, mais les renseignements semblent fiables. Si tu étudies et mémorises l'utilisation des plantes, des pierres et des couleurs, il te sera plus facile de trouver le genre de mots que tu devrais chercher lorsque les sorcières chuchotent des sorts à ton oreille.

Les pages avaient la couleur du thé, avec une encre délavée, mais encore lisible. Des dessins de feuilles et de fleurs, ainsi que des vers écrits d'une main hâtive étaient entassés près de listes de couleurs, de pierres, d'herbes et de leurs attributs. Il y avait un dessin illustrant comment cueillir le millepertuis un soir d'été et une poésie au sujet des feuilles de molène et des centaines de symboles et de signes cabalistiques. Gretchen sentit l'enthousiasme grandir en elle. Elle n'aimait peut-être pas étudier, mais elle aimait avoir quelque chose à faire, un objectif pour maîtriser la pression de ce nouvel univers de la magie qui menaçait à tout instant d'emporter Gretchen et ses cousines. Les piqûres des aiguilles de broderie sur ses doigts ressemblaient tout à coup à des blessures de guerre.

— L'autre versant de ton don te permettra de créer des sorts, lui apprit Mme Sparrow. Les sorcières s'y essaient sans cesse avec des degrés différents de réussite, et non sans danger. Toutefois, en tant que chuchoteuse, tu pourras entendre ce que les autres ont fait.

— Est-ce que cela explique pourquoi tout devient silencieux lorsque je trouve quelque chose qui fonctionne ?

— Oui. Les souvenirs des sorts s'évanouissent parce que tu n'en as pas besoin. La création de sorts requiert de nombreux éléments : des symboles, des fleurs et des plantes cueillies au bon moment, l'alignement des planètes, la théorie des couleurs, et ainsi de suite. Tu trouveras une grande partie de ça dans ce grimoire.

— Je suis plutôt lamentable en couture, admit Gretchen.

— Tu es lamentable parce que tu ne la prends pas au sérieux, répondit simplement Mme Sparrow. Tu refuses de t'exercer. Toutefois, maintenant que tu es renseignée, la broderie semble-t-elle encore si difficile ?

— J'imagine que non.

— Ne lutte pas contre toi-même, lui conseilla la directrice, qui sembla soudainement triste. C'est un combat perdu d'avance.

Gretchen inclina la tête.

— Puis-je encore combattre les gars d'Ironstone ?

— En fait, tu me ferais une faveur personnelle en continuant, sourit Mme Sparrow.

# CHAPITRE 4

— Crois-tu que ces fleurs me donnent un air d'Ophélie? demanda avec espoir Penelope, qui ajouta une autre pivoine à son chignon.

Des épingles perlées et une grande quantité de fleurs retenaient ses boucles sombres. Elle se tenait devant le miroir dans une robe rose, les sourcils froncés pensivement en se regardant. Elle avait les seuls parents de Londres qui se moquaient qu'elle n'adopte pas le blanc traditionnel des débutantes.

— Tu sais qu'Ophélie est morte noyée, n'est-ce pas? la taquina Emma, dont les bois décrivaient une courbe élégante dans ses cheveux roux qui étaient tressés autour d'eux.

— C'est romantique, insista Penelope.

Des araignées brillantes grimpaient sur son ourlet, mais elle évitait soigneusement de les regarder.

— C'est relâché! Et c'est ridicule de te pomponner ainsi pour un crétin renfrogné, se moqua Gretchen.

— Tu n'as tout simplement aucune poésie en toi, répliqua Penelope avec toute la dignité offensée d'une lectrice blessée.

Elle ajusta la rose glissée dans le ruban large noué sous sa poitrine.

— J'espère que Lucius sera là.

Gretchen fronça un sourcil.

— Tu l'appelles Lucius, maintenant ? Depuis quand en êtes-vous aux prénoms ?

Penelope rougit.

— Je voulais simplement dire que j'espère qu'il sera là.

Elle fronça le nez devant le sourire moqueur de ses cousines avant d'ajouter :

— Oh, ça va.

— Et Cedric ? demanda Emma.

— Quoi, Cedric ? dit doucement Penelope. Il ne s'intéresse pas à moi de cette façon. Il faut de toute évidence que je m'y fasse.

— Absolument pas, s'opposa Gretchen d'un ton décidé.

Emma fronça les sourcils.

— Et qu'est-ce qui te fait penser qu'il ne s'intéresse pas à toi ?

Penelope haussa les épaules.

— Je n'ai pas dit qu'il ne s'intéressait pas à moi, c'est différent. Je suis une sœur pour lui.

Lorsqu'Emma ouvrit la bouche pour protester, Penelope se détourna. De toute évidence, elle n'avait pas envie de poursuivre cette conversation, ce qui était évocateur en soi. Penelope voulait *toujours* parler d'amour.

Elles étaient cachées dans les appartements d'Emma à se préparer pour le bal des MacGregor. Comme à l'habitude, Penelope attendait impatiemment la chance de badiner et de danser. Emma espérait pouvoir se retrouver seule un instant avec Cormac, et Gretchen avait déjà remarqué la bibliothèque où aller se réfugier. Après sa discussion avec Mme Sparrow, elle avait envie de prendre ses études plus au sérieux. Rien au monde ne pourrait la convaincre d'accepter plus sérieusement les projets de mariage de sa mère.

– Est-ce que tu boudes encore ? lui demanda doucement Penelope, lorsque le lévrier de Gretchen s'installa à ses pieds, l'air pathétique. Tu aimes danser autant que moi.

– Ce n'est pas la danse, comme les partenaires de danse. Ma mère a fait une liste, dit-elle en tirant un bout de parchemin froissé de son réticule pour le lancer sur le plancher, où il était à sa place.

Elle se sentit immédiatement mieux.

Un papillon de nuit vola devant son nez. Elle tendit la main pour fermer la fenêtre. En bas, la statue d'Hécate regardait sévèrement par-dessus la haie du jardin de l'école. Les sentiers de cailloux menaient à un demi-cercle de pavés blancs qui se terminait à la grille entre Rowanstone et Ironstone. Des cris intrigants et ce qui semblait être une petite explosion retentirent au-dessus de la grille. Une des sœurs de Cormac, Olwen, sortit des buissons, ses longs cheveux pleins de nœuds. Gretchen ne vit personne d'autre, mais elle ne put s'empêcher de penser que Tobias était là, à attendre qu'elle sorte.

– Que savons-nous au sujet de Tobias ?

Gretchen jeta un regard à Penelope.

– Et je ne veux pas entendre parler de ses épaules de nouveau, ajouta-t-elle.

Elle pouvait voir dans sa tête, n'est-ce pas ?

– C'est le partenaire de Cormac, proposa Emma. Ils patrouillent ensemble pour l'Ordre. Il a presque été une des victimes des sœurs Greymalkin, la nuit où la pauvre Margaret York a été tuée. Je peux tenter d'en savoir davantage, si vous voulez.

Gretchen hocha la tête.

— Il est bon de connaître ses ennemis. Je n'aime pas l'idée d'être surveillée, dit-elle en tambourinant sur le bord de la fenêtre.

— Je crois avoir vu quelqu'un traîner au bout de l'allée ce matin, avança Penelope, qui se détourna du miroir, après avoir utilisé toutes les fleurs de la chambre.

Elle avait même glissé un bouton de rose dans son corsage. Elle sourit.

— Cedric l'a chassé à l'aide d'un des chiens.

Gretchen sourit également.

— Tout le plaisir est pour lui, ajouta-t-elle.

Elle devrait se procurer un chien juste pour le plaisir de le lancer aux trousses de ce trop correct Tobias. Oui, mais…

Emma se tourna vers Penelope.

— Elle a ce regard…

— Je viens d'avoir une idée, déclara Gretchen, qui détacha l'émeraude de son cou.

— Je le savais, sourit Emma, la tête penchée. Vas-tu lui donner une leçon avec tes bijoux ?

Elle lui jeta un regard impatient.

— Tu dois bien avoir un plan de Londres dans l'un de ces livres qui traînent autour de ton lit.

Emma fouilla dans les livres, jusqu'à ce qu'elle mette la main sur un grand plan du Londres magique, où les écoles et le marché des gobelins étaient clairement indiqués. Elle et Penelope s'approchèrent avec précaution de

Gretchen, qui se tenait devant le livre ouvert, le collier à la main.

— Que fais-tu exactement ? demanda Penelope.

— Mlle Teasdale m'a parlé des pendules, expliqua-t-elle. Apparemment, il s'agit là d'un autre don utile des chuchoteuses. Je n'ai pas réussi à la convaincre qu'il serait peut-être préférable d'apprendre à lancer des couteaux.

— Je ne comprends pas pourquoi.

Mlle Teasdale réussirait à faire croire que les chatons sont dangereux.

— Comment cela fonctionne-t-il ?

Gretchen tint le collier au-dessus du plan afin qu'il tourne en rond.

— Nous lui posons des questions et, selon la direction qu'il adopte, nous obtenons nos réponses. Dans le sens horaire, c'est affirmatif ; dans le sens contraire, c'est négatif. Toutefois, Mlle Teasdale a utilisé les mots « dextre » et « senestre », parce que les sorcières doivent toujours tout compliquer.

— Et que vas-tu demander, exactement ?

— Je vais vérifier si Tobias se terre dans les buissons.

— Ça ne lui ressemble pas vraiment, fit remarquer Emma.

Gretchen semblait davantage montrer les dents que sourire.

— Exactement. S'il passe son temps à me suivre, à me juger, je ne vois pas pourquoi je lui rendrais la tâche facile. À aucun d'eux. Un homme averti en vaut deux, n'est-ce pas. Et s'il est dans les parages, je vais le mener en bateau, dit-elle en tendant les bras au-dessus du plan.

La goutte émeraude scintilla.

— Où est Tobias ? demanda-t-elle.

La chaîne oscilla vaguement dans un sens, puis dans l'autre.

— Où est lord Killingsworth ? tenta de nouveau Gretchen, au cas où les pouvoirs divinatoires seraient aussi à cheval sur l'étiquette que l'était sa mère.

La chaîne resta là, à osciller comme une chaîne ordinaire. Elle la secoua doucement.

— Bon, ça vient ? s'impatienta-t-elle.

Un soupir de dédain se fit entendre de la porte.

— Tu ne t'y prends pas comme il faut.

— Va-t'en, Daphne, lui demanda Gretchen sans même lever la tête.

Daphne ne partit pas, ce qui n'étonna personne. Elle n'aimait pas particulièrement les cousines. Gretchen se disait qu'elle en avait le droit, puisqu'elles ne l'aimaient pas beaucoup non plus. Elle était hautaine, arrogante et persuadée d'avoir toujours raison.

— Tu ne dois pas donner de coups de poing dans les airs, lui reprocha-t-elle en claquant la langue en direction de Gretchen. Donne-le-moi.

Elle mit l'attache dans la paume de sa main, enroula la chaîne autour de son index et laissa pendre le pendentif.

— Tu dois le tenir ainsi et t'assurer de garder le bras immobile, lui expliqua-t-elle en regardant Gretchen. Tu cherches quoi ?

— Pas quoi, grommela Gretchen, mais plutôt qui.

Sa fierté lui commandait de reprendre le pendule, mais la logique lui rappela que Daphne était plus habile avec les sorts.

Tobias Lawless.

Daphne haussa un sourcil.

— Toi et la moitié des filles de l'école, vous posez la même question. Il sera au bal ce soir, j'en suis certaine.

Gretchen leva les yeux au ciel.

— Ça ne m'intéresse pas de savoir cela.

Daphne sourit d'un air narquois.

— Bien sûr que ça ne t'intéresse pas.

— Tu vas m'aider, ou non ?

— D'accord, mais tu n'es pas encore habituée, tu devrais t'en tenir aux questions fermées. C'est trop pour toi.

Avant que Gretchen puisse répondre, ce qu'elle était bien prête à faire, Daphne tint le pendule au-dessus du plan.

— Lord Killingsworth, dit-elle clairement.

Le pendule se balança lentement, comme les rides tracées à la surface de l'eau par une pierre lancée. Elle bougea précautionneusement, le tenant au-dessus de différentes parties du plan. Les cercles étaient larges et réguliers, jusqu'à ce qu'ils rétrécissent subitement et que le pendule oscille de plus en plus vite.

— Voilà, s'écria-t-elle d'un ton suffisant.

Le sourire de Gretchen était encore plus suffisant.

— Parfait, dit-elle en levant un sourcil en direction d'Emma. Ne sens-tu pas la pluie dans l'air ?

Pendant qu'elles se précipitaient vers la porte d'entrée, plusieurs diligences s'éloignaient déjà. Des torches marquaient l'allée et menaient aux lampes à gaz de la rue. L'académie avait l'air de n'importe quelle autre école de bonnes manières pour les jeunes filles nanties, avec des urnes bondées de fleurs et des rangées de vitres d'une propreté immaculée.

De la grille d'entrée, personne ne pouvait voir les gargouilles sur le toit ou le mur brûlé de la salle de bal où elles s'exerçaient à jeter des sorts. Personne ne pouvait savoir qu'une jeune fille avait été tuée dans l'allée par l'esprit vengeur de trois jeteuses de sorts.

Les cousines, elles, le savaient et ralentirent l'allure. Daphne se tenait exactement à l'endroit où elle et Emma avaient découvert le corps de l'amie d'enfance de Daphne, Lilybeth. Elles s'étaient d'abord soupçonnées l'une l'autre, alors qu'en fait, l'autre meilleure amie de Daphne, Sophie Truwell, était la responsable. La chevelure de Daphne était couverte de rangées de perles, ce qui lui donnait un air délicat que les cousines n'avaient jamais vu. Ses bras étaient croisés de façon protectrice sur sa poitrine.

— Daphne ? demanda doucement Emma.

Daphne s'essuya sauvagement les joues avant de se retourner, l'air hautain.

— Quoi ?

— Ça va ?

— Bien sûr que ça va, répondit-elle. Je suis la fille du premier légat. Je peux affronter n'importe quoi.

— Bon, alors, dit Gretchen.

Elle se considérait bien gentille de ne pas avoir levé les yeux au ciel. Elle était persuadée que si elle entendait l'autre fille se vanter de la position élevée de son père au sein de l'Ordre encore une fois, ses oreilles en saigneraient.

Emma lui marcha sur le pied.

— Voudrais-tu venir avec nous ? demanda-t-elle à Daphne.

— Pourquoi le voudrais-je ? J'ai des amies, tu sais.

Elle s'éloigna de façon théâtrale avant que quelqu'un puisse lui faire remarquer que de ses deux meilleures amies, l'une avait été tuée, et l'autre était la meurtrière. On aurait dit qu'elle avait besoin de se le faire rappeler.

– Ah oui, soupira Gretchen, qui grimpa à bord de la dernière diligence. Cette soirée sera vraiment géniale.

Le bal des MacGregor était bondé d'aristocrates couverts de bijoux miroitants et chaussés de ballerines en soie pour danser. Lady MacGregor avait récemment fait l'acquisition d'une impressionnante collection de statues de marbre grecques et romaines et avait bien hâte de les montrer. D'un blanc éclatant, elles étaient alignées le long des murs de la salle de bal, d'Aphrodite à Zeus. Les débutantes étaient regroupées à l'ombre des statues. Elles avaient l'air de colombes roucoulantes dans leurs robes blanches. Il faisait si chaud, l'air était si parfumé que les éventails étaient agités énergiquement et que les glaces fondaient rapidement dans leurs coupes. De la salle de jeu, un cri occasionnel venait ponctuer la musique.

Seulement près d'une heure plus tard, Gretchen réussit enfin à s'échapper vers le salon des dames réservé pour les ourlets décousus et les pots de chambre discrets. La rumeur voulait qu'une valse soit ensuite jouée et la pièce s'était donc vidée ; il ne restait que des brosses à cheveux et des flûtes de champagne à demi bues. Elle trouva ses cousines sur un canapé, à partager une assiette de gâteaux.

– Je croyais que tu serais de retour pour la valse, dit-elle à Penelope en prenant une bouchée de glaçage.

— Et je croyais que tu serais à la bibliothèque, répliqua Penelope, un sourcil soulevé. Tu es en sueur. As-tu encore joué aux quilles dans le jardin ?

— Ce n'est arrivé qu'une fois. Et non, dit-elle en se laissant choir sur une chaise. J'ai peut-être froissé la lamentable liste de ma mère, mais elle ne l'a pas oubliée. Chaque homme sur cette liste est venu m'inviter à danser.

Elle lécha ce qu'il restait de glaçage et déglutit lentement, comme par réflexion après coup.

— Emma ?

— Oui ?

— Pourquoi y a-t-il des papillons de nuit sur tes bois ?

Elle s'affaissa, résignée, contre les coussins.

— Je n'en ai pas la moindre idée.

Il y en avait plus d'une dizaine, des petits papillons blancs aux papillons lunes vert menthe, en passant par des bombyx disparates, des sphinx du pommier et une imposante tête de mort, avec son dessin de crâne, qui les observaient. Ils étaient accrochés aux bois couleur de miel d'Emma, comme si elle était la seule chandelle dans une maison sombre.

— Ils ne veulent pas s'en aller.

Fronçant les sourcils, Gretchen se leva. Elle agita sa fourchette de façon menaçante.

— Ouste ! s'exclama-t-elle en agitant les mains pour créer un courant d'air. Allez !

— Je ne comprends pas pourquoi nous n'y avons pas pensé nous-mêmes, observa Emma d'un ton sarcastique lorsque les papillons s'agitèrent légèrement, sans bouger.

— *C'est* étrange, admit Gretchen. Même pour une fille avec des bois.

— Je me dis que notre définition de l'étrange a certainement changé depuis quelques semaines, grogna Emma. Mais je ne peux pas quitter le salon. Lorsque j'essaie, les papillons virevoltent au-dessus de moi, juste hors de portée du sort de protection.

— On dirait une couronne, ajouta Penelope. C'est plutôt joli comme effet. Tu sais, si tu aimes les insectes.

Elles regardèrent Emma arpenter la pièce, invoquer l'illusion et ensuite le laisser filer. Les papillons de nuit la suivaient comme la queue d'une étoile filante.

Penelope se leva si brusquement que l'assiette tomba de ses genoux.

— Un serpent, remarqua-t-elle d'une voix particulièrement calme, en désignant le tapis, où une petite couleuvre verte glissait sur les dessins de nœuds.

Emma s'ôta de son chemin. La couleuvre fit demi-tour, comme si elle la cherchait.

— Mais, qu'est-ce que c'est ?

Deux autres couleuvres sortirent de sous la chaise la plus près, se faufilant dans sa direction. Une autre rampa dans le couloir vers la salle de bal bondée. Les premières notes de la valse promise se firent entendre agréablement, mais furent ponctuées par des cris de surprise. Derrière elles, il y eut des coups insistants à la fenêtre. Elles regardèrent dans la direction et virent un balbuzard donner des coups de bec contre la vitre. Les plumes blanches de sa poitrine luisaient.

— Est-ce… un oiseau géant ? demanda Gretchen, abasourdie. Je ne me souviens pas d'une telle ménagerie dans un bal.

Emma s'étrangla et pâlit.

— Des papillons de nuit, des couleuvres et un balbuzard.

Le tonnerre gronda dehors, pour faire écho à son anxiété.

— Les compagnons des sœurs Greymalkin, dit-elle. Ceux que j'ai mis en bouteille.

— Qu'est-ce que cela signifie ? demanda Penelope, qui grimpa sur une chaise pour échapper à l'attention d'une grosse couleuvre aux écailles méchamment colorées.

— Cela signifie que nous devons sortir d'ici, se risqua Gretchen, maintenant. Avant que l'Ordre entende parler de tout cela. Nous devrons passer par la fenêtre, ajouta-t-elle, enjambant déjà la plus près qui n'était pas occupée par un oiseau démesuré.

Elle passa la tête dehors prudemment pour s'assurer qu'il n'y avait pas d'autres balbuzards ou, pis encore, des couples s'embrassant dans les buissons. Les chaperons, selon son expérience, ne rendaient pas les gens plus vertueux, simplement plus ingénieux. Elle rentra la tête.

— La voie est libre.

Emma hocha la tête, les lèvres prononçant le sort de protection. Ses bois disparurent comme s'il s'agissait d'une simple peinture. Les papillons de nuit ne s'agrippaient plus à rien, défiant toutes les lois de la nature. Gretchen passa une jambe par la fenêtre et sauta dehors. Sa robe de bal blanche remonta sur ses chevilles. Elle s'efforça d'éviter les jonquilles et rebondit sur une ombre plutôt solide.

Tobias.

— Pas encore vous ! grogna-t-elle lorsque les mains de Tobias la prirent par les épaules.

Elle savait que ce n'était pas pour l'aider à se redresser, puisqu'elle n'était absolument pas déséquilibrée. Il était aussi sévère et rigide que les statues qui bordaient la piste de danse.

— Lord Killingsworth, s'exclama-t-elle à voix haute pour aviser ses cousines. Je ne croyais pas que vous étiez du genre à vous tapir dans les buissons. Que dirait le guide de l'étiquette ?

— Où allez-vous ? demanda-t-il d'un ton tranchant.

Elle haussa les sourcils.

— Cela ne vous regarde pas.

— Je suis votre gardien attitré, ça me regarde donc, l'informa-t-il.

Elle se dégagea de son emprise. L'empreinte de ses doigts était chaude sur sa peau nue.

— Rien qui me concerne ne vous regarde, mon cher, lui lança-t-elle. Alors, trouvez autre chose à faire.

— Et pourtant, je suis là.

— En effet, et c'est plutôt grossier.

La pluie commença à tomber dans le jardin. Les boutons dorés de Tobias brillèrent sous la faible lumière qui filtrait par la fenêtre ouverte. Il regarda par-dessus son épaule. S'il regardait bien, pourrait-il voir Emma ? Un papillon de nuit voleta entre eux.

— La pluie ruinera votre veste, dit rapidement Gretchen, qui cherchait à le distraire.

Il regarda les taches de pluie avec irritation.

— Vous devriez rentrer en sécurité, ajouta-t-elle gentiment.

Le brouillard filtrait dans le jardin, tamisant la lumière.

— Je dois insister pour que vous m'accompagniez, lady Gretchen.

Le brouillard était de plus en plus épais. Il les bousculait, s'accrochant aux murs de la maison. Si elle le laissait la mener, Emma pourrait s'échapper. L'ombre d'un autre grand oiseau passa au-dessus de leurs têtes, aussi blanche que de la cendre chaude.

— Bon, d'accord, soupira-t-elle, exaspérée.

Elle s'éloigna sans se rendre compte que Tobias lui avait tendu la main pour l'aider, comme tout bon jeune homme. Sa voix traîna derrière.

— Vous venez, ou quoi ?

Pendant qu'ils contournaient la maison et traversaient la terrasse vers les portes de la salle de bal, le bourdonnement dans la tête de Gretchen devint inconfortablement bruyant et incessant, ce qui enterra le bruit des violons.

Tobias s'arrêta et fronça les sourcils.

— Êtes-vous malade ?

Elle fit signe que non, même si elle se sentait un peu étourdie. Les vibrations dans sa tête lui donnaient la nausée. Elle déglutit avec détermination et se concentra sur le bruit désagréable, s'efforçant d'entendre les voix de sorcières mortes comme le lui avait montré Mme Sparrow. Elle pressa sur ses tempes pour tenter d'alléger la pression. Elle pensa avoir entendu un bout de mot, puis plus rien.

Elle ferma les yeux. C'était aussi fort, mais cela semblait venir de Tobias, et non de la collection de compagnons comme elle l'avait cru. Elle se concentra davantage pour localiser la source. Il fallut un bon moment, et elle se sentit étonnamment fragile. Elle désigna la poche gauche de Tobias.

— Un de vos charmes fait défaut.

— Je ne le crois pas.

Elle leva les yeux au ciel, mais s'arrêta lorsque cela lui donna mal à la tête.

— Je suis une chuchoteuse, ne l'oubliez pas !

Elle plongea la main dans la poche de la veste de Tobias et en tira le charme défectueux. C'était une dent de loup craquelée qui libérait sa magie.

— Et ce truc est comme un clou planté dans mon crâne, ajouta-t-elle en le lançant dans les buissons. Et maintenant, si vous avez de la chance, je ne vous parlerai pas de vos chaussures trop cirées.

— Cela me ferait plaisir, dit-il doucement, la suivant à l'intérieur.

Elle ne remarqua pas sa main tendue au cas où elle s'évanouirait.

Presque tout de suite, elle aperçut Penelope discuter avec un jeune homme musclé. Elle souriait gaiement, l'air d'une jeune débutante à un bal et pas du tout comme une jeune fille qui venait à peine d'aider sa cousine à s'évader par la fenêtre. Emma, heureusement, n'était pas dans les parages.

— Gretchen, dit Penelope. Je te présente Ian Stone, mon propre gardien. Il a lu tout Shakespeare, alors je crois que je le garderai. De plus, il va danser avec moi.

— Ce serait un honneur pour moi, répondit-il, sans laisser poindre la moindre réaction de s'être fait ordonner de danser. Je suis simplement heureux d'être dans vos bonnes grâces. Le pauvre type de ce matin boitera probablement pendant un bon mois en raison de cette morsure de chien.

— Ça lui apprendra à se cacher, renifla Penelope.

— C'est probablement mieux ainsi, dit Ian, qui fit un clin d'œil à Gretchen. Je suis presque certain qu'il n'aurait pas réussi le test littéraire de votre cousine.

— Je me demandais si vous auriez l'obligeance d'aller nous chercher du vin avant de danser, demanda Penelope. Alors que ma tante fait semblant de ne pas nous voir.

— Bien sûr.

— Je préfère de beaucoup ton gardien au mien, lui confia Gretchen, alors qu'il s'éloignait.

Il était tout sourire et gentillesse. Rien à voir avec Tobias.

— Il peut citer *Macbeth*, lui apprit Penelope.

C'est tout ce qui lui importait. Il aurait pu sentir la vieille chaussure qu'elle ne s'en serait pas préoccupée, tant qu'il appréciait Shakespeare et la littérature gothique.

— Et Emma ? murmura Gretchen.

— Elle est partie, murmura-t-elle en guise de réponse. J'ai dû distraire cette peste mal élevée de Virgil.

— Se doute-t-il de quelque chose ?

— Je l'ignore. Un balbuzard a sali son épaule, répondit-elle en souriant derrière son éventail que sa mère avait peint d'une scène de *Songe d'une nuit d'été*, avec Obéron, Titania et Bottom à la tête d'âne.

Gretchen se demanda si sa tante peindrait Tobias avec une tête d'âne. Penelope se leva sur la pointe des pieds.

— As-tu vu Lucius quelque part ?

— J'ai bien peur que non.

— Zut.

Ian revint avec leurs verres de vin avant qu'elle puisse trouver Lucius. Malheureusement, il revint également avec Tobias.

— Apparemment, il y avait une couleuvre dans la salle de bal un peu plus tôt, leur dit Ian. Tout le monde se précipite à gauche et à droite, là-bas.

— C'est plutôt étrange, sourcilla Tobias.

— Elle venait probablement du jardin, lança Penelope avec désinvolture. Vous savez comment sont les gens. Vous n'avez pas peur de la valse, n'est-ce pas, mon cher ? demanda-t-elle, alors que l'orchestre recommençait à jouer.

— Des couleuvres et tout ça, dit Ian, qui fit une révérence, tout sourire.

Penelope jeta un regard à Gretchen et à Tobias.

— Vous devriez aussi danser, suggéra-t-elle malicieusement. Afin que personne ne soupçonne la vraie raison de votre présence, lord Killingsworth.

Gretchen écarquilla les yeux de façon menaçante en direction de sa cousine. Elle avait de toute évidence trop lu de romans gothiques et de poètes de la trempe de Keats. Son cerveau ramollissait. Ne comprenait-elle pas que Gretchen n'avait aucune envie de danser avec Tobias ? Elle aurait voulu le *frapper*.

Il semblait ressentir la même envie, à en juger par sa posture rigide.

— Je suis certaine que lord Killingsworth peut me surveiller de là-bas, affirma-t-elle.

— Oui, mais pourquoi gaspiller une valse ? répliqua-t-il, la main tendue en guise d'invitation.

Elle vit le regard de défi qu'il lui lançait. Il ne croyait pas qu'elle accepterait. Elle posa la main sur son bras en claquant comme pour chasser une mouche désagréable.

— Bon, vous voyez ce que vous avez fait, lui fit-elle remarquer, joyeuse malgré elle, refusant de laisser l'Ordre lui saper son sens de l'humour. Vous nous avez tous les deux punis par votre bravade.

— Tout le plaisir est pour moi, je vous l'assure.

Le bourdonnement recommença presque juste avant qu'il parle. Elle lui sourit ironiquement.

— Inutile de mentir à une chuchoteuse, dit-elle alors qu'il la guidait vers la piste de danse. Vous le savez sûrement.

— Je…

Il parut surpris et peut-être chagriné. Elle devait avoir imaginé cela. Elle l'avait pourtant troublé, et c'était la plus grande émotion qu'elle n'avait jamais vue sur son visage parfait. Il semblait finalement avoir dix-neuf ans plutôt que quatre-vingt-dix.

La musique s'envola autour d'eux ; les violons et le piano s'harmonisaient parfaitement. Elle se sentit nerveuse sans raison, particulièrement lorsque le bras de Tobias l'enlaça et l'attira vers lui. Son regard, du bleu froid d'un ciel d'hiver, croisa le sien. Elle crut entendre un loup hurler. Elle déglutit, soudainement terrifiée de se mettre à bafouiller.

La musique s'emballa, mais tout le reste s'évanouit. Elle était extrêmement consciente de la faible pression de la main de Tobias au bas de son dos et de ses doigts qui tenaient fermement les siens. Les chandelles du lustre dégouttaient de cire d'abeille, mais il la faisait évoluer sans peine autour de celui-ci. Elle n'avait jamais vraiment compris pourquoi les gens aimaient tant la valse. À cet instant, elle avait peur de trop bien le comprendre.

Puis, comme rien ne semblait aller de soi dans l'univers de la sorcellerie, une douleur sourde se fit sentir dans sa poitrine. Ce n'était pas le genre de sentiment agréable dont parlait Penelope. On aurait plutôt dit un lévrier qui lui grignotait l'intérieur. Elle tressauta lorsque son nœud de sorcière lui démangea, comme s'il avait été tracé par un poignard invisible. Elle fut étonnée que ses gants blancs ne soient pas tachés de sang.

Elle fut encore plus étonnée lorsque Tobias la fit valser loin des autres pour la coincer contre un mur.

Moira veinait juste de terminer sa cueillette de racines de mandragore du jardin d'une sorcière lorsqu'elle croisa Maddoc.

— Qu'est-ce que tu fais dans les parages ? lui demanda-t-il.

— Comme d'habitude, répondit Moira. Et toi ?

— J'ai entendu dire que les écumeurs des berges avaient trouvé un corps dans la Tamise et voulaient vendre les os.

Elle se figea à la pensée de Fraise.

— Et c'est ce qu'ils ont fait ?

Maddoc fit signe que non.

— Pour ce que j'en sais, c'était des os de chien.

Moira expira. Elle ne pouvait supporter l'idée que son amie serve à de la magie noire.

— Toutefois, poursuivit Maddoc, j'ai cru sentir de la mélisse officinale et de la magie noire. Vaut mieux rester ensemble, ce soir. Nous sommes par là, ajouta-t-il en désignant d'un coup de tête le bout d'une allée qui empestait le chat et le gin.

Ils se faufilèrent dans l'allée sinueuse, et Moira garda les bras près de son corps pour éviter de toucher aux murs moites. La dernière fois qu'elle s'était frottée aux briques, l'odeur s'était imprégnée en quelques instants dans sa veste, et lorsqu'elle était détrempée, elle sentait encore étrangement une drôle d'odeur de pommes brûlées. Il y avait une échelle contre le mur, derrière une pile de barils brisés. Les derniers trois barreaux étaient pourris, mais le reste était assez solide. Personne ne regardait par là, du moins personne d'assez sobre pour s'en préoccuper.

Moira suivit Maddoc sur le toit, enjambant aisément la rampe. Elle se redressa juste comme un bouquet de violettes mauve et blanche la frappait au visage. Elle réussit à l'attraper avant que les pétales lui entrent dans le nez.

— Un type a laissé ça pour toi, dit Cass d'un air renfrogné.

Elle portait sa traditionnelle robe lavande et noir, mais elle avait retiré son voile. Elle n'aimait pas partager l'attention, particulièrement quand elle venait d'autres types. Elle et Moira se toléraient l'une l'autre parce que Moira se préoccupait peu des types et parce que Cass savait qu'elles avaient besoin l'une de l'autre. C'était déjà assez difficile d'être un garçon manqué, sans parler d'être une fille seule à Londres.

Moira fronça les sourcils et regarda le bouquet, attaché par un ruban flottant au vent. Cass aurait voulu le nouer dans ses cheveux. Moira voulait simplement savoir si elle pouvait le vendre au marché.

— Mais qui me porterait des fleurs ?

— C'est aussi ce que je me demande, renifla Cass.

— C'est simple, répondit Maddoc à la légère, avant d'avoir à les séparer.

Il avait appris à ses dépens comment une remarque pouvait rapidement se transformer en meurtrissures et en yeux au beurre noir. Penn soupira, l'air dégoûté de Maddoc. Il appréciait les combats. Moira balança le bouquet, certaine d'accrocher Penn au passage. Elle ouvrit la bouche pour faire un commentaire narquois, mais la referma plutôt, les sourcils froncés. La plante de ses pieds lui démangeait en guise d'avertissement, comme si ses bottes étaient remplies d'aiguilles invisibles. Il y eut un bruit de pierres s'entrechoquant et de papier déchiré.

Ils se retournèrent d'un coup pour apercevoir l'énorme gargouille perchée sur la lucarne de la librairie voisine s'envoler. Elle était du gris des nuages de tempête d'automne, éclatante de pouvoir. Elle vira maladroitement en passant de pierre à créature magique animée. Ses serres grattèrent les bardeaux, les réduisant en miettes. Elle plongea plus bas et se dirigea vers Moira. Celle-ci se laissa tomber sans réfléchir, sentant déjà le sang couler d'une plaie sous ses cheveux.

— Qu'est-ce qui lui prend ? jura-t-elle, roulant hors de portée alors qu'une pointe d'aile perçait les bardeaux près d'elle. Nous ne sommes même pas sur son toit !

Les gargouilles ne se réveillaient que pour une seule raison, la magie.

— Je t'ai avertie que quelque chose clochait, répondit Maddoc alors que la gargouille se précipitait sur Cass, qui plongea derrière Penn.

Son sens de l'autoprotection était plus fort que toutes ses prédictions. Nigel s'accroupit près du tuyau de cheminée. Il fit rouler en direction de Moira une bouteille d'apothicaire remplie de whisky et d'os de pigeon et de chauve-souris. Elle l'attrapa avant qu'elle chute ou qu'elle se fracasse contre la rampe du toit.

Elle la déboucha et lança quelques gouttes dans les airs, éclaboussant les ailes et le ventre de la gargouille. Il était préférable de mettre le whisky sur ses serres ou sur sa langue, mais elle essayait de ne pas se faire poignarder par des éclats de pierre ou d'être croquée par des dents de pierre.

— Comment s'appelle-t-elle ? haleta-t-elle, roulant encore une fois hors de portée.

Elle dut attendre que Penn distraie la gargouille pour pouvoir se relever.

— Elle est nouvelle, indiqua Nigel.

Depuis que les gargouilles avaient fui Londres, les barbes grises étaient allées les chercher un peu partout. Mais ce n'était pas juste l'Ordre. N'importe qui ayant un peu de sang de sorcière avait désormais des gargouilles chez lui. Il était difficile d'en tenir le compte.

— Elle n'a pas encore été nommée.

— Bon, génial.

Les noms avaient un certain pouvoir. Le fait de donner un nom à une gargouille faisait partie de la magie des garçons manqués et témoignait de leur habileté à les dominer. Une gargouille sans nom ne se plierait à aucune magie, même si cela n'avait rien à voir avec les jeteurs de sorts.

— Nous devons apprivoiser celle-ci. Donne-moi un nom !

— Tristan, suggéra Cass.

Tristan et son amour, Iseult, avaient été séparés et étaient morts abandonnés. On pouvait se fier à Cass pour trouver un nom des plus tragiques.

Moira n'avait pas le temps de discuter.

— Attachez-la ! cria-t-elle.

Nigel se précipita et dessina un symbole sur les bardeaux avec un bout de craie qu'il tira de sa poche. Cela ressemblait à des branches d'arbre. Maddoc sortit de son sac une pierre marquée du même symbole et la lança dans les airs, juste comme la gargouille repassait au-dessus, prête à plonger vers eux. La pierre vola par-dessus sa tête, en parfait alignement avec le dessin à la craie. Les deux signes cabalistiques s'enflammèrent, et la gargouille fut stoppée en plein vol par des mains invisibles. Elle agita doucement ses grandes ailes de cuir, ce qui fit un bruit de tonnerre.

Moira gribouilla le nom « Tristan » sur un bout de parchemin avec un crayon usé. Aucun garçon manqué ne se promenait sans les outils nécessaires pour apprivoiser une gargouille. Elle enroula le minuscule bout de papier autour de bouts d'os de chauve-souris et de pigeon et trempa le tout dans le whisky. Elle le lança dans les airs, infusé de magie. La gargouille, instinctivement, attrapa le rouleau et l'avala d'un coup.

— Tristan, je te nomme, déclara Moira. Par le nom Tristan, je te commande !

Elle toucha le symbole à la craie du bout du pied, et la gargouille atterrit doucement, libérée.

— Au repos, Tristan, ordonna-t-elle avec lassitude.

La gargouille retourna sur son perchoir, et son corps redevint pierre.

— Bon, c'était amusant, ajouta-t-elle, dégageant les cheveux de son visage. Je me demande…

Elle ne termina pas sa phrase, mais renifla plutôt l'air.

Maddoc posa la main sur son poignard.

— Qu'est-ce qu'il y a, maintenant ?

Elle secoua la tête et lui jeta un regard désapprobateur.

— Je croyais avoir senti des fraises. Peu importe. Je deviens cinglée.

— Non, ce n'est pas vrai, protesta Nigel, accroupi près de la cheminée.

Il prit le bol de fraises qu'il avait minutieusement nettoyées.

— Je les ai trouvées à Covent Garden, expliqua Penn avec fierté, sachant combien Cass aimait les fraises.

— Tu les as volées, tu veux dire.

— C'est la même chose, dit-il avec un haussement d'épaules.

— S'ils t'attrapent, tu seras pendu pour avoir volé, l'avertit Cass d'une voix chantante, celle qu'elle utilisait pour ses prophéties et ses prédictions.

Elle se considérait comme une prophétesse, mais elle ne faisait que des prédictions sombres et sanglantes. Les autres l'ignoraient, sauf Penn, qui tentait toujours de la convaincre de l'embrasser. Elle souriait, aussi suffisante qu'un chat. Elle avait des fraises, un garçon qui voulait l'embrasser et la promesse de conséquences graves. Moira savait que l'autre jeune fille était aussi heureuse que possible, sauf qu'elle n'avait pas un type riche qui la couvrait de cadeaux.

— Je vais voir Joe, décida Moira.

Il y avait encore trop de magie dans les airs, et elle savait que si elle restait, elle et Cass ne cesseraient de se crêper le chignon toute la nuit.

— Tu devrais, acquiesça Cass, qui grignotait des fraises. Je sens qu'il ne lui reste plus beaucoup de temps.

— Oh, la ferme, ordonna Moira d'un ton brusque.

Elle en avait assez des divinations de l'autre jeune fille.

— J'ai un don, se vanta Cass avec condescendance, les yeux plissés.

— Tu parles trop.

— Cass, ça suffit. Moira, va, dit Maddoc en soupirant.

— Pourquoi es-tu toujours de son côté ? cria Cass, alors que Moira sautait d'un toit à l'autre, se laissant aller au sentiment familier des bardeaux sous ses pieds, des lampes à gaz dans le brouillard et de l'assurance que personne ne pouvait la toucher sur les toits.

Le dos de Gretchen frappa contre les fleurs du papier peint, alors que Tobias la protégeait de son corps. Ses épaules l'empêchaient de voir. Elle donna une petite tape sur l'une d'elles.

— Pardon, mais avez-vous perdu la tête ?

Cependant, son corps sut reconnaître le danger : un rythme cardiaque accéléré, le bourdonnement dans ses oreilles et une respiration comme celle de petits colibris en cage.

— Vous le sentez, n'est-ce pas ? demanda-t-il, sa mâchoire ne laissant rien paraître alors qu'il scrutait la salle de bal.

— Je sens quelque chose, acquiesça-t-elle, se frottant la poitrine comme si la tête de son lévrier pointait.

Elle sentit la mélisse officinale et bâilla copieusement. Elle s'appuya la tête contre le mur, soudainement trop épuisée pour se tenir bien droite.

Tobias jura et se retourna. Il l'attrapa par les épaules, la serra fort.

— Ne vous endormez surtout pas.

— Pardon ? Pourquoi… devrais-je… (un autre bâillement, plus important que le premier) faire ça ?

Et pourtant, elle dut faire un effort pour garder les yeux ouverts. Elle se demanda si quelqu'un avait glissé du laudanum dans le vin. Un vieux chaperon assis sur l'une des chaises sur le côté de la pièce pencha dans un ronflement bruyant. Du moins, c'est ce que Gretchen croyait avoir vu. Elle ne pouvait en être entièrement certaine, puisque ses paupières étaient à demi closes. Ce pouvait bien être de grosses pierres, car elle n'arrivait pas à les ouvrir comme il faut.

Tobias tira un pendentif de sa poche et le glissa autour du cou de Gretchen. La chaîne d'argent était glaciale à un degré intolérable, comme un étang en hiver qui se fermerait sur elle. Toutefois, le froid soudain lui ouvrit les yeux et put dissoudre le fer dans ses os. Le pendentif semblait être fait d'épines de rose et de dents d'un petit carnivore, réunies par un fil noir. Il battait doucement et brillait légèrement.

— Qu'est-ce que c'est ? demanda-t-elle.

— Un charme de protection, expliqua-t-il. Il vous protégera.

— De quoi au juste ?

— De la magie, répondit-il ironiquement.

Les sorcières dans la foule s'arrêtèrent, les flûtes de champagnes figées à mi-chemin vers leurs lèvres, ou titubèrent sur la piste de danse. Une femme répandit du sable tiré de son réticule. La mère de Gretchen s'assit, l'air troublée.

Les autres convives commencèrent à tomber comme du papier que l'on jette. Les hommes s'affalèrent tout à coup. Le plateau d'un valet tomba au sol, et les verres éclatèrent. Le violoniste s'assoupit sur son siège alors que la musique de sa dernière corde grattée flottait encore dans la pièce alors silencieuse. Les conversations s'envolèrent, les rires moururent. Les dames s'agitèrent et s'affalèrent, les fleurs fanèrent sur leur tige.

Alarmée, Gretchen se précipita vers sa mère. Elle était pâle comme le verre, mais son pouls battait sous sa peau.

— Elle dort, s'étonna Gretchen.

Des centaines d'invités s'étaient tout simplement assoupis avant même de toucher le sol.

— Est-ce la faute de l'Ordre ? demanda-t-elle.

— Non, répondit Tobias d'un air crispé.

— Certain ? demanda-t-elle en tirant un petit poignard de la lanière au-dessus de son genou.

— Attention avec cela, l'avisa-t-il.

— Ne vous inquiétez pas, si je vous poignarde, ce ne sera pas accidentellement, grommela-t-elle.

— C'est réconfortant.

Gretchen se faufila à travers les corps, serrant le charme de protection dans sa main libre. La sensation de froid sur son nœud de sorcière était rassurante.

— Où est Penelope ? demanda Gretchen, ne voyant pas la robe bordée de fleurs de sa cousine parmi les corps.

La qualité du silence dans une telle salle bondée était inquiétante.

— Elle a un gardien pour la protéger, souligna Tobias.

Elle se mordit la langue pour éviter de faire un commentaire sarcastique. Il était son gardien après tout, et elle serait inconsciente comme tout le monde s'il ne l'avait pas aidée. Elle scruta tous les visages, une inquiétude grondant en elle.

— Là, dit Tobias gentiment derrière elle.

Elle suivit son regard vers Ian, qui avançait à grands pas dans la salle de bal, l'air aussi inquiet que Tobias.

— Penelope ? demanda-t-elle en se précipitant vers l'avant.

Elle avait sauté par-dessus deux jeunes hommes et une débutante affalés dans une mare de vin.

— Elle va bien, répondit Ian, mais elle dort comme les autres. Je n'avais pas d'autre charme de protection, et il était trop tard pour la mettre hors de portée.

— Je ne comprends pas, dit-elle le plus calmement possible en se dirigeant vers sa cousine.

Penelope était installée confortablement sur deux chaises, des pétales au sol à ses pieds. Au moins, Ian ne l'avait pas laissée tomber. Elle jeta un regard autour d'elle, perdue et perturbée

— Qu'est-il arrivé ?

— Une protection magique a dû se désintégrer, expliqua Tobias. À constater les effets secondaires, ce doit être une de celles qui possèdent un mécanisme de sécurité qui endort les gens si un excès de magie est libéré. Cela permet de préserver notre secret des gens de Londres.

— Il doit bien y avoir trois cents personnes ici, dit-elle, s'efforçant de comprendre.

— De la magie est libérée dans Londres, et c'est tout sauf prévisible. Il y a deux jours, une femme de Cavendish Square a juré avoir entendu son chat lui parler. Et tous les gens du parc sont devenus jaunes, ce matin même, ajouta-t-il avec un hochement de tête. Ce ne sera pas beau.

— Qui est responsable de cela ?

— C'est peut-être simplement un effet secondaire de l'ouverture des portails chez les sœurs Greymalkin. Personne ne le sait, dit Ian avec un haussement d'épaules.

— J'ai déjà informé l'Ordre, affirma Tobias.

Gretchen ne l'avait même pas vu faire. Il était terriblement efficace.

— J'assurerai la sécurité du périmètre, suggéra Ian. Est-ce possible de retrouver la protection brisée ?

— Oui. Nous aurons également besoin de jeter un sort de réveil et des charmes de mémoire pour chacun des profanes.

— Les profanes ? répéta Gretchen, perplexe.

— Les invités non-sorciers. Cela prendra des heures.

Gretchen se frotta les bras, des convives éparpillés un peu partout autour d'elle.

On aurait dit des poupées, jolies, habillées et sans défense. Elle se sentait mal juste à les regarder.

— Est-ce qu'ils souffrent ?

— Non, répondit Tobias. Pas tant que cela. Mais plus longtemps ils demeurent dans cet état de sommeil magique, plus c'est dangereux. Certains ne se réveilleront jamais, d'autres perdront la mémoire.

Elle se retourna pour le dévisager.

— Mais ma cousine est là ! Et ma mère !

— Je le sais. Et je suis désolé. Nous ferons de notre mieux, promit-il en lui touchant le bras au-dessus de son gant près du coude. Elles sont fortes. Et si nous trouvons un moyen de les réveiller bientôt, il n'y aura aucun danger. Si je peux retrouver la protection, tout cela prendra fin plus rapidement.

Il fit volte-face et examina la pièce avec soin.

— Ce n'est pas à l'intérieur de la maison, déclara Gretchen avec certitude. Je l'entendrais, si ce l'était.

— Il y a un pépin, s'écria Ian, qui haletait en entrant par les portes du jardin. Cela se propage.

Tobias jura.

— À quelle vitesse ?

— Trop rapidement. Avant l'arrivée des autres, au moins deux autres rues seront atteintes. Il y a déjà deux accidents de diligences à l'extérieur.

— Et Gretchen affirme que la magie ne provient pas de l'intérieur de la maison, ajouta Tobias, qui hocha la tête. Mais même lorsque je l'aurai retrouvée, je ne pourrai pas y mettre un terme. Je ne suis pas un briseur de sorts. Nous devrons attendre que l'Ordre envoie du renfort.

— Je peux le faire, proposa doucement Gretchen.

Il haussa un sourcil.

— Faire quoi, au juste ? Même si nous savions quoi faire, rompre un tel sort n'est pas une mince affaire. Ce n'est pas comme de tirer une marionnette enchantée avec le pistolet de votre frère.

— Cela ne peut pas nuire, rétorqua Ian, qui haussa les épaules.

— J'aimerais que cela soit vrai, grommela Gretchen.

# CHAPITRE 5

La scène à l'extérieur de la maison des MacGregor n'était pas moins troublante.

Le majordome était affalé dans l'embrasure de la porte. Un invité s'était assoupi dans l'escalier d'entrée, et son chapeau avait roulé dans les buissons. Trois dames étaient entassées les unes sur les autres dans l'allée, en un enchevêtrement de dentelle et d'ourlets ébouriffés. La route était un étrange tableau, avec des chevaux figés à mi-course. Le vent soufflait leur crinière, mais ils ne réagissaient pas. Des lanternes clignotaient au-dessus de cochers effondrés, et un bras de femme pendait par la fenêtre de sa diligence.

La scène était silencieuse, sublime et trompeuse. Et on lui dérobait sa famille. Et s'ils ne se réveillaient pas ? S'ils restaient ainsi, drapés joliment et inutilement comme des décorations ?

– Par ici, invita Tobias, qui vira abruptement sur le trottoir.

Il marchait avec détermination, les dents serrées comme sous le coup de la douleur. Elle se demanda pourquoi la magie dont il se servait pour retrouver des gens pouvait le blesser.

— Ça va ? demanda-t-elle.

Il se contenta de hocher la tête.

— Comment allez-vous trouver le sort ? demanda Gretchen, qui se pressa pour le suivre.

— Je le trouverai, affirma-t-il avec une confiance sinistre. C'est ce que je fais.

Ils croisèrent plusieurs gardiens qui bloquaient déjà les rues afin que personne ne puisse tomber par hasard sur cette scène surnaturelle. Elle pouvait entendre les bruits ordinaires de Londres à proximité : les sabots des chevaux, les cris des hommes, la musique de violons par la fenêtre d'une maison. Le tout rendait le silence figé derrière elle encore plus sinistre.

Ils marchèrent longtemps. Les enjambées de Tobias étaient grandes et avides, et il virait à gauche ou à droite selon un plan interne qu'elle ne voyait pas. Elle le suivait, incapable de ne pas lui faire confiance. Elle ne pouvait pas rompre un sort qu'elle ne pouvait pas trouver. La magie s'infiltrait sinistrement dans Mayfair, laissant les aristocrates endormis dans leurs diligences, leurs entrées et leurs jardins.

Tobias les guida finalement vers une maison chic avec une grille noire. Tobias descendit l'allée, passa devant les écuries et entra dans un jardin bondé de gueules-de-loup et de digitales roses. Des cailloux crissaient sous ses pas. Il s'arrêta devant un pilier en pierre décoratif qui s'ouvrait sur des massifs de lys.

Une lumière blanche aveuglante fusait d'une petite fissure dans la pierre. Elle devint de plus en plus intense alors qu'ils l'observaient ; elle lançait des faisceaux à travers la pierre. Tout sur son passage disparaissait, fondant gracieu sement comme de la glace dans l'eau. Le charme de protection que lui avait donné Tobias était fâcheusement froid. Elle endura la douleur, consciente que cela l'empêchait de s'effondrer comme l'homme en redingote bleue étalé dans les lys. Sa main gauche était tendue vers le pilier, et son nœud de sorcière se démarquait sur sa peau éclairée par la lune.

– Lord Giles, dit Tobias, après avoir vérifié que l'homme n'était pas blessé. C'est sa maison. Il y a un passage sous les piliers vers le marché des gobelins. Il a dû tenter de le rebâtir.

– Ma tante a aussi un passage secret, confia Gretchen, mais il ne fait rien de cela.

Il se retourna brusquement, sentant quelque chose qui échappait à Gretchen. Il s'accroupit pour fouiller dans le massif de lys et en ressortir une pierre de vipère qui avait été creusée. Les marques spiralées de créatures longilignes mortes étaient gravées sur la pierre. Elle était craquée en deux comme un bol, et l'intérieur était peint de poussière d'or.

– Cela n'a rien d'un accident, observa Tobias. Quelqu'un accumule cette magie.

– Pourquoi ?

– Tout ce pouvoir ? Pour rien qui vaille. J'en informe l'Ordre.

Pour ce faire, il ajouta quelque chose qui sembla être un mélange d'ancien anglais et de latin avec un symbole tracé sur la pierre. Il se servit d'un morceau de charbon qu'il sortit d'un bout de soie blanche de sa poche.

— Des cendres d'un feu ayant brûlé à minuit sur la tombe d'une sorcière habile à la communication psychique, expliqua-t-il.

Sous l'impulsion de la magie de Tobias, Gretchen aurait pu jurer avoir vu l'ombre du gardien s'effondrer dans les lys sous la forme d'un loup.

De toute évidence, elle laissait l'étrangeté de la nuit l'envahir. Une telle quantité de magie lui faisait dresser les poils sur les bras et lui laissait en bouche un goût de sel qui lui brûlait la gorge. Elle inspira profondément et ferma les yeux. Avec méfiance, elle attendit la charge des voix, la sourde douleur insistante.

Rien.

D'un air renfrogné, elle considéra la lumière qui filtrait à travers ses paupières. Elle était de plus en plus brillante et jaillissait avec de plus en plus de puissance.

Tout le contraire de ce qu'elle tentait de faire.

— Comment sceller la protection et réveiller tout le monde ? murmura-t-elle, imaginant toutes les sorcières récitant leurs sorts au fil des siècles.

De toute évidence, l'une d'elles avait eu à composer avec une telle situation.

De déstabilisant, le silence devint carrément préoccupant.

Malgré son intention de ne pas être une jeune fille qui attend d'être invitée à danser ou qui compte les jours avant son mariage, elle avait finalement l'occasion de se montrer à la hauteur, et *rien* ! Il n'y avait qu'elle d'éveillée pour savourer son misérable échec, tandis que ses cousines et sa mère s'éloignaient de plus en plus.

C'était insupportable.

Ces infernales sorcières mortes semblaient parfaitement heureuses de lui dire qu'elle se trompait, avec moult détails. Elles étaient toutefois moins utiles pour lui prodiguer des conseils pour bien faire les choses.

Elle devrait donc les leurrer pour obtenir leur coopération.

— Avez-vous du sel ? demanda-t-elle à Tobias.

— Bien sûr, répondit-il en lui tendant un flacon. Que faites-vous ?

— J'improvise, dit-elle avec une sombre détermination.

Elle arracha une fleur de digitale et la remplit de sel.

Elle l'inséra dans la fissure d'où fusait la lumière, accomplissant des gestes au hasard, consciente qu'il n'y avait même pas un soupçon de magie dans ce qu'elle faisait.

Une cacophonie de voix explosa.

Ses yeux se révulsèrent, mais elle refusa d'abandonner. Elle sonda les chuchotements et les cris comme si elle triait des billes. C'était un travail lent et fastidieux. Elle claquait des dents, et les muscles de son cou étaient tendus. Elle savait qu'un simple clignement des yeux risquait de la déstabiliser complètement.

Elle cherchait des mots en particulier : « sommeil », « éveil », « protection ».

— *Hélas, pas de poésie de sorcière.*

Cela n'avait rien de particulièrement utile, et elle devait s'être mordu la langue, puisqu'elle avait en bouche un goût de sang. Rien d'autre que « sommeil », « éveil » et « protection » n'importait.

Puis, finalement, sous l'amoncellement d'incantations :

— *Éveil.*

Elle s'y accrocha, refusant de lâcher prise.

– *Trois roses rouges.*

La voix avait une certaine inflexion. Un accent irlandais, peut-être.

– *Comme la Belle au bois dormant.*

Gretchen ouvrit subitement les yeux.

– Je sais comment rompre le sort.

– Comment ?

– Avec un baiser.

– J'en doute fort, dit-il avec un haussement de sourcil.

Elle refusa de se laisser rougir.

– Comme dans les histoires de *La Belle au bois dormant* et de *Blanche-Neige*. Un baiser rompt le sort. C'est la façon la plus rapide et la plus facile.

Elle écarta les gueules-de-loup.

– J'ai besoin de trois roses, dit-elle.

Les sourcils froncés, il se pencha en lui effleurant le coude pour cueillir des boutons de rose d'un buisson misérable dissimulé dans l'ombre. C'était les premiers de la saison qui tentaient de fleurir. Elle espérait que cela ferait l'affaire. Elle les glissa sous les rubans qu'elle portait dans les cheveux, se sentant un peu bête.

Il l'observait, impassible. Il allait penser qu'elle lui demandait de l'embrasser. C'était horriblement gênant. Plus gênant encore était le fait qu'il restait là, à l'observer.

– C'est pour le sort, répéta-t-elle. Pas besoin d'être prude.

Bon, voilà qui était préférable. Elle n'avait pas l'air d'avoir le cœur qui battait la chamade.

– En effet, répondit-il, d'un ton aussi composé et distant qu'à l'habitude.

Il lui donnait drôlement envie de le frapper.

Il lui prit doucement et poliment la main, tandis qu'elle se disait qu'il était ridicule de se sentir nerveuse. Il dénoua le délicat ruban qui tenait son gant en place pour le lui retirer et le fit glisser jusqu'à son poignet. Il le plia délicatement et le glissa dans sa poche, toujours aussi courtois et convenable.

La peau de Tobias contre la sienne ne lui paraissait toutefois pas aussi convenable.

Les doigts de Tobias étaient chauds et forts, alors qu'ils effleuraient le nœud de sorcière de Gretchen. Elle en eut des papillons dans l'estomac. Elle se sentait aussi figée que les gens autour d'eux. Même si elle l'avait voulu, elle aurait été incapable de bouger. Le regard bleu de Tobias lui faisait fléchir les genoux, tandis qu'il se penchait lentement sur sa main pour effleurer doucement les jointures de Gretchen de ses lèvres.

La lumière se fit plus intense, jusqu'à être difficile à regarder. Elle soulignait tout : les fleurs, les arbres, les pommettes de Tobias. Elle vacilla, se contracta et étincela davantage.

Les protections n'avaient pas été scellées, ce qui n'était pas étonnant.

— C'est un baiser, ça? se moqua Gretchen avant d'agripper la redingote de Tobias à pleines mains pour le tirer vers elle.

Il n'eut pas le temps de réagir. Elle se leva sur la pointe des pieds et l'embrassa brutalement. Alors que les lèvres de Gretchen se posaient sur les siennes, Tobias se figea momentanément, abasourdi.

— Embrassez-moi, idiot, lui ordonna-t-elle, ses lèvres contre les siennes.

Les mains de Tobias remontèrent le long des bras de Gretchen et laissèrent un délicieux frisson dans leur sillage. Gretchen ferma les yeux, et il n'y eut plus que l'obscurité et leurs lèvres soudées ensemble. La froide impassibilité de Tobias disparut, de même que ce refus hautain de faire preuve d'autre chose que de calme et d'élégance. Le baiser déchaîna quelque chose en elle, quelque chose dont elle ignorait l'existence. Elle en brûlait jusqu'au bout des orteils.

La langue de Tobias toucha la sienne, et elle en oublia le sort, en oublia de rester impassible. Elle ne pouvait que lui rendre son baiser, jusqu'à ce que leurs respirations irrégulières s'unissent.

Lorsqu'ils s'éloignèrent finalement l'un de l'autre, la lumière surnaturelle inquiétante de la magie qui filtrait de la fissure avait disparu. Il ne restait que le clair de lune et les lampes à gaz qui vacillaient dans la rue, d'où provenait le bruit des sabots, des roues de diligence et des violons.

Le sort avait été rompu.

Lorsque Gretchen se faufila hors de la maison le lendemain matin, elle croisa Godric, qui gravissait l'escalier, son chapeau à la main.

— Merde, Gretchen, s'exclama-t-il en la dévisageant. Je viens juste de l'apprendre. Es-tu blessée ?

— Pas du tout, lui assura-t-elle.

— J'ai été appelé au bal pour réveiller les autres. Cela nous a pris toute la nuit, mais ç'aurait été beaucoup plus long sans ton aide. J'ai entendu dire que tu avais scellé une protection.

Elle sourit avec fierté.

— En effet, confirma-t-elle en songeant à l'Ordre.

— Tu jubiles.

— À peine, dit-elle en glissant son bras sous celui de son frère. Peux-tu me conduire chez Penelope ?

— Je suis là par affaires pour l'Ordre, s'excusa-t-il. Je suis simplement venu voir d'abord si tu étais blessée. Il y a une volée de gargouilles en liberté.

— Bon, ça semble beaucoup plus amusant. Je viens avec toi.

— Gretchen, ce n'est peut-être pas sécuritaire, grogna-t-il.

— L'union fait la force, rétorqua-t-elle par-dessus son épaule, alors qu'elle s'était déjà précipitée dans la diligence.

— Viens-tu ? dit-elle en souriant à pleines dents par la portière ouverte.

— Maman me tuera, si tu es surprise près de St. Giles et de Seven Dials. Ce ne sont pas vraiment des quartiers recommandés pour une débutante.

— Alors, évitons d'être surpris, dit-elle, attendant à peine qu'il soit assis avant de frapper au plafond pour indiquer au cocher de partir.

— Tu es plutôt enjouée pour quelqu'un qui a dû composer avec une fuite de magie.

Elle haussa une épaule.

— C'était agréable d'être du côté de la solution, répliqua-t-elle en omettant consciemment de mentionner le baiser. Plutôt que d'être blâmée.

— Je suis certain que cela ne durera pas, pouffa-t-il de rire.

Elle pouffa également de rire en guise d'acquiescement.

Lorsque la diligence s'arrêta devant une rue trop étroite pour que le cheval puisse continuer, Gretchen et Godric en descendirent et poursuivirent à pied. Elle contourna une flaque douteuse et tenta de ne pas respirer l'odeur nauséabonde de chats, de choux et de pots de chambre.

La rue étroite rétrécit en une allée qui ne laissait paraître qu'un filet de ciel couvert. Une ombre passa d'un toit à l'autre, les ailes grandes ouvertes.

— Il faudra grimper, dit Godric à contrecœur. Pour les traquer.

Gretchen noua ses jupes et gravit rapidement un escalier de bois, avec l'aide du petit balcon en haut pour se hisser sur le toit. Godric la suivit avec beaucoup moins d'enthousiasme.

— Merde, c'est haut, grommela-t-il, essuyant la sueur qui lui coulait dans le cou avec son mouchoir.

Il s'appuya sur l'étonnamment imposante gargouille en argile accroupie sur le toit endommagé par la pluie. Une autre les survola avec la paresse sinistre d'un vautour.

— Je ne vois aucune protection brisée ni quoi que ce soit, constata Gretchen, qui se protégea les yeux pour regarder autour.

Elle avait encore oublié son bonnet.

Moira, l'air renfrognée, trotta vers eux sur les bardeaux abîmés. Une petite gargouille tira la tête derrière elle comme un bourdon de compagnie. Gretchen sourit à son frère d'un air narquois, l'incitant à délaisser les gargouilles un instant.

Il suivit son regard et se redressa.

— Ça va, Gretchen, grommela-t-il, les joues empourprées.

— Encore vous, s'étonna Moira, qui fronça les sourcils. Que foutez-vous donc en bordure de Seven Dials ?

— Nous traquons les gargouilles, répondit Gretchen, alors que son frère fit poliment une révérence.

Moira hocha simplement la tête, confondue par ses manières raffinées.

Lorsque la gargouille à ses côtés s'étira, Godric faillit tomber du toit.

Gretchen attrapa le pan de sa veste et tira de toutes ses forces. La gargouille ouvrit grand la bouche, de la magie éclatant de ses mâchoires. Des pigeons, affolés, s'envolèrent en criant.

— Qu'avez-vous fait ? demanda Moira.

— À toi de me le dire, répliqua Gretchen, qui poussa une exclamation de surprise, alors que les pigeons étaient pris de panique.

Des plumes volèrent de tous côtés quand la gargouille vola entre eux en claquant ses mâchoires de pierre.

— Où va-t-elle ?

Le soleil jetait ses rayons de lumière, qui se réfléchissaient sur les solins de cuivre, les carreaux de fenêtres et le cuir des ailes de la gargouille.

— Les gargouilles ne s'intéressent qu'à la magie, et elles ne quittent que très rarement les toits.

— Elles les ont quittés il y a quelques semaines, souligna Gretchen.

Toutes les gargouilles de Londres avaient abandonné leurs postes la nuit où Emma avait accidentellement fait tomber la vieille bouteille de sorts de sa mère.

— Elle cherche quelque chose, dit-elle en l'observant sinistrement.

— Peut-être qu'une autre protection a été brisée, suggéra Gretchen. Ou il reste encore de la magie dans l'air? C'est possible, non?

—Elle se dirige vers l'est, précisa Moira avant de se retourner.

— Attends, nous venons avec toi, s'écria Godric, qui posa le pied sur le bord du toit.

Il devint vert, puis gris.

Gretchen l'attrapa par le col.

— Tu n'aimes même pas grimper aux arbres, lui rappela-t-elle.

Lorsqu'elle vit qu'il regardait le vide entre les deux toits, elle resserra sa prise.

— Tu n'y arriveras pas, à moins que tu puisses faire apparaître des ailes, en plus de parler aux morts, ajouta-t-elle.

— Pour l'amour de…, dit Moira d'un ton brusque. Vous nous ferez remarquer avec tout ce chichi. Les gargouilles peuvent être timides.

Elle prit une planche de bois qu'elle glissa entre les deux toits.

— Traversez sur ceci et, pour l'amour, fermez-la.

La gargouille continua de voler, gracieusement malgré sa taille, mais lentement. Un frisson se fit sentir. Gretchen en eut la chair de poule. Le compagnon de Moira bondit d'entre ses épaules et disparut en sifflant. Godric emprunta le pont de fortune avec l'empressement d'un aveugle à la cheville brisée. Il tituba pendant un moment de façon inquiétante avant que son pied glisse carrément et qu'il fasse une chute. Il se rattrapa en frappant douloureusement la planche de bois. Il perdit son chapeau, qui fut happé par le vent et atterrit sur la chaussée, où il fut écrasé par un âne tirant une charrette chargée d'oignons.

— Allez, bel homme, l'encouragea Moira, qui lui tendit la main pour l'aider à passer sur l'autre toit.

Gretchen le suivit sans tarder. Il prit la planche sur son épaule et suivit Moira. Elle courait facilement, à l'aise avec toutes sortes de toits : en pente, plat, de chaume ou en bardeaux. Ses cheveux noirs flottaient comme un fanion derrière elle. Godric l'observait tant qu'il trébucha et faillit se décapiter lui-même avec la planche.

— Godric, s'écria Gretchen d'un ton ferme. Cesse de tenter de l'impressionner et essaie plutôt d'éviter de te tuer.

Une autre gargouille rejoignit la première. Elle était sensiblement plus petite, avec des ailes de dragon et des serres brûlées. Elles empruntaient les courants d'air, montant et descendant jusqu'à ce qu'elles plongent soudainement, comme des faucons apercevant des souris dans un champ en dessous.

Moira les mena deux édifices plus loin, jusqu'à une échelle appuyée sur les avant-toits. Ils descendirent dans un dédale d'allées et de balcons. Des vêtements séchaient au vent sous un soleil hésitant. Les gémissements d'un bébé fusèrent d'une fenêtre située plus haut. Des ordures s'accumulaient dans les coins.

— Pouvez-vous les voir ? demanda Gretchen, qui tenta de regarder à travers les draps qui claquaient au vent sur les différentes cordes à linge.

Ils se faufilèrent dans une allée à peine assez large pour la carrure de Godric. Une gargouille vola si près que ses ailes frôlèrent les murs, déclenchant une pluie d'éclats de briques et de mortier. Elle avait un petit oiseau blanc dans sa bouche.

— Je ne savais pas qu'elles mangeaient des oiseaux, avoua Gretchen.

— Elles n'en mangent pas, répondit sombrement Moira.

Des plumes lumineuses virevoltèrent. Une gargouille de boue de rivière se détacha du toit d'un balcon. Une autre suivit, en provenance d'une corniche tachée de suie.

— C'est étrange, s'étonna Moira.

C'était manifestement plus qu'étrange, puisqu'elle avait déjà un poignard à la main, de même qu'un charme fait de clous de fer et un petit sac de sel.

Puis, la raison de l'agitation des gargouilles devint très évidente.

— Qui est-ce ? demanda Gretchen, les yeux écarquillés et la gorge sèche.

Godric glissa sa main dans la sienne, et elle n'était vraiment pas certaine de qui en avait le plus besoin. Elle la serra très fort.

Moira laisse échapper un soupir à la fois de respect et d'inquiétude.

— La dame en blanc.

Une femme glissait dans la cour entre les édifices penchés les uns contre les autres comme pour se confier des secrets.

« Pas une femme, pensa Gretchen, plutôt un esprit. »

Une lueur violente émanait d'elle, soulignée par des rayons de lune et des flammes figées. Elle portait une vieille robe blanche à crinoline faite de soie perlée. Des épingles à cheveux diamantées retenaient ses cheveux poudrés en boucles anglaises. Des rangées de diamants pendaient de sa coiffure pour rejoindre des boucles d'oreilles en forme de lustres. De ces chaînes, un voile blanc voletait pour dissimuler ses traits, mais son regard, souligné de khôl, était dur et fixe. D'un gris glacial, presque sans couleur, il était impitoyablement déterminé.

Gretchen frissonna, même avant l'arrivée des oiseaux blancs qui fusèrent de partout. Le bruit de leurs ailes ressemblait à celui de la glace qui tombe d'un clocher d'église. Ils foudroyaient l'air sur leur passage. Un chat miaula d'une fenêtre surplombante en s'efforçant d'en attraper un.

— Ne les laissez pas vous toucher, les prévint Moira.

— Pourquoi ? demanda Godric, qui battit l'air alors que les oiseaux passaient trop près.

— Parce qu'ils te voleront tes souvenirs. J'ai connu une fille qui ne se rappelait même plus son nom. Elle avait même oublié qu'elle était une sorcière.

Gretchen se rapprocha de son frère.

— Est-ce que des protections libèrent encore de la magie ?

— On dirait bien. La dame en blanc est généralement confinée au marché des gobelins, non ? Et pourtant la voilà ! s'exclama Moira, qui hocha la tête.

— Espérons que les autres ne se sont pas également en liberté.

— Pourquoi ? Qu'ont-elles fait ? demande Godric, qui cherchait une sortie de secours.

— La dame en gris volera tes pensées, et la dame en rouge… bon, tu ne veux pas savoir ce qu'elle vole.

Les gargouilles affluèrent. Les tuyaux de cheminées étaient bousculés par des ailes et des serres qui passaient trop près. Gretchen, Godric et Moira esquivaient les missiles et se protégeaient la tête.

— Comment peut-on la bannir ? demanda Gretchen, qui se frotta l'oreille égratignée par un éclat de brique.

La dame en blanc tourna brusquement la tête et transperça Gretchen d'un regard noir. Le coin de son œil gauche était marqué d'une petite tache rouge en forme de cœur.

Un oiseau blanc poussa un cri strident et plongea vers Gretchen. Godric la tira violemment du chemin au dernier instant. Moira fouilla dans un des petits sacs accrochés à sa ceinture pour en sortir un éclat de miroir.

— À quoi cela servira-t-il ? demanda Gretchen alors que Moira le levait dans les airs.

— Qu'est-ce qu'ils t'enseignent à l'école ? demanda Moira, qui tourna le miroir pour projeter le reflet de la dame en blanc vers elle-même.

Elle montra les dents, une grimace à peine visible sous le voile qui voletait. Moira tint fermement l'éclat de miroir, même s'il lui coupait le pouce et que du sang coulait sur son poignet.

— Les miroirs peuvent parfois bloquer la magie, expliqua-t-elle.

— Et cette fois ?

— C'est ce que nous sommes sur le point de découvrir.

Les oiseaux continuèrent d'attaquer et d'être attaqués en retour. Des plumes volaient partout. Du sang tachait les dents de pierre de la gargouille. Le bruit de battement de toutes ces ailes était plutôt désagréable et résonnait dans la minuscule cour. Gretchen attrapa à tâtons des pierres et des éclats de poterie et de vitre brisée. Elle les lança aux oiseaux, alors que la dame en blanc continuait d'avancer.

Un rayon de soleil frappa le miroir et perça le voile de la dame en blanc. Moira tendit le cou pour s'assurer que le reflet de la dame en blanc était bien centré dans le miroir brisé. Puis, elle le jeta au sol face contre terre et le fracassa du talon de sa botte.

La dame en blanc poussa un cri strident, qui tenait davantage du goéland que de l'homme. Elle éclata en poussière étincelante et disparut. Ses oiseaux disparurent également.

— Pourquoi a-t-elle la permission de se promener dans les marchés, exactement? s'enquit Godric, qui frottait de la boue sur sa manche. C'est une vraie mégère.

Moira haussa les épaules.

— Certaines personnes paieraient cher pour se défaire de souvenirs.

Les gargouilles demeurèrent sur place, tournoyant au-dessus d'eux. D'autres détritus éclatèrent au sol. Un cri d'alarme provint de la rue. Avant longtemps, ils attireraient l'attention de la foule et de l'Ordre. Moira n'était pas la seule à chercher à l'éviter. Gretchen se passerait bien d'un autre sermon. Elle avait échappé au gardien qui la suivait ce matin-là, mais elle n'avait pas envie d'expliquer pourquoi elle s'en était débarrassée.

— Comment les arrêter? demanda Gretchen, qui leva les yeux vers les gargouilles.

— Impossible. Il y a trop de magie dans l'air, répondit Moira, qui haussa les épaules distraitement.

Sa gargouille tenta de se poser sur le bord de son chapeau.

— Elles ne dérangent personne, et j'ai autre chose à faire.

— On ne peut pas juste les laisser là, insista Godric, qui toucha son bras.

Elle lui montra les dents ; il baissa la main.

— L'Ordre viendra. Si ce que tu dis est vrai, ne soupçonneront-ils pas que les garçons manqués sont derrière tout cela ?

Moira jura vertement. Godric attendit patiemment, habitué aux éclats de Gretchen.

— Et que suggères-tu, la barbe grise ? demanda-t-elle finalement.

— Il y a un piège à gargouilles sur le toit de l'académie Ironstone, non ? C'est dans Mayfair, près de…

— Je sais où c'est, l'interrompit-elle rudement.

Elle tira de sa poche un vieil os de poulet. Un fil rouge était noué à une extrémité, et des motifs étaient peints à l'autre. Elle le cassa en deux. Les gargouilles se retournèrent dans sa direction. Sifflant un air étrange, elle bondit sur l'autre édifice.

Les gargouilles descendirent sur elle en piqué. De toute évidence, elle n'en avait pas peur. Par contre, elles pouvaient causer accidentellement bien des dommages. Un coup de serre en pierre amical pourrait lui briser l'épaule ou la faire tomber sur les pavés. Elle courait aussi vite qu'un chat de gouttière.

Gretchen et Godric la suivaient, moins solides sur leurs pieds.

Gretchen sauta par-dessus des rinceaux décoratifs en fer forgé bien au-dessus de la ville. Godric semblait avoir envie de vomir… lorsqu'il n'était pas sous le charme de Moira.

Lorsqu'ils atteignirent enfin le toit de l'académie Ironstone, ils s'appuyèrent avec lassitude aux tuyaux de cheminées pour reprendre leur souffle. Même Moira haletait sur le toit d'à côté, les cheveux emmêlés et détrempés. Les gargouilles les survolaient avec lassitude, atterrissant finalement sur le toit sur le symbole tracé avec des os d'oiseaux et du sel. Un baril de whisky et de lait était posé au centre.

— Merci, dit Godric, qui sourit à Moira. Tu es très brave de nous avoir aidés. L'Ordre saura à coup sûr à qui nous sommes redevables.

— Est-il cinglé ? demanda Moira, qui dévisagea Gretchen.

— Non, répondit affectueusement Gretchen, seulement gentil.

— Tobias t'a embrassée ? couina Penelope une heure plus tard. *Tobias* ?

— Simplement pour rompre le sort, insista Gretchen, alors qu'Emma passait près d'elle.

Gretchen savait que Penelope se jetterait sur l'information. Et si elle rougissait, elle ne lâcherait jamais le morceau.

— Oublie ça ; j'ai chassé la dame en blanc et un essaim de gargouilles.

Penelope repoussa l'idée d'un geste.

— Je veux en savoir plus sur le baiser.

— Ce n'était rien. Que pouvions-nous faire ? Vous laisser tous dormir pendant cent ans ? Bon, vas-tu me laisser entrer, à la fin ?

L'entrée et le salon principal de la maison des Chadwick étaient bondés de roses, de tulipes et d'hyacinthes. Des pétales roses et jaunes glissaient sur le plancher de marbre, et le pollen s'accrochait aux tables. Ils avaient manqué de vases et avaient dû se résoudre à utiliser des tasses de thé, posées sur les bordures de fenêtre et à côté de toutes les chaises.

— Ça sent la vieille dame ici, remarqua Gretchen.

Emma était déjà entrée et tendait son châle au majordome, Battersea. Un papillon de nuit s'envola de ses cheveux.

— Ça sent le jardin, corrigea Penelope.

— C'est pareil, répondit Gretchen, qui haussa les épaules alors qu'elle la suivait dans le salon. Qui a envoyé toutes ces tulipes ?

— Lord Beauregard, répondit-elle en posant un doux regard sur la quantité de tulipes qui aurait aisément empli Carlton House. Lucius est un joli nom, n'est-ce pas ? Il a également envoyé une paire de gants roses en soie pour remplacer ceux qui étaient tachés de vin.

Penelope tendit la main pour arrêter Gretchen, qui se dirigeait vers le petit salon.

— N'y songe même pas. J'exige des détails. Vous a-t-on vus ? Ta mère vous fera marier d'ici demain matin, si elle l'apprend. J'ai dansé deux fois avec M. Abbotsford au bal des Pickford, et elle m'a sermonnée pendant une heure que j'étais trop libertine, qu'à son époque, un tel comportement annonçait presque des fiançailles.

Gretchen haussa les épaules.

— Je le sais. Elle dirait que ma réputation est en jeu ou quelque chose du genre et nous imposerait le mariage.

Elle n'avait aucunement l'intention d'être forcée d'épouser Tobias, même s'il embrassait étonnamment bien.

— Ce n'est pas comme si les gens ne s'embrassaient pas couramment. J'ai vu Oliver Blake et Ada Grey disparaître dans les buissons, la semaine dernière lors d'un repas. C'était parfaitement acceptable, tant que personne ne les voyait. C'est idiot.

— Bah, je me fous bien d'eux. Je veux tout savoir sur ton baiser. Était-ce divin ?

— Ce devait l'être, pour rompre le sort si rapidement, ajouta Emma avec un sourire en coin.

Soudainement, Gretchen s'intéressa grandement aux tulipes.

— C'était de la magie.

— Hum, rigola Penelope, je veux bien le croire !

— De la vraie magie, idiote, répondit Gretchen, qui leva les yeux au ciel.

Elle refusait de considérer le fait qu'elle avait déjà rejoué le baiser une centaine de fois dans sa tête. Elle était si absorbée par le souvenir qu'elle avait failli chuter dans l'escalier en descendant déjeuner ce matin-là. Rompre des sorts était épuisant, tout simplement. Elle avait cessé d'entendre des hurlements de loups chaque fois qu'elle fermait les yeux, dès qu'elle s'en était remise.

— A-t-il au moins envoyé des fleurs ?

— Bien sûr que non. Ce n'était pas romantique, Pen. Comme si ce pouvait l'être.

Elle eut un demi-sourire.

— De toute façon, c'est moi qui l'ai embrassé. Son baiser pathétiquement poli sur le dos de ma main n'a rien fait qui vaille pour rompre le sort.

— *Tu l'as* embrassé ? lui sourit Penelope.

— Ce n'était rien. Je suis certaine qu'il a déjà oublié.

Même si elle en était incapable.

Emma eut un sourire entendu, trop compréhensif.

— Je croyais aussi que Cormac était indifférent, au début.

— C'était différent.

— Pourquoi ?

— Ce l'était, tout simplement, rétorqua-t-elle avec colère.

— Peut-être devrais-je embrasser Lucius, suggéra Penelope avec un sourire malicieux. Il prend beaucoup trop son temps.

— Ou Cedric ? proposa Gretchen, qui haussa un sourcil en sa direction.

— Pourquoi donc ? demanda-t-elle, alarmée. Il se moquerait de moi.

— Bien sûr que non.

— Tu tentes simplement de changer le sujet, grommela Penelope, qui décida soudainement qu'elle préférerait être au salon, après tout.

— Et ma fille, ici présente, tente de me faire croire qu'elle n'est pas une débutante appréciée, dit tante Bethany de son siège égyptien préféré.

Il était peint en noir, avec des chats en guise d'appuie-bras et d'étranges hiéroglyphes sur le dossier. Elle était entourée de tant de fleurs qu'elle ressemblait à Titania dans sa robe vert foncé, brodée de petites feuilles et d'oiseaux blancs. Elle avait sans doute fait la broderie elle-même ; c'était trop beau et trop extravagant pour être l'œuvre de quelqu'un d'autre.

— Tous les garçons aiment Penelope ; ce sont les jeunes filles qui sont plutôt amères, observa Gretchen avec un large sourire.

Penelope leva le nez.

— Ces garçons m'aiment bien simplement parce que je suis une héritière.

— Et parce que tu es gentille, ajouta Emma.

— Les mêmes deux raisons pour lesquelles les jeunes filles sont plutôt amères, nuança Gretchen, qui prit un morceau de pain d'épice sur un plateau d'argent. Et parce que tu es injustement belle.

— Je suis grosse.

— Tu es idiote, rétorqua immédiatement Gretchen, avec une petite tape affectueuse, pas grosse.

Penelope lui tira la langue.

— Clarissa m'a dit que j'étais grosse.

— Clarissa est de la graine de chancre.

— Des jurons shakespeariens ! Je suis tellement fière, sourit Penelope.

— J'essaie. Et depuis quand nous préoccupons-nous des braiments de Clarissa ?

— Nous ne nous en préoccupons pas, admit Penelope. J'oublie parfois…

Un balbuzard se posa sur la bordure de fenêtre la plus près. Il donna des coups de bec dans la vitre. Son regard sombre brillait comme les billes de jais que les gardiens utilisaient pour rompre des sorts. Tante Bethany posa son ouvrage de broderie.

— C'est plutôt étrange.

Un autre balbuzard se posa près du premier. Des papillons de nuit jaillirent de l'antre, en un nuage de poussière.

— Zut, soupira Emma. Pas encore une fois.

Elle se frotta les bras pour se réchauffer.

— Ce sont tous des compagnons des trois sœurs Greymalkin.

Tante Bethany hocha la tête pensivement.

— Un effet secondaire de leur mise en bouteille, de toute évidence. Tu n'es pas une sorcière pleureuse, et pourtant tu as utilisé leur magie. Ce n'est pas pour rien que leur formation est si longue.

Elle pianota des doigts sur son genou, observant les balbuzards battre frénétiquement des ailes.

— Nous devons communiquer avec la mère crapaud, décida-t-elle finalement. Elle a des sorts pour ce genre de situation. Un genre de purification magique.

— Elle semble… étrange, sourit Penelope. Je suis impatiente.

— Les filles, j'aimerais que vous soyez prudentes, les mit en garde tante Bethany, dont le regard se fit plus sévère. Les sœurs Greymalkin sont dangereuses.

— Mais elles ont été embouteillées.

— Ça ne change rien. Mon père, votre grand-père, était un gardien de l'Ordre la dernière fois que les sœurs Greymalkin se sont déchaînées. Des décennies plus tard, il en faisait encore des cauchemars. De plus, la maison était protégée contre elles jusqu'à sa mort.

Elle se frotta les bras et fixa sans les voir les balbuzards qui donnaient des coups de bec à la vitre.

— Elles ont tué tant de gens lors d'un bal hivernal qu'il affirmait que les planchers ne pouvaient pas être complètement nettoyés du sang versé. Ce n'est pas sans raison qu'elles ont la pie pour armoiries. Elles volent et emmagasinent la magie, par n'importe quel moyen, expliqua-t-elle en se retournant vers les filles. N'oubliez pas vos vers. *Une pour le chagrin, deux pour la passion, trois pour une fille, quatre pour un garçon, cinq pour l'argent, six pour l'or, sept pour un secret que l'on tait encore.*

— N'est-ce pas là une poésie pour compter les pies? demanda Gretchen.

— Oui, d'où viennent les vers et le folklore à ton avis? lui répondit sa tante. Et il y avait sept sœurs Greymalkin lorsqu'elles étaient à leur apogée. Il a fallu des siècles pour toutes les bannir.

— Nous serons prudentes, maman, dit Penelope d'un ton apaisant. C'est promis.

Tante Bethany sourit maladroitement.

— Je suis aussi désagréable que votre grand-père, avoua-t-elle. Allez vous promener dans le jardin, suggéra-t-elle ensuite. Avant que ces oiseaux ne brisent la fenêtre.

La porte menant au jardin était encadrée de deux imposants sphinx égyptiens. La mode égyptienne était révolue, mais tante Bethany aimait toujours ces œuvres d'art. Dans le couloir se trouvait une statue d'Anubis, le dieu de la mort à tête de chacal, que les domestiques évitaient. Un des valets jurait que la statue avait déjà cligné des yeux et que quelques jours plus tard sa mère était décédée.

Le jardin n'était pas plus conventionnel, malgré les traditionnels sentiers de cailloux et les haies. Des charmes en argent et en verre étaient accrochés aux branches, lançant d'intenses prismes de lumière. De jeunes sorbiers en pot bordaient les sentiers et encadraient les grilles. Des serpents se faufilaient dans l'herbe en direction d'Emma, qui se dirigeait à grandes enjambées vers le hangar peint.

À peine quelques semaines auparavant, elles croyaient qu'il s'agissait simplement de la distillerie où la mère de Penelope fabriquait des parfums. Il était aisé de comprendre tout ce que le hangar recelait, depuis. Les fleurs séchées accrochées au plafond étaient nouées par un fil blanc. Il y avait partout des sorbes et des pots remplis de sel. L'endroit embaumait le lilas et l'ambre de la dernière potion ou du dernier parfum concocté par tante Bethany.

Emma se dirigea directement vers le petit tapis crocheté sous la table de travail et le poussa du pied pour révéler la trappe.

— J'y vais, annonça-t-elle.

Gretchen et Penelope échangèrent un regard.

— Pousse-toi, tu n'iras pas toute seule.

— Vous pourriez vous attirer des ennuis.

— C'est une promesse ? sourit Gretchen.

— Presque assurément, répondit Emma, qui lui rendit son sourire.

Penelope se glissa entre elles et descendit rapidement l'échelle.

— Allez-vous passer la journée à vous sourire bêtement ? demanda-t-elle avant de disparaître dans l'obscurité poussiéreuse.

Un juron se fit entendre presque immédiatement. C'était dans un vieil anglais tout à fait incompréhensible. Gretchen leva les yeux au ciel et suivit Penelope. Emma descendit la dernière, puis referma la trappe au-dessus de sa tête.

Une obscurité palpable au point de s'y noyer les enveloppa. Il y avait à peine assez d'espace pour bouger. Elles étaient serrées coude à coude et se marchaient sur les pieds.

L'humidité ambiante donnait l'impression d'être dans un donjon.

— J'avais oublié combien je détestais cet endroit, grommela Emma.

On entendit un frottement de bois sur le mur, et un « aïe ! » nerveux.

Gretchen passa la main sur les murs pour trouver la poignée.

— Ça y est, annonça-t-elle alors qu'Emma commençait à faire de l'hyperventilation.

Même s'il n'y avait pas de porte, le fait de tourner la poignée créait une ouverture vers le marché des gobelins. Cette fois, elles ne se retrouvèrent pas dans l'allée près de la taverne des Trois Gobelins, mais plutôt au milieu du pont. Seul l'imposant serpent vert émeraude qui surprenait les passants les empêcha de se faire renverser par un taureau aux cornes d'argent qui tirait une charrette remplie d'ailes de cygnes.

— Hé ! leur cria le cocher, alors que son compagnon chat noir feulait et crachait à ses côtés. Poussez-vous de là !

Elles s'empressèrent de dégager la voie sans tarder, se laissant emporter par la foule. Le vent portait une odeur de sel et de fleurs qui camouflait celle nauséabonde de la Tamise qui coulait sous le pont. Les lanternes de grenade se balançaient au-dessus à des chaînes entortillées de feuilles, disséminées parmi les lanternes en verre rouge. Il y avait des sorcières partout, occupées à trier des billes de mauvais œil, des herbes séchées cueillies dans le cercle de Stonehenge, des pommes d'argent remplies de clous de girofle et un extraordinaire assortiment de charmes de protection sous forme de chevaux blancs et de gargouilles miniatures. Des marchands ambulants vendaient à la criée des amulettes qui devaient assurément stopper les sœurs Greymalkin.

Elles se faufilèrent par une ouverture, entre une échoppe d'herbes et une autre de gargouilles. Les visages de pierre tordus les observèrent de derrière les carreaux en forme de losanges. Des papillons de nuit collaient à l'enseigne comme de la neige, et des nuages de papillons de nuit circulaient entre les boutiques.

— Je ne me souviens pas d'en avoir tant vu auparavant, dit Emma, qui se tourna pour éviter d'accrocher quelqu'un accidentellement avec ses bois.

— C'est parce que c'est la première fois que ça arrive, fit remarquer Gretchen alors qu'une femme lui marchait sur le pied.

La femme parut terrifiée, cracha au sol pour conjurer le mauvais sort avant de disparaître dans la cohorte de sorcières. Gretchen hocha la tête.

— J'imagine que je devrais être soulagée qu'elle ne m'ait pas craché dessus.

Des séries de pierres creuses et de branches de sorbier couvertes de clochettes promettaient protection contre la magie des jeteurs de sorts. Ce furent toutefois les carillons de couteaux en argent visant à tenir les sœurs Greymalkin à distance qui donnèrent instantanément mal à la tête à Gretchen. Elle se rapprocha de l'échoppe, alors que Penelope se dirigeait vers un étal de fruits. Au moins, ceux-ci ne promettaient pas de protéger l'acheteur, mais simplement de soulager les crampes d'estomac.

— Ces carillons sont défectueux, observa Gretchen, qui se frotta les tempes.

— Dégagez, leur intima le marchand d'un ton brusque.

Elle plissa les yeux.

— Je vous dis simplement que si vous remplaciez les billes de verre par de l'ambre et des épines de rose, les carillons seraient plus efficaces.

— Comme si j'avais les moyens d'acheter de l'ambre, ricana-t-il en se penchant vers l'avant de façon menaçante. Maintenant, dégagez, j'ai dit.

Il tira sur une corde, et un rideau descendit pour protéger ses marchandises des curieux qui commençaient à affluer. Gretchen n'aimait pas l'atmosphère soupçonneuse et craintive du marché.

Emma lui toucha le bras.

— Nous attirons l'attention, murmura-t-elle.

Des papillons de nuit couvraient déjà le rideau. Gretchen hocha la tête et recula, mais pas avant d'avoir dérobé un carillon miniature du bout de la table. Emma haussa un sourcil.

— C'est pour mes devoirs, soutint Gretchen. Je vais le réparer pour qu'il fonctionne convenablement.

Elles plongèrent dans l'ombre.

— Il nous faut trouver la mère crapaud, murmura Emma, alors que des dizaines de balbuzards s'alignaient sur le toit au-dessus du pont. Avant que quelqu'un remarque mes nouveaux amis.

Tobias fronça les sourcils à la vue d'une volée de balbuzards blancs qui passa au-dessus de sa tête, leurs ombres traversant le pont.

— Voilà qui est étrange.

Cormac les regarda tourner en rond en haussant les épaules.

— Le marché des gobelins, dit-il, pour toute explication. Ont-ils quelque chose à voir avec la piste de la fille-renard ?

Il secoua la tête, ignorant la vieille sorcière qui cracha sur le sol à la vue du pendentif du gardien. Il ignora également la dame qui leur fit de beaux yeux.

— Non, mais nous sommes sur la bonne piste. Je dois simplement trier tous ces sorts de blocage.

Tous ces charmes accrochés aux différents kiosques, échoppes et réverbères lui donnaient mal à la tête et brouillaient son repérage. Son frère lui aurait dit de se faire loup et de cesser de s'en faire.

— Des filles-renards, grimaça Cormac. Je préférerais combattre une rivière de démons en sous-vêtements.

— Si je me souviens bien, le résultat n'avait pas été génial, ricana Tobias.

— Pour les démons.

— Et presque pour toi.

— En effet, sourit-il avec un haussement d'épaules.

— Quoi qu'il en soit, les filles-renards, comme toutes les jeunes filles, arrêteront tout ce qu'elles font pour te faire de l'œil.

De nouveau, Cormac se contenta de sourire.

— Parlant de jeunes filles, si tu es ici, qui traque la délicieuse cousine Lovegrove ?

— Un pauvre type qui est puni pour s'être endormi au bal après avoir perdu son charme de protection, répondit Tobias avec un hochement de tête. Gretchen n'en fera qu'une bouchée. Je ne comprends pas ces jeunes filles, grommela-t-il.

— Les jeunes filles ne sont pas faites pour être comprises, répliqua Cormac, mais simplement appréciées.

Il eut une étincelle dans son regard que Tobias ne put interpréter, mais elle fut rapidement remplacée par le charme détendu de Cormac.

— De toute façon, elles doivent dire la même chose de nous.

— Je ne suis pas certain que Gretchen Thorn *soit* une jeune fille, répliqua Tobias. J'ai vu des démons plus gentils. Elle combat tout, tout le temps.

— Tant mieux, répliqua-t-il. Un peu de combat fera du bien à ta petite vie bien rangée.

Tobias plissa les yeux.

—Que veux-tu…

— Vous devez parler de ma sœur, les interrompit doucement Godric. Elle fait cet effet aux gens.

Même s'il semblait aussi joyeux qu'à l'habitude, son compagnon lévrier avait un regard glacial.

— Tu es en retard, salua poliment Tobias.

— Probablement, répondit-il avec indifférence.

Tobias commençait à voir la ressemblance entre les jumeaux. La plupart des élèves d'Ironstone étaient heureux de suivre des gardiens pendant un après-midi.

Godric jeta simplement un regard à Cormac, avant de soupirer.

— Une jeune fille morte te fait de l'œil.

— Salut, beauté, sourit Cormac dans le vide.

Godric haussa les sourcils.

– Ne trouves-tu pas ça plutôt étrange ?

– Il trouvait surtout étrange que personne ne lui fasse de l'œil, ricana Tobias.

# CHAPITRE 6

Penelope ne pouvait s'empêcher d'admirer les paniers de fruits dans l'étal partiellement entouré d'un rideau de perles de bois. Il y avait des grenades, des pommes, des poires, des caramboles, des ananas et des raisins pelés couverts de sucre. Elle tendit la main pour prendre une poire qui brillait comme le soleil sur l'or. Elle n'avait jamais rien humé d'aussi sucré. Elle pouvait déjà sentir le jus couler sur son menton. Le vieil homme derrière l'étal gloussa. Elle caressa tendrement le fruit de ses doigts.

Puis, quelqu'un l'éloigna brusquement, et elle ne put saisir que de l'air.

Le vieil homme siffla de déception. L'envie du fruit que ressentait Penelope lui fit mal à la gorge.

— Tu ne veux pas les manger, l'avertit Cedric alors que ses doigts étaient toujours autour de son poignet. C'est un fruit de gobelin.

— Quoi ? s'étonna-t-elle en sourcillant.

Elle se sentait perplexe et incroyablement triste de perdre la poire. Elle retint ses larmes.

— Un fruit de gobelin te rendra dépendante, comme les mecs dans les fumeries d'opium, poursuivit-il. Certains peuvent même te voler plusieurs années de ta vie.

— Oh, dit-elle en tirant sur sa main.

Les nuages passèrent sur le soleil. Cedric l'éloigna de l'étal et la fixa du regard jusqu'à ce qu'elle cesse de jeter des coups d'œil vers les paniers. Elle avait l'impression que l'on tirait des toiles d'araignée de ses yeux. Ses compagnons araignées couraient autour d'elle, luisants de nervosité. Elle cligna de nouveau des yeux en direction de Cedric.

Il portait les mêmes hauts-de-chausses que d'habitude, et sa chemise blanche était entrouverte à la gorge. Aucun aristocrate ne daignait afficher sa gorge en public ; il l'emballait plutôt dans une cravate compliquée. Cedric était le petit-fils du cocher ; il n'avait pas les moyens de se payer des cravates. Il ne portait pas d'eau de Cologne non plus et il ne rembourrait pas les épaules de ses vestes pour paraître plus large. Il était puissant, musclé et honnête. Elle devait se rappeler que Cedric n'éprouvait absolument aucun sentiment romantique envers elle.

— Que fais-tu ici ? demanda-t-elle en émergeant de sa perplexité.

— Ta mère ne fait pas confiance aux barbes grises, répliqua-t-il.

— Pourquoi ? M'a-t-il suivie jusqu'ici ? demanda-t-elle en jetant un coup d'œil par-dessus son épaule. Sais-tu qui c'est aujourd'hui ? Ian a dit qu'il avait d'autres projets et que quelqu'un d'autre me surveillerait.

— Je ne peux pas croire que tu l'appelles par son prénom.

— Je l'aime bien.

— Je vais tout de même lâcher mes chiens à ses trousses. Peu importe, les deux autres surveillent toujours la maison, dans l'attente que tes cousines en émergent. Ce sont seulement des étudiants. Ils ne pensent de toute évidence pas que tu puisses te mettre dans le pétrin à la maison.

Il affichait un sourire en coin familier.

— Et ils ne t'ont, tout aussi évidemment, jamais rencontrée.

Il acheta un petit pot de bonbons au citron d'une femme qui vendait des sucreries et des oiseaux en pâte d'amande.

— Essaie plutôt l'un de ceux-ci, l'incita-t-il en lui tendant un des bonbons. Ils goûtent le soleil.

Elle en mit un dans sa bouche tout en glissant son bras sous celui de Cedric. Il ne le savait pas, mais elle garderait le petit pot dans sa boîte à souvenirs sur son bureau. Elle avait gardé tous les petits cadeaux qu'il lui avait offerts, même s'ils ne signifiaient rien pour lui. Elle ne pouvait pas s'en empêcher.

— Puisque tu nous surveilles de toute manière, tu peux nous aider à trouver cette mère crapaud. Emma a besoin…

Penelope fit une pause et écarquilla les yeux.

— J'entends de la musique ! Dans ma tête.

Elle pencha un peu sa tête, la secouant comme si elle avait de l'eau dans les oreilles.

— C'est le bonbon au citron, s'exclama Cedric, qui laissa échapper un petit rire.

— C'est brillant !

Un pianoforte jouait de la musique juste pour elle. Elle écouta attentivement, s'efforçant de mémoriser la mélodie. Elle se demanda si elle pourrait la jouer elle-même ou si la mélodie s'envolerait une fois le bonbon dissous.

— Qu'as-tu fait à Penelope ? demanda Gretchen. Elle a l'air dingue.

— La magie des bonbons, répliqua Cedric. Elle écoute de la musique.

Penelope referma sa bouche avec un bruit sec quand elle s'aperçut que celle-ci était restée ouverte. Elle avala le dernier bonbon au citron à la hâte, s'étouffant presque.

— Tu ne nous surveilles pas, n'est-ce pas ? demanda Gretchen.

— Seulement elle, précisa Cedric, qui inclina le menton en direction de Penelope sans un gramme d'excuse. Au cas où son gardien serait un imbécile.

— Ian est tout à fait aimable.

— Le mien est toutefois un imbécile, soupira Gretchen avec envie. Tout comme celui d'Emma.

— Ne nous égarons pas, suggéra sèchement Emma.

Ses bois étaient couverts de papillons de nuit. Ceux-ci collaient plus à ses épaules comme un châle qui scintillait. Les gens commençaient à la fixer du regard. Un serpent rampa hors d'un tuyau d'écoulement et tenta de l'atteindre. Des dizaines envahirent le pont en effrayant un pégase. Une petite fille les chassa, puis les plaça dans une cage à oiseaux en métal montée sur un mince poteau.

— Puis-je vous aider ?

— Lord Beauregard ! s'exclama Penelope, qui se tourna pour regarder fixement Lucius. Je ne savais pas que vous étiez un… c'est-à-dire…

Il lui sourit, la lumière se reflétant sur les boutons argentés de son manteau.

— La sorcellerie règne aussi dans ma famille, oui.

Avec le bout de sa canne, il empêcha un serpent de ramper sur le pied de Penelope.

— Nous semblons être envahis.

— Oui, acquiesça Cedric d'un ton neutre.

Lucius détourna à contrecœur le regard qu'il fixait sur Penelope.

— Je m'excuse, je vois que vous êtes déjà accompagnée.

— Lord Beauregard, je vous présente Cedric Walker.

Penelope les présenta l'un à l'autre, même si personne ne prenait la peine de présenter le personnel des écuries et les domestiques de la famille aux comtes. Cedric fit un signe de bienvenue de la tête.

Lucius ramena son regard vers Penelope.

— J'espère que vous aimez les tulipes, dit-il avec un sourire gêné.

— Ce sont mes préférées, le rassura-t-elle. Comment l'avez-vous su ?

— J'ai eu de la chance.

— Eh bien, elles sont très belles, merci.

— Tout le plaisir est pour moi.

Un balbuzard aux yeux noirs étincelants se posa à proximité. Son bec semblait méchamment aiguisé.

— J'ai bien peur que nous soyons dans l'obligation de partir, confia Penelope à Lucius d'une voix où la déception était clairement perceptible.

— Au plaisir de vous revoir, ma chère.

Il déposa un baiser sur le dessus de sa main en lui faisant un clin d'œil que les autres ne purent pas voir. Le rose envahit les joues de Penelope. Elle ne put s'empêcher de l'observer jusqu'à ce qu'il tourne un coin et soit hors de vue.

— Par ici, dit doucement Cedric, qui les entraîna dans la direction opposée.

Peu importait que le pont de Londres n'ait pas dû être en mesure d'accueillir un marché invisible ; il n'aurait sûrement pas pu contenir le volume de boutiques, étals et allées du marché des gobelins. Hors de l'allée principale, le pont se transformait en un dédale de chemins dissimulés. Les cousines suivirent Cedric le long d'une allée dont les pavés étaient couverts de neige, même si c'était un matin chaud d'avril partout ailleurs. Des fleurs givrées grimpaient le long des tuyaux d'écoulement. Des glaçons dégouttaient sur leurs têtes, et l'allée s'étirait beaucoup plus loin que ne voulait la logique avant de se terminer brusquement là où le garde-fou surplombait la rivière.

À l'écart des ferronneries se trouvait une petite cabane, pas plus large que l'étal du vendeur de fruits. De la fumée rosée s'échappait en boucle des trous sur le toit entre une véritable légion de gargouilles. Elles n'étaient que de la taille de tasses de thé, mais elles couvraient chaque centimètre, comme le gazon sur une pelouse bien entretenue. Une cloche était suspendue sur un poteau, plus en rouille qu'en fer. Cedric la fit sonner, mais demeura silencieux.

— Elle l'entendra, les rassura-t-il. Il vaut mieux ne pas surprendre la mère crapaud.

— Comment saurons-nous si elle… Oh, s'interrompit Emma quand des crapauds émergèrent de la minuscule partie non clôturée devant la porte verte.

Ils étaient des dizaines, accroupis sur des pierres et se déplaçant lentement entre les pots de fines herbes. Ils durent choisir leur chemin avec précaution entre les vrais crapauds et les compagnons crapauds luisants qui lançaient un choc désagréable quand ils étaient accidentellement touchés.

— Des visiteurs, dit la mère crapaud, qui émergeait de sa maison.

Sa voix était aussi terreuse et sombre que sa magie. Elle portait une simple robe en lainage et avait posé un châle sur ses épaules. Ses cheveux étaient dénoués, bruns, parsemés de fils gris. Ses yeux étaient d'un étrange vert pâle. Elle était magnifique, d'une manière hypnotique et légèrement sinistre, à l'instar d'un cobra qui se prépare à mordre.

— Cedric, dit-elle, la tête penchée.

Les crapauds bondirent lentement vers lui. Il ne sembla pas s'en préoccuper, mais Gretchen vit comment il se plaçait de côté afin d'être légèrement devant les cousines. Il avait un sourire décontracté et simple.

— Mère crapaud, la salua-t-il avec une révérence.

— Mes petits se sont ennuyés, dit-elle.

Sa voix semblait se multiplier, comme si elle n'était pas seule, et toutes les voix marmonnaient ensemble. Elle portait un collier de crapaud dissimulé entre ses clavicules, et il y avait de minuscules os tressés dans la frange de son châle. Ils s'entrechoquaient, ce qui provoquait un son semblable à celui d'un carillon en verre.

Son regard se détourna vers les papillons de nuit qui couvraient les bois d'Emma, et elle plissa les lèvres.

— C'est une méchante affaire, ma fille.

— Oui, acquiesça Emma sans prendre la peine de donner des explications ou de présenter des excuses. C'est le cas.

— Que m'avez-vous donc apporté ?

Gretchen fronça les sourcils, à la recherche du réticule qu'elle oubliait toujours d'apporter.

— Je n'ai pas d'argent, murmura-t-elle.

— Moi non plus, murmura Penelope à son tour, alors qu'elle dégrafait le pendentif formé par un rubis sur une chaîne en argent qu'elle portait autour du cou. Seulement ça.

— Mais ce n'est pas ce que vous voulez, n'est-ce pas ? demanda posément Emma. La dernière fois que j'ai acheté un charme magique, il n'y a eu aucun échange d'argent.

— Une jeune fille intelligente, approuva la mère crapaud en attente.

— Une mèche de mes cheveux, offrit Emma.

— Que pourrais-je faire de cela ? demanda la mère crapaud en riant. J'ai mes propres cheveux, n'est-ce pas ? Et je ne suis pas Joe-le-borgne, qui collectionne les babioles.

— Que voulez-vous, alors ? demanda doucement Emma.

— Discutons, voulez-vous ? les pria la mère crapaud, qui les invita d'un geste.

Son nœud de sorcière était de la couleur du sang séché. Les balbuzards s'éloignèrent de sa maison dans un affolement de plumes. Quand les papillons de nuit s'approchèrent trop près, leurs ailes se transformèrent en flammes et en fumée.

Emma prit une profonde inspiration et emboîta le pas. Des serpents se glissaient autour de ses chevilles. Penelope et Gretchen étaient tout juste derrière elle, trébuchant presque sur son ourlet.

La mère crapaud jeta un regard cinglant par-dessus son épaule.

— Seulement toi.

Emma hocha la tête, les joues pâles, mais l'attitude résolue.

— Mais…

Penelope aurait continué à marcher, si Cedric ne lui avait pas saisi la main. Il entrelaça ses doigts entre les siens. Gretchen s'arrêta quand les crapauds commencèrent à luire d'un vert de marécage au vitriol.

— Est-ce sécuritaire ? murmura Penelope à Cedric.

— Oui, répondit-il. Assez sécuritaire.

— Sapristi ! s'exclama Tobias, qui capta l'odeur musquée et terreuse des filles-renards. Elles quittent le pont.

— Les filles-renards ne chassent jamais en ville, indiqua Cormac à Godric. Ça ne peut pas être bon.

Ils laissèrent le pont de Londres derrière eux et empruntèrent la rue qui longeait la Tamise. Les bateaux se bousculaient dans la rivière, et les mouettes criaient, réclamant de la nourriture.

— Il y a trop de protections brisées et trop peu de gardiens, dit Tobias. Si nous n'arrivons pas à démêler ça, l'autorité de l'Ordre sera menacée. Les carnyx patrouillent déjà toutes les nuits, parce que nous n'arrivons plus à couvrir Londres.

Tobias continuait à marcher à grands pas, s'efforçant de ne pas montrer qu'il humait le vent. Il fallait avouer que sa réputation de vicomte hautain n'était pas négligeable. Les gens s'attendaient à ce qu'il ait le nez en l'air.

— Tu as tout de même raison, poursuivit Cormac. Ma sœur Talia fait plus de cauchemars qu'à l'habitude. Elle ne cesse de crier à propos de Londres couvert de glace et d'os volés.

— L'as-tu emmenée au temple des rêves ?

— Puisqu'elle n'arrive pas à dormir là-bas, il est difficile pour eux de véritablement analyser ses rêves.

— Même les fantômes semblent de mauvaise humeur, admit Godric. Presque effrayés.

— Ça me semble logique. Ils doivent sentir la magie dans la ville plus profondément que nous ne pouvons le faire.

Tobias pouvait entendre de faibles glapissements en chœur tout juste en dessous du chaos général des rues alors qu'ils viraient vers la rue Fleet. La poussière tourbillonnait sous les roues des diligences, alors que les balayeurs de rues allaient et venaient rapidement entre les chevaux.

— Par ici.

Ils passèrent devant des cafés et des chocolateries en brique rouge, les trottoirs grouillant de passants. Des odeurs de sucre brûlé et de café torréfié s'échappaient des portes ouvertes, adoucissant momentanément les odeurs de ruissellement, de chevaux et de filles-renards concurrentes. Pourtant, un groupe de filles-renards ne devrait pas être difficile à remarquer, même sans les marqueurs d'odeur.

Avant qu'ils puissent franchir le portail du Temple où la rue Fleet se transformait en rue Strand, Tobias s'arrêta.

— Ils sont dans le temple intérieur, leur apprit-il en poussant la porte de bois en forme d'arche d'une maison de style Tudor.

Derrière se trouvaient les longs immeubles en brique où les avocats travaillaient ainsi que d'immenses jardins. Il sauta par-dessus la rampe décorée de pégases et de griffons, puis fonça dans un fossé de roses. Des pétales collèrent à ses chaussures pendant qu'il se dirigeait vers les vergers.

Parmi les cognassiers et les noyers se trouvaient cinq filles-renards vêtues de leur habituelle cape rouge. Elles étaient grandes avec des yeux foncés qui lançaient des éclairs et des pupilles trop ovales pour être uniquement d'origine humaine. Elles glapissaient et se moquaient d'une ombre cachée sur une branche en hauteur. Tobias se sentait trembler, mais pas grand-chose de plus. Son loup s'agitait, percevant à la fois la proie et le prédateur. Les filles-renards le sentirent avant qu'il les entende.

Elles tournèrent lentement la tête en souriant et en grognant. Elles portaient surtout des robes brunes ou blanches sous leur cape rouge, avec des ceintures en cuir munies de poignards, même si selon l'expérience de Tobias, elles préféraient pourchasser leurs proies au sol jusqu'à ce que celles-ci soient trop épuisées pour combattre.

— Elle nous a volées, affirma sur la défensive la fille-renard à la tresse auburn avant que quiconque puisse parler.

Godric fit une révérence, sa politesse enracinée étant plus forte que de jeunes filles sauvages. À bien y penser, il était sans doute habitué aux jeunes filles sauvages, puisqu'il était le frère de Gretchen.

Tobias regarda le noyer et finit par y apercevoir une jeune fille vêtue d'une robe grise. Elle avait à peine douze ans, avec de la poussière sur le nez et sur son ourlet. Tobias le loup la perçut immédiatement comme étant une fille-lapin. À Tobias le gentleman, elle rappela plutôt sa petite sœur Posy. Pis encore, les filles-lapins se déplaçaient rarement seules. Si le reste de sa famille partait à sa recherche, il lui serait à peu près impossible de dissimuler l'altercation aux profanes, surtout pas aux avocats et aux notaires, formés pour constamment observer. La magie scintillait déjà autour d'eux, étincelant dans l'après-midi lumineux.

— Tu peux descendre, dit-il doucement. Ils ne te feront pas de mal.

Elle hocha la tête, toujours muette.

— Hé, elle est à nous, répliqua la fille-renard rousse d'un ton sec. Nous avons le droit de la chasser, à la fois en vertu des règles de la sorcellerie et de celles des métamorphes.

Contrairement à Tobias, les filles-renards ne dissimulaient jamais leur sang de métamorphes.

— Qu'a-t-elle volé ? demanda Cormac à la légère, comme s'ils discutaient de la manière dont elle buvait son thé.

— Une pierre de lune, répondit une fille-renard à la peau couleur chocolat. Kitsu l'a vue, ajouta-t-elle avec un signe de tête en direction de la fille-renard rousse.

Tobias réprima un soupir. Les métamorphes-lapins ne résistaient jamais à tout ce qui était lié à la lune, et les métamorphes-renards étaient célèbres pour leur traitement sauvage des voleurs. Ils étaient territoriaux et intrépides.

— Je n'ai rien volé, murmura la fille-lapin d'une voix tremblante. Honnêtement.

— Je t'ai *vue*, insista Kitsu avec véhémence.

Tobias dut la retenir et fut presque mordu pour s'être donné ce mal.

— De toute manière, je ne croyais pas que l'Ordre avait le temps de s'occuper de nous, avança l'une des jeunes filles.

Ne devriez-vous pas être en train de vous occuper des jeteurs de sorts et de la magie en liberté.

— Nous avons toujours le temps, répliqua rapidement Tobias, qui jeta un coup d'œil menaçant à Cormac. Surtout quand vous chassez à Londres. Vous savez que c'est interdit.

— C'est l'une de vos barbes grises qui nous a dit de le faire hors du pont, répondit Kitsu, qui haussa les épaules pour se défaire de son emprise.

— Pardon, s'excusa-t-il, les yeux froncés.

— Il a dit que ça serait plus sportif, si on faisant ça dans les rues.

— Tu mens.

Elle montra les dents. Les autres se déplacèrent derrière elle, irritées. Cormac avança d'un pas avec son sourire décontracté et charmant.

— Mesdames, dit-il. Je crois que nous pouvons convenir qu'une jeune fille poussée à grimper dans un arbre n'a rien de sportif.

Elles le fusillèrent du regard. Il ouvrit les mains, imperturbable.

— Chasser un vicomte, poursuivit-il avec un clin d'œil, voilà un sport convenable.

La rousse poussa un grognement, mais sa posture s'adoucit légèrement malgré elle.

Tout le monde ne souhaite pas un noble, dit-elle.

— C'est vrai, acquiesça-t-il.

Il fit une révérence, prit la main de la fille-renard et déposa un baiser sur ses jointures, lesquelles étaient égratignées et meurtries, à force de fouiller dans les ronces.

— Mais tu ne peux pas me reprocher d'essayer, continua-t-il en se redressant. Laisse-nous faire de plus agréables poursuites. Il y a une prime offerte pour un groupe de lutins qui court partout et vole des chevaux. J'imagine que des filles-renards pourraient les traquer avant tout le monde.

Elles échangèrent des regards, intriguées.

— Combien, demanda Kitsu.

— Deux guinées.

— C'est toute une somme, siffla-t-elle.

— Est-ce que ça vaut la peine d'abandonner cette chasse? demanda Cormac. En plus, je vous révèle l'endroit où ils ont été vus la dernière fois.

— Oui, acquiesça-t-elle à contrecœur. J'imagine.

Tobias fit un geste en direction de la fille-lapin.

— Tu n'as plus à avoir peur.

Elle redescendit avec précaution, le visage pâle entre les feuilles. La lumière se refléta sur un œuf en cristal d'un blanc laiteux qui tomba hors de son petit sac et atterrit sur les feuilles de pissenlits, juste avant elle.

— Hé, hurla Kitsu avant de tendre le bras pour la saisir.

La jeune fille donna un coup de pied sauvage en retour et repoussa la pierre de lune dans son petit sac.

— Merci, messieurs, dit-elle en lançant un sourire suffisant avant de disparaître dans la végétation.

Chaque fois que Gretchen faisait un pas en direction de la cabane de la mère crapaud, la fumée qui s'élevait de la cheminée se transformait en étincelles vertes à l'odeur nauséabonde de l'eau stagnante. Les crapauds s'avançaient, et le choc qu'ils donnaient quand on leur touchait lui faisait serrer les dents, alors que le goût de cuivre et du sel brûlé lui piquait la gorge. Elle avait des meurtrissures sur les chevilles et des marques de brûlures au bas de sa robe quand elle abandonna.

Cedric s'appuya simplement contre les briques de la confiserie et attendit patiemment. Si la vitrine avait une signification, les sorcières préféraient que leurs bonbons fassent des tours. Des oiseaux en pâte d'amande chantaient, et des gâteaux passaient du blanc à la couleur lavande, puis au rouge, chaque fois que l'on clignait des yeux. Des chats, des chiens et même un hérisson vinrent faire la cour à Cedric. Même les oiseaux en pâte d'amande semblaient excessivement intéressés, chantant bruyamment et donnant des coups de bec contre le verre.

Penelope se contenta de lever les yeux au ciel, en réaction à l'air surpris de Gretchen.

— C'est toujours ainsi, dit-elle. L'écurie compte autant de chats errants que de chevaux.

— Les animaux me comprennent, c'est tout, expliqua Cedric, qui haussa simplement les épaules.

Étant donné qu'il y avait une minuscule souris lovée dans le revers de la jambe droite de ses hauts-de-chausses, Gretchen avait tendance à le croire. Un chat tigré étincelant de magie s'approcha même de lui et n'essaya pas immédiatement de manger la souris. Le chat lui semblait familier, mais elle n'arrivait pas à se rappeler où elle l'avait vu. Elle croisa les bras en fixant de nouveau le regard sur la maison.

— Elle est à l'intérieur depuis une éternité, affirma-t-elle.

Penelope se mit debout à l'endroit où elle essayait de convaincre le hérisson de monter dans sa main. L'inquiétude se répandit sur son visage.

— Je sais.

Ses araignées luisantes se précipitèrent sur les pierres, pour éviter les crapauds. Ceux-ci sortaient rapidement leur langue, et les mêmes étincelles vertes qui jaillissaient de la cheminée faisaient roussir les araignées. Penelope tressaillit.

— Cesse de faire cela, lui conseilla calmement Cedric. Tu ne vas que l'ennuyer et, crois-moi, tu n'aimerais pas qu'elle soit ennuyée.

— Il a raison, approuva Moira, qui était perchée sur le toit de la confiserie. Ennuyer la mère crapaud est une bonne façon de rentrer à la maison avec des verrues. Ou une tête de chèvre.

La voir avec ses hauts-de-chausses rapiécés et son chapeau usé rappela à Gretchen où elle avait déjà vu le chat tigré. C'était le compagnon de Moira.

— Ce n'est pas votre quartier habituel, observa Moira, qui se dandina pour descendre le long d'un treillis avant d'atterrir en s'accroupissant. Un peu malfamé pour vous, n'est-ce pas ? Surveillez vos arrières, les vagabonds sont toujours partout, dernièrement, et ils ne sont guère aimables.

— Emma est à l'intérieur, répliqua Gretchen.

Moira siffla entre ses dents.

— Après tout le mal que je me suis donné pour la garder en vie, pour quelle raison a-t-elle fait cela ?

Cedric désigna les oiseaux blancs alignés sur la rampe et les papillons de nuit qui flottaient entre eux.

— Oh, s'exclama Moira, qui comprit immédiatement. Manque de pot.

— Aussi désagréable que lorsque tu as tenté de mettre le feu au chapeau d'Atticus, remarqua Cedric.

— C'était de ta faute, répliqua Moira, qui lui donna un coup de coude.

— À peine.

— Tu m'as donné l'allumette !

— Eh bien, dit-il avec un clin d'œil.

Penelope les observait avec précaution, imperturbable.

— Parlant d'Emma vivante, dit Gretchen à l'intention de Moira, tu l'as aidée à acheter ce camée pour se cacher des gardiens, n'est-ce pas ?

— Oui, mais Joe-le-borgne n'en a plus. Depuis que les sœurs Greymalkin ont refait surface, les sorciers viennent de partout. Certains viennent même d'aussi loin que les Orcades pour obtenir leurs charmes.

— N'ont-ils pas des marchés pour eux ?

— Oui, mais ce marché est le plus gros, et Joe-le-borgne est le meilleur, répondit-elle fièrement.

— Ne peut-il pas en fabriquer d'autres ?

— Pas pour l'instant, répondit-elle avec un hochement de tête. Ce sont ses pièces les plus compliquées, et il ne peut pas vraiment les fabriquer de manière flagrante. Les barbes grises essaient toujours de faire des rafles dans sa tente.

— Ça ne fonctionnerait pas, de toute manière, fit remarquer Cedric. Tobias Lawless est un traqueur. Une fois qu'il connaît ton odeur, il peut te retrouver.

Gretchen se tourna vers Moira avec un sourire de conspiratrice.

— Est-ce que je pourrais te présenter ? J'aimerais savoir si son dédain glacial gèle complètement sa tête jusqu'à la faire tomber de ses épaules.

— Marché conclu. Si tu peux maîtriser ton frère. Il est complètement cinglé.

— Probablement, acquiesça-t-elle facilement. Pourquoi exactement à ce moment-ci ?

— Il grimpe sur les toits pour y laisser des roses rouges partout.

— Pardon ? demanda Gretchen, qui cligna des yeux.

— Ça ressemble à une satanée serre, là-haut. Il va se tuer, s'il ne fait pas attention.

Avant que Gretchen puisse répliquer, un amoncellement de nuages surgit de nulle part et les fit frissonner. L'un d'entre eux, en forme de cerf, avala le soleil.

— Emma, dit-elle à Penelope juste avant que les balbuzards, paniqués, s'envolent du garde-fou.

Ils tournèrent autour de la cabane avec des cris violents. Ils volaient tellement fort vers les gardiens invisibles que leurs plumes blanches semblaient aussi épaisses que de la neige. La magie saturait l'air. Davantage d'oiseaux blancs envahirent le ciel, jusqu'à ce qu'ils créent un nuage orageux de plumes. Ils plongèrent vers la cabane, leur bec en guise d'arme, mais ils étaient sans cesse repoussés sur le côté.

Propulsés par la même magie, d'immenses nœuds de serpents glissants s'avancèrent dans l'allée, surgirent des tuyaux d'écoulement et dégringolèrent des fissures dans les murs. Ils s'avançaient en faisant bloc vers la cabane, avec leur queue aux couleurs vives et leur langue sortie.

Les papillons de nuit déferlèrent sur toutes les surfaces disponibles, de la brique aux carreaux des fenêtres jusqu'aux gargouilles accroupies. Ils se posèrent dans les cheveux de Penelope et sur les épaules de Gretchen. Puisque les papillons couvraient les pavés, chaque mouvement écrasait ces ailes fines comme du papier.

Les nuages s'éloignèrent à toute allure, comme s'ils étaient chassés au loin. De la pluie se mit à tomber en une seule couche d'aiguilles argentées et froides, puis elle se dissipa. Le givre envahit les pavés. Il y avait une impulsion de puissance, comme un orage qui éclate, et les oiseaux, les papillons de nuit et les serpents étaient tous repoussés de la cabane. Ils passèrent par-dessus le garde-fou, tombèrent dans la Tamise et s'envolèrent avec affolement pour s'éloigner du pont. Le silence qui en résulta fut abrupt et déconcertant. Les plumes et les ailes arrachées des papillons de nuit tombèrent lentement sur le sol.

La porte s'ouvrit, et Emma sortit, clignant des yeux comme une chouette sous la lumière éclatante. Elle se déplaçait avec précaution, comme si elle doutait de son équilibre. Ses cheveux étaient emmêlés, parsemés de feuilles sèches et de cosses autour de ses bois. Elle ne semblait pas avoir mal ni être blessée, mais Gretchen ne se sentit pas particulièrement réconfortée par cela. Le regard de sa cousine comportait quelque chose qu'elle n'avait jamais vu auparavant.

— Est-ce qu'elle t'a fait mal? demanda Penelope, alors qu'Emma posait le pied silencieusement sur les pavés.

— Non, répliqua Emma. Pas exactement. Mais c'est fait. Rentrons à la maison.

Moira la regarda de sous le bord de son chapeau de gentleman.

— La magie de la mère crapaud est puissante. Est-ce que ça va?

— Oui, bien sûr.

Moira pouffa de rire en signe d'incrédulité.

— Comme tu veux, dit Moira, qui haussa les épaules avant de remonter sur le toit et de disparaître sur les bardeaux.

— Chuchoteuse.

La mère crapaud n'avait pas besoin d'élever la voix; celle-ci portait facilement, éraillée comme le tonnerre.

Gretchen se retourna lentement, alors que la chair de poule envahissait involontairement son cou.

— Oui?

— J'ai un message pour toi.

— De la part de qui? demanda Gretchen, qui fronça les sourcils.

— Les esprits, les anciens, l'autre côté. Qui peut vraiment le dire?

— Parce que c'est instructif, marmonna Gretchen, qui s'approcha prudemment.

Elle s'arrêta à la bordure du chemin longé par des crapauds. La mère crapaud sourit. Ce n'était pas rassurant. Il y avait quelque chose de trop avide, de trop féroce chez elle. Ses yeux avaient peut-être la teinte vert pâle des jolis flacons de parfum, mais c'était le genre de verre qui coupait profondément avant même que l'on se rende compte qu'il était brisé.

Elle pencha la tête, et Gretchen ne put s'empêcher d'avoir l'impression d'être une mouche sur le point d'être avalée.

— Il y a des esprits qui te parlent, jeune fille, dit-elle. Apprends à écouter avant qu'il soit trop tard, répéta-t-elle.

Son expression devint encore plus menaçante, et pis encore, la peur s'immisça sous l'avertissement.

— Dans notre intérêt à tous. Parce que bientôt, Londres sera couverte de givre.

— Est-ce leur message? demanda Gretchen.

— Je ne peux pas le dire, c'est à toi d'écouter.

Elle referma alors brusquement sa porte et refusa de sortir de nouveau, malgré le nombre de fois où Gretchen actionna la cloche rouillée.

– Voilà qui était incroyablement inutile, marmonna-t-elle.

Elle n'arrivait pas à réprimer les frissons qui montaient le long de son dos alors qu'elles revenaient vers le portail.

Le passage dans le cellier sombre fut déroutant; elle fut momentanément surprise que la nuit ne soit pas déjà tombée quand elles émergèrent dans la distillerie de tante Bethany. Les pointes brillantes du soleil perçaient la poussière provenant des fleurs séchées accrochées au plafond. C'était toujours le matin. Les serpents, les papillons de nuit et les oiseaux blancs géants avaient quitté le jardin. Une impression de soulagement aurait été logique. Au lieu de cela, tout semblait plus menaçant.

Les trois jeunes élèves d'Ironstone qui flânaient autour de la maison n'aidaient pas.

Gretchen se dirigea vers la diligence, même si le rideau bougeait d'avoir été refermé à la hâte. Elle ne prit pas la peine de frapper et ouvrit la portière pour grimper à l'intérieur.

– Tu m'as donc trouvée, n'est-ce pas?

Le garçon la regardait fixement. Elle soupira. Elle s'ennuyait presque de Tobias. Au moins, il ressemblait à un adversaire convenable. Ce garçon semblait sur le point de fondre en larmes si elle se fâchait.

– Quel âge as-tu?

– Quinze ans, monsieur. Heu, mademoiselle. Madame.

– Ramène-moi simplement à l'académie avant que je sois en retard à mes cours, demanda-t-elle en s'affalant sur les coussins.

# CHAPITRE 7

Gretchen était prise au piège d'un long et ennuyeux cours dans une classe mal aérée et bordée d'une série de petites fenêtres avec des rideaux pour protéger du soleil, qui pourrait faire apparaître des taches de rousseur. Il faudrait encore plusieurs heures avant la pause pour le thé. Elle avait envie d'être dans la salle de bal dont les murs étaient couverts de brûlures et de marques en raison des entraînements de tir à l'arc. Ça, c'était de la sorcellerie !

– Il est important d'apprendre à utiliser votre magie avec la grâce et l'élégance d'une véritable dame, dit Mlle Hopewell. Tout comme vous ne vous laisseriez pas faire voir à manger trop de fromage ou à vous gratter le nez, vous devez utiliser vos dons avec circonspection, poursuivit-elle.

Elle portait tant de rose ce jour-là qu'elle avait l'air d'une pâte d'amande à la fraise.

– Pourquoi ? demanda Gretchen.

Mlle Hopewell cligna des yeux.

– Parce qu'il n'est pas poli de se donner en spectacle. Sans mentionner que vous pourriez mettre le secret de notre univers en danger.

— Pis encore, gloussa Clarissa.

Les plumes qu'elle avait insérées dans ses cheveux frémirent. Généralement, on les portait lors de grands bals, mais Clarissa les aimait tellement qu'elle les portait en tout temps.

— Vous pourriez effrayer vos prétendants, expliqua-t-elle avant de faire une pause, le nez levé en direction de Gretchen. Cela n'est pas un problème pour toi, de toute façon.

Gretchen se leva de sa chaise avec l'intention de gifler Clarissa et toutes ses plumes.

— Asseyez-vous, Gretchen, ordonna Mlle Hopewell, qui s'immisça entre les jeunes filles. Voilà exactement le genre de comportement que nous tentons d'éviter.

— Mais les commentaires grossiers, eux, sont-ils censés être distingués ? souligna malicieusement Penelope.

— Et je ne cherchais pas à provoquer qui que ce soit, ajouta Gretchen, qui s'assit. C'est simplement que j'aime bien le fromage.

Mlle Hopewell se frotta l'arête du nez.

— Les jeunes filles devraient être comme des fleurs, pas comme des épines. Vous ne devez pas faire étalage de votre pouvoir ni de votre intelligence. Cela ne fait qu'attirer l'attention. Et pour l'instant, nous n'avons vraiment pas besoin d'attention, ajouta-t-elle d'un ton sombre. La discrétion est gage de sécurité.

— Ne devrions-nous pas apprendre à nous défendre, alors ?

Au rouge qui montait au visage de Mlle Hopewell, Gretchen sut qu'elle avait encore dit quelque chose qu'il ne fallait pas.

— L'Ordre nous protégera. La meilleure chose à faire est de continuer à montrer aux gardiens que nous avons confiance en eux.

C'était le même argument que la mère de Gretchen avait invoqué au sujet de la guerre en France. Apparemment, plus Gretchen dansait et faisait des révérences, plus elle se montrait patriotique. Les soldats le sentiraient et sauraient qu'ils étaient appréciés. Elle posa le menton sur ses mains. Interprétant son geste comme un acquiescement, Mlle Hopewell poursuivit sa leçon.

— Observez, poursuivit-elle avant de sourire, de faire la révérence et de baisser sagement les yeux.

Le sol trembla, comme si la terre s'ouvrait en deux. Les jeunes filles agrippèrent leurs pupitres avec des exclamations de surprise. Mlle Hopewell se releva, et le sol se stabilisa de nouveau.

— Voilà, vous voyez ? J'ai été polie et modeste, et personne ne m'aurait soupçonnée.

Gretchen se préoccupait peu d'être modeste, mais elle enviait grandement le talent de psychokinésie de sa professeure.

Mlle Hopewell s'assit sur son siège et tendit la main vers sa tasse de thé. Au-dessus de sa tête, le lustre cliqueta.

— L'idée, c'est de leur donner autre chose à observer, expliqua-t-elle. Quelque chose comme une révérence parfaite ou un simple mouvement de la main. Cela doit être à la fois mémorable dans l'instant et complètement inoubliable. Il ne faut jamais oublier que vous êtes d'abord des dames et ensuite des sorcières.

Mlle Hopewell fit signe à Daphne de s'avancer devant la classe.

Les élèves murmurèrent entre elles, les mots « Lilybeth » et « meurtre » furent mentionnés plus d'une fois. Daphne était auparavant célèbre en raison de son statut de fille du premier légat ; depuis quelque temps, elle l'était pour avoir découvert le corps de sa meilleure amie. Cela n'améliorait en rien son tempérament.

— Mesdemoiselles ! les interpella Mlle Hopewell en tapant des mains.

Les pupitres, les chaises et les encriers tremblèrent légèrement. Un silence malaisé se fit.

— Vous pouvez commencer, Daphne.

Daphne leva le menton de manière hautaine. Le camée délicat qu'elle portait autour du cou pendait à une longue chaîne en or et était taillé dans une coquille d'ormeau. Ce n'était ni une rose ni une nymphe grecque, mais plutôt une gargouille à l'air renfrogné comme celles qui étaient accroupies sur le toit de l'académie. Le reste de sa personne était aussi impeccable qu'une célèbre débutante pouvait l'être. Sa tenue était bordée de dentelle et imprimée de feuilles vert menthe. Elle leva son éventail dont les tiges d'ivoire étaient parsemées de perles. Il était peint de campanules et de silhouettes de licornes. Personne ne semblait remarquer les fées des fleurs sous leurs sabots. Le respect de Gretchen envers Daphne augmenta malgré elle.

— Attention, murmura Penelope, qui se souvint de la dernière fois où Daphne avait fait démonstration de sa magie.

Sa magie était telle que tout sort qu'elle jetait trouvait inévitablement sa cible. Elle leur avait déjà lancé des betteraves bouillies par la tête. Avec une précision remarquable.

Personne ne vous a demandé de parler, Penelope, la réprimanda sévèrement Mlle Hopewell.

— Elle n'a sûrement jamais eu besoin de retirer de la betterave de ses oreilles, grommela Penelope, qui tenait devant elle un livre relié de cuir en guise de protection.

Daphne fit une révérence gracieuse, la bouche dissimulée derrière son éventail. Bien cachée, elle récita un sort simple, puis elle baissa son éventail d'un tour de main. Elle désigna Clarissa, qui avait murmuré le plus fort à propos de Lilybeth. Elle était déterminée à prendre la place de Daphne dans la hiérarchie estudiantine depuis que celle-ci avait perdu ses meilleures amies, l'une par le meurtre, l'autre par la folie.

L'encrier de Clarissa se renversa sur son pupitre. Elle poussa des cris aigus et bondit sur ses pieds. L'encre se répandit et coula le long du pupitre, mais plutôt que de dégouliner sur le tapis, elle apparut comme une tache sur la robe de Clarissa. Elle hurla comme si elle avait été poignardée.

— Bien joué, Daphne, la félicita Mlle Hopewell. Vous pouvez reprendre votre place.

Elle fronça les sourcils en direction de Clarissa.

— Ça suffit, Clarissa. Ça vous apprendra à venir au cours de sorts sans votre tablier.

Elle observa la classe lentement. Des mains se levèrent avec empressement alors que d'autres reculèrent subrepticement.

— Gretchen, la nomma-t-elle finalement. Voici un exercice qui vous serait utile.

Gretchen se leva avec réticence. Mlle Hopewell lui fit signe de se tenir debout devant la classe.

– Je vais jeter trois sorts, chacun légèrement incorrect. Vous ferez comme si vous n'aviez rien remarqué de prime abord, ensuite vous me direz ce qui cloche avec chacun d'eux.

Gretchen se tint prête.

– Allons-y.

Elle fit une révérence en se sentant idiote. Mlle Hopewell se servit de sel pour dessiner un symbole au sol. Gretchen ne pouvait pas deviner ce qui n'allait pas avec le sort ni ce qu'il devait faire, mais seulement que ce n'était pas bien important. Le bruit dans sa tête ressemblait au déferlement des vagues sur la plage ou au battement d'ailes d'un oiseau, constant sans être désagréable. Elle s'efforça d'écouter les mots, mais n'entendit qu'un murmure. Elle chancela légèrement sur son pied arrière et faillit perdre l'équilibre. Daphne et Clarissa échangèrent un regard hautain, de nouveau du même côté. Gretchen grinça des dents.

– Encore une fois, dit Mlle Hopewell, et cette fois, vous ferez le tour de la pièce.

Gretchen fit le tour de la pièce, jetant au passage un regard d'envie en direction de la porte.

Mlle Hopewell soupira.

– Je n'ai pas encore commencé, Gretchen, et tout va de travers. Vous devriez glisser sur le plancher, pas marcher au pas. Nous ne sommes pas dans l'armée.

Gretchen contempla l'idée d'inventer un nouveau sort pour transformer en serpents les cheveux de Mlle Hopewell.

Au lieu de faire cela, elle marcha, glissa, flotta littéralement. Elle se sentait complètement idiote.

Une idiote avec des aiguilles qui lui transperçaient la tête.

Le bourdonnement fut soudain et douloureux. Les vagues avaient disparu, remplacées par le grincement d'une lame sur une pierre à aiguiser, le cri des mouettes et le grincement incessant de charnières rouillées. Elle en eut immédiatement la nausée.

– Continuez à glisser, ordonna Mlle Hopewell, d'une voix très, très éloignée.

Il y avait trop d'autres voix qui parlaient toutes en même temps. Tenter de les démêler était comme tenter de dénouer un tapis plein de nœuds. Elle essaya de se concentrer sur un seul mot, un ton, comme le lui avait montré Mme Sparrow. C'était comme tenter de se retenir dans le vide.

– *Suspendre le tintement.*

Voilà. Un fil. Elle le suivit, les yeux plissés étroitement. Elle avait cessé de tenter de marcher. Elle y était presque. Une douleur éclata dans son crâne. Mais elle n'allait pas lâcher prise. Les voix non plus, apparemment.

– *Nous sommes toujours là.*

– Arrêtez ! s'écria Penelope, qui tentait de la relever. Ne voyez-vous pas que ses oreilles saignent.

Mlle Hopewell se précipita vers elle. Les autres élèves poussèrent des cris aigus d'alarme. Ce n'était qu'une autre couche de voix.

Gretchen vomit dans une plante en pot.

– Bon, ce n'est pas très distingué, fit remarquer Daphne.

Moira rendit visite à Joe-le-borgne pour s'assurer que la magie libérée dans le quartier de Seven Dials ne le touchait pas. Son appartement donnait sur la rue Pillory, coincé dans un édifice qui semblait sur le point de s'écrouler.

À l'intérieur, toutefois, sa chambre était en ordre et dépouillée, sans tout le fouillis de son étalage du marché des gobelins. Il lui sourit lorsqu'elle glissa sa tête dans l'appartement.

— Bon, bon, qui voilà ? demanda-t-il.

Elle retira son manteau aussi rapidement que possible, l'accrochant au mur près de la porte. Même s'il faisait chaud dehors, un feu était allumé dans un grand chaudron, et une brique chaude était enroulée dans un morceau de flanelle à ses pieds. L'air était humide et enfumé.

— Est-ce que ça va ? demanda-t-elle.

— Bien sûr que ça va, se moqua-t-il comme à l'habitude. Pourquoi ça n'irait pas ?

— Parce qu'il fait aussi chaud qu'en enfer ici, le vieux.

Il gloussa.

— J'ai toujours eu envie de visiter des îles exotiques où le soleil plombe comme un feu de joie.

— Et poète en plus, ajouta-t-elle en hochant la tête, tout sourire. Es-tu encore tombé dans le gin ?

— Pas du tout, nia-t-il. Qu'est-ce qui t'amène ?

— Il y a quelque chose dans l'air, répondit-elle. Même les gobelins sont sur leurs gardes, et tu les connais, ils ont la sensibilité de taureaux. Et j'ai croisé la dame en blanc dans Seven Dials.

— C'est ce qu'on m'a dit, confirma Joe-le-borgne, qui toussa dans un mouchoir rose.

Son visage sombre était plus plissé que dans le souvenir de Moira, comme de la terre desséchée. Le compagnon de Moira donna un coup de tête sur le bras de Joe-le-borgne.

— Je te prépare du thé, proposa-t-elle.

Elle emplit la bouilloire et mit l'eau à bouillir, se souvenant de rapporter de l'eau avant la fin de la semaine. Il allait de nouveau en manquer, et il n'y avait qu'un bout de pain ranci et un morceau de fromage dans l'armoire.

— Qu'est-ce que tu as mangé pour ton repas ? s'enquit-elle.

— Je n'ai pas très faim, répondit-il en haussant les épaules.

— Bon, tu vas manger maintenant, le prévint-elle. J'ai apporté des muffins et de la saucisse d'un vendeur ambulant et ces abricots séchés que tu aimes tant.

Elle lui porta un plateau rempli de nourriture et du thé fort dans une tasse ébréchée. Il transforma la vapeur en souris pour le grand plaisir de Marmelade.

Le thé ramena l'étincelle dans le regard de Joe-le-borgne, et il se redressa un peu, même si Moira n'aimait toujours pas le sifflement dans sa respiration.

— J'ai entendu dire qu'un gentil jeune homme t'avait offert des fleurs.

— Qui t'a dit cela, vieille commère ? demanda Moira, les yeux levés.

— J'ai mes sources. Le laisseras-tu t'attraper ?

— Mange ça, renifla-t-elle en lui tendant un morceau de fromage.

Même sans être en forme, Joe-le-borgne était aussi entêté que trois mules.

— Tu pourrais te marier et grimper en rang et avoir un toit au-dessus de ta tête plutôt que sous tes pieds.

— Ne sois pas idiot, lui reprocha-t-elle en le dévisageant.

— Ce n'est pas idiot de te vouloir en sécurité, grommela-t-il.

— Ce l'est quand tu marmonnes à propos de fils de comte épousant des orphelines déguenillées, lui renvoya-t-elle. Il s'intéresse à l'aventure. Ce n'est rien du tout, ajouta-t-elle négligemment.

— Tu te mésestimes.

— Et tu me surestimes, dit-elle avec tendresse en lui apportant une autre couverture lorsqu'il frissonna. Tu fais de la fièvre, et cela te monte à la tête.

Elle posa un baiser sur son front moite.

— Je t'apporterai un tonique ce soir, promit-elle. Et je demanderai à Cedric de passer.

— Ne le dérange pas, grommela Joe-le-borgne, les yeux à demi fermés.

Il eut peine à terminer sa phrase avant de s'endormir. Elle l'observa encore un moment, se mordillant la lèvre inférieure, avant de partir.

Elle était dans la rue, quand la plante de ses pieds lui démangea tout à coup. Elle fut tirée dans une embrasure de porte avant de même songer à changer de trajet.

Voilà ce qui arrivait quand on empruntait la rue comme les gens fortunés, plutôt que d'opter pour les toits comme un garçon manqué.

Elle ne reconnut pas la personne qui lui tenait à ce moment un bras derrière le dos, menaçant de lui déboîter l'articulation. Elle avait une drôle de position, et il n'y avait pas assez d'espace dans l'embrasure de la porte pour tenter d'attraper son poignard, même si elle avait pu se défaire de cette emprise, ce qui semblait peu probable. On aurait dit qu'un bœuf la retenait. À l'odeur également.

— Hé, lâche-moi, supplia-t-elle en se débattant, s'efforçant de donner des coups de pied pour briser un genou ou, encore mieux, quelque chose d'un peu plus précieux.

Il lui tordit le bras davantage.

— Quelqu'un veut te voir, lui dit-il à l'oreille.

Sa voix n'était pas familière. Son haleine sentait la bière brune, et le seul endroit qui servait de la bière brune était le marché des gobelins. Il était un sorcier, elle savait au moins ça.

— Fils de pute, jura-t-elle alors qu'il l'entraînait dans l'escalier étroit, les marches brisées et tachées sous ses bottes.

Il mit sa main libre sur la bouche de Moira, pour prévenir tout plan susceptible d'impliquer des appels à l'aide. Toutefois, elle ne s'attendait pas à ce que quelqu'un vienne à son secours. Dans ce quartier, chacun protégeait sa propre vie en faisant semblant de ne pas entendre ce qui se passait derrière les portes closes et dans les ruelles sombres. Ou même en plein milieu de la rue.

Son esprit s'emballa. Fournir des ingrédients magiques rares pour Joe-le-borgne et sa propre clientèle payante comportait des dangers, mais elle ne voyait pas qui elle avait bien pu offenser, dernièrement. Elle ne traitait pas avec les jeteurs de sorts ni les vagabonds, ce qui ne lui attirait pas des amis, mais elle était plus rapide qu'eux.

D'habitude.

On la poussa de force dans un petit appartement qui comportait quelques chaises bancales, une table fabriquée d'une vieille porte et de briques volées, et une étagère garnie de vaisselle ébréchée. Il y avait deux garçons d'à peu près son âge, une fille aux longs cheveux bruns et un autre jeune homme aux yeux lavande et au chapeau appareillé.

La peur se transforma en fureur, comme un champ desséché au cœur de l'été.

— Merde ! Atticus ? cracha Moira lorsque son ravisseur la lâcha.

Son poignard fut dans sa main avant qu'elle ait complètement repris son équilibre, mais il avait déjà refermé la porte d'un coup de pied et se tenait debout devant elle, ses gros bras croisés. Il ne put toutefois arrêter son compagnon, et Marmelade lui donna des coups de griffes avant d'être projeté contre le mur. Moira se déplaça de façon à ce que la grille sale et son vieux chaudron soient derrière elle.

— Merci, Ogden, dit Atticus, qui jouait au seigneur du manoir malgré son accent de Cockney et les coutures raccommodées de sa veste volée.

— De rien, répondit simplement Ogden avec un hochement de tête.

Atticus se tourna vers Moira et tendit les bras comme s'il était au palais de Carlton du prince régent, plutôt que dans une chambre de fortune avec un nid de souris dans le coin.

Moira ignorait ce qu'elle faisait là, mais elle savait que cela n'augurait rien de bon. Elle ne savait pas non plus qui était ce nouveau type, mais Atticus et sa bande habituelle, Rod, John et Piper, se tenaient généralement dans une ruelle derrière la librairie du marché des gobelins. La dernière fois qu'elle les avait croisés, c'était lorsqu'ils avaient cassé le poignet de Fraise.

— Va te faire foutre, Atticus, lâcha-t-elle en montrant les dents.

— Et moi qui allais t'offrir du thé, rétorqua-t-il avec un sourire suffisant, celui qu'elle avait toujours envie de lui enlever du visage.

Elle perdit le peu de patience qu'elle avait et avança vers lui. Ogden se plaça derrière elle, lui serra les doigts jusqu'à ce que son poignard tombe par terre. Il le poussa du pied, toujours sans dire un mot. Piper se pencha pour le ramasser avec un sourire. Elle détestait Moira autant que Moira détestait Atticus. Peut-être plus encore.

— Bon, bon, se pavana Atticus. Nous avons gravi des échelons. Tu me dois le respect.

— Comme si cela allait se produire, dit-elle en se frottant les doigts.

Une charrette passa dehors et fit trembler l'édifice fragile. De la poussière tomba du plafond.

— Que fais-tu dans ce trou à rats, de toute façon ?

Il plissa ses yeux violets. Il prétendait qu'ils étaient la preuve de sa lignée royale des fées, mais il n'était pas plus prince des fées qu'elle. Ce n'était tout simplement qu'une illusion.

— Nous avons besoin de dents de sorcière morte. Nous aideras-tu à en trouver ?

— Pourquoi en avez-vous besoin ? s'enquit-elle sans se préoccuper de ses autres demandes idiotes.

Comme si elle allait travailler pour lui.

— Je ne pose pas de question, ma jolie, répondit-il.

Piper gronda et montra les dents en entendant le terme affectueux.

— Toutefois, nous avons maintenant quelqu'un de bien comme patron. Un gentleman. Tu seras bien rémunérée.

— Trouve-les tout seul.

— Je le ferais, mais c'est malheureusement plutôt difficile à trouver.

— Qui tentes-tu de berner avec ces grands mots ? grogna-t-elle. Je te connaissais quand tu quémandais des pièces et des restants au marché de Leadenhall.

Atticus était rapide, elle devait en convenir. Il ne livrait jamais ses propres combats, à moins d'avoir un sérieux avantage, et elle était coincée et surpassée en nombre. La gifle propulsa sa tête vers l'arrière et lui fendit la lèvre, ce qui lui donna en bouche un goût de sang. La douleur grandit comme une fleur rouge, avec des élancements jusque dans ses dents arrière.

Piper tapa des mains comme une gamine au carnaval.

— Bien joué, Atticus. Il était temps que quelqu'un la fasse descendre de son piédestal.

— Tais-toi, Piper, l'interrompit-il d'un ton brusque, sans quitter le visage de Moira de son regard furieux.

Elle refusa de poser la main sur sa joue endolorie et ne fit que cracher du sang sur les bottes d'Atticus.

— Tu es aussi idiot que furieux, si tu crois que je vais t'aider, s'écria-t-elle en riant à demi.

— Je ne crois pas que tu aies le choix, répliqua-t-il. Nous sommes cinq contre une.

Une tasse tomba de la tablette et éclata en morceaux.

— Hum, Atticus.

— Je t'ai demandé de te taire, Piper.

Il agrippa une poignée de cheveux de Moira pour lui tirer la tête vers l'arrière. Elle planta les ongles dans son poignet.

— Je peux t'offrir tellement plus que le vieux et ta bande pathétique, dit-il.

Elle lui sourit malgré la douleur.

— Tu ne pourras jamais rien m'offrir de tentant. Je préfère toujours la grêle de l'hiver sur un toit abîmé, plutôt qu'une maison faite en or avec toi dedans.

Un vent glacial ébranla violemment la fenêtre. Atticus sursauta, et son emprise se desserra légèrement. Le givre infiltra les murs et descendit le long de la cheminée, couvrant le chaudron de glace. L'hiver hurla dans la pièce étroite, se jetant de tous les bords comme des poignards glacés.

— C'est un fantôme, affirma Piper, qui claquait des dents. C'est ce que je tentais de te dire !

Une main invisible retira le chapeau d'Atticus. Il déglutit nerveusement.

— Faites quelque chose ! ordonna-t-il aux autres.

Rod et John donnèrent des coups dans le vide, mais n'obtinrent rien d'autre que des engelures au bout des doigts. Même Ogden avait l'air nerveux en agrippant un charme fait de clous de fer et de fil rouge. Moira ne se préoccupa pas du fantôme. Elle frappa plutôt Atticus directement au visage. Il hurla, tituba et lâcha ses cheveux. Elle s'éloigna d'un bond et attrapa une chaise pour s'en servir comme une arme.

Pip fracassa la vitre derrière elle, ses dents de gargouille étonnamment dentelées. Elle vola directement vers Ogden, qui bloquait toujours la porte. Ses ailes de cuir frappèrent Ogden au visage, et ses serres lui grattèrent la peau en laissant des entailles profondes. Odgen tituba, s'efforçant de donner des coups de poing à la gargouille. Pip s'éloigna sans tarder, aussi fâchée qu'un frelon.

Moira se précipita vers la porte et fit une brève pause.

— Les barbes grises ne vous laisseront jamais faire le commerce de dents de sorcière, espèces d'idiots.

Atticus dégagea ses cheveux blonds de son visage, caché derrière Rod, John et Piper, qui l'entouraient.

— Qui, crois-tu, veut les acheter ?

Lorsque ses parents partirent enfin pour aller au théâtre, Gretchen s'enferma dans sa chambre avec un pot de thé et son nouveau grimoire. Elle crut sentir son nœud de sorcière picoter en caressant la couverture de cuir tanné de la paume de sa main. Les clochettes frissonnèrent. Elle tourna avec précaution les lourdes pages de parchemin. Certaines étaient remplies de listes d'herbes, de fleurs, de couleurs et de pierres et de leurs propriétés magiques respectives ; d'autres étaient couvertes de symboles et de signes cabalistiques qu'elle ne pouvait déchiffrer.

Elle s'arrêta sur un sort conçu pour faire taire les ragots. Elle entendit un chuchotement, comme une voix provenant de très loin. Elle ne put s'empêcher de penser que le sort serait plus efficace si on y ajoutait du miel et de la cire d'abeille. Elle ignorait pourquoi cette pensée avait jailli dans sa tête, mais le silence qui s'ensuivit avait une qualité vraiment suffisante.

Elle se renseigna sur les fers à cheval accrochés au-dessus des portes pour porter chance, sur les pierres de sorcière pendues à des cordes rouges par mesure de protection et pour voir les fées, et comment mettre le nom de quelqu'un de désagréable dans un pot de miel. Elle songea à tenter l'expérience avec Daphne, mais décida que si elle allait se prêter à la magie, ce devait être pour quelque chose de plus utile. Malheureusement, il n'y avait aucun sort pour mettre un frein aux efforts de sa mère, qui vous lançait dans les bras de tous les célibataires comme on lance des restes aux pigeons. Elle était certaine de ne pas être la première à se questionner à propos d'un tel sort. De toute évidence, avec le temps, une des élèves de Rowanstone avait dû découvrir quelque chose. Elle prit note mentalement de se renseigner entre les cours.

Elle s'arrêta sur une page bordée de noir comme du papier endeuillé. C'était un sort de protection énumérant du sel, un clou de fer, des sorbes et un fil rouge, comme la majorité de la magie qu'affectionnait l'Ordre. Le sort demandait également une pierre de tonnerre, le dessin montrant une petite pointe de flèche en silex comme celles que Godric collectionnait quand ils étaient jeunes. Elle l'aidait à fouiller d'anciens tertres funéraires à la campagne. Ils avaient passé cet été-là, à chasser les lutins et les fées, qui, selon eux, les avaient oubliés.

Si un gardien comme Tobias prévoyait la suivre comme un chien de chasse, il était peut-être plus prudent d'avoir quelques sorts dans son arsenal. Les directives étaient assez simples. Après tout, Mme Sparrow l'encourageait à étudier et à s'exercer.

Et honnêtement, si cela pouvait alléger le chuchotement constant et les maux de tête, elle aurait volontiers dansé nue dans un cercle de champignons en plein cœur de Hyde Park.

Instantanément plus enjouée depuis qu'elle avait un plan, Gretchen se rendit à côté, dans la chambre de son frère. Elle était toujours prête à l'accueillir, avec ses vêtements, ses livres et sa collection d'épées au mur. C'était déjà assez décevant que Gretchen ait dû rassembler des trucs étranges comme des coquilles d'escargots, des ailes de libellules et des roches de tailles étranges, mais Godric avait fait semblant que la collection d'épées de Gretchen lui appartenait, afin de préserver la paix.

Sous les épées, il y avait une pile de coffres de bois qui contenaient les vieux jouets et les vieilles babioles de Godric. Le premier recelait un amas de petits soldats et de cerfs-volants brisés. Le deuxième était rempli de petits sacs de cèdre et de lavande pour protéger des mites et des souris. Sous un petit bateau au mât brisé et une boîte de peintures se trouvait une autre boîte, plus petite, enroulée de ficelle. Elle vibra, pleine de promesses. Lorsque Gretchen l'ouvrit, elle était remplie de roches, de glands et de pointes de flèche émoussées. Le sort exigeait également une pierre de vipère, mais elle décida qu'une pierre de sorcière ferait tout autant l'affaire, puisqu'il y en avait déjà quelques-unes dans la boîte. Elle prit la plus petite, le trou au centre forgé par le souffle constant de l'océan.

La maison était silencieuse alors que Gretchen ramassait le reste des ingrédients dans la cuisine et dans la boîte à couture de sa mère. De retour dans sa chambre, elle traça un cercle de la taille d'une tasse de thé avec du sel sur le sol et plaça trois sorbes et une bobine de fil rouge au centre. Elle saupoudra des pétales de fleur d'un vase sur son bureau, juste parce que cela lui tentait. Elle commença à comprendre que son goût pour les modèles et les collections d'articles allant de petits crânes d'oiseaux aux épées était tout autant un trait magique qu'un trait de personnalité. Elle trouva étrange de constater combien elle se connaissait peu.

Elle enveloppa le bout émoussé de la pointe de flèche dans un ruban rouge brodé, ajoutant une pierre de sorcière et une sorbe desséchée embrochée sur une épingle en argent. Puisque cet assortiment inhabituel froisserait le goût élégant de sa mère, Gretchen décida qu'elle l'aimait. Il lui démangeait, mais ce n'était finalement qu'un curieux collier, sans plus.

La magie était peut-être inhérente à certains objets et combinaisons d'objets, mais quelque chose de plus devait être déclenché pour que l'effet s'active. Le pouvoir d'Emma sur le temps était intrinsèque, il émanait d'elle. Elle pouvait le canaliser dans un sort de guérison, si elle s'y dévouait ; de la même façon, le don de Gretchen pour reconnaître les sorts pouvait être canalisé, si elle apprenait à le maîtriser avant qu'il ait d'abord sa peau, évidemment.

Le collier de pierre de tonnerre devait être stimulé. Si elle avait été une sorcière des haies, sans don intrinsèque, elle aurait dû tirer ce pouvoir de la terre, de la pluie, du feu, des arbres et des oiseaux. Un jeteur de sorts le volerait à une autre sorcière, ou tuerait pour l'obtenir, comme l'avait fait Sophie.

Gretchen, étant Gretchen, avait de la frustration, de la désobéissance et de l'impudence en trop, mais elle ignorait si cela lui serait utile dans ce cas. Elle se pencha sur le talisman, tapotant ses doigts sur ses genoux.

— Bon ? Fais quelque chose !

Elle devrait se rappeler que de parler sans rien faire n'était plus un luxe pour une sorcière qui ne maîtrisait pas complètement ses pouvoirs.

Préférablement avant qu'elle devienne sourde ou que sa tête explose.

Elle se tint les oreilles à deux mains, tandis que des dizaines de voix chuchotaient avec un sentiment d'urgence, ce qui lui donna la chair de poule. C'était une véritable cacophonie, aussi dérangeante que d'entendre des pas au-dessus de sa tête, consciente qu'il n'y avait personne au grenier.

Elle lut le sort de nouveau. Elle avait recueilli tout ce qui était nécessaire, mais son intuition lui indiquait qu'il manquait clairement quelque chose. Elle serra les dents. Il était très difficile de réfléchir avec tout ce bavardage désincarné.

L'amulette devait la protéger du danger. C'était une protection ou, encore mieux, une épée. La pointe de flèche devait se souvenir qu'elle était une pointe d'épée, et non simplement une babiole. Elle devait se souvenir qu'elle était une arme.

Avant de pouvoir changer d'idée, Gretchen se trancha la peau du pouce avec la pointe effilée. Une douleur la transperça. La blessure s'ouvrit.

— Et voilà ma seule douleur que tu pourras avoir, dit-elle. Ou permettre à d'autres d'avoir.

Elle dirigea toute l'adrénaline et l'anxiété que lui causaient les murmures vers l'amulette.

— *Seul un sort de jeteur de sorts,* crièrent les voix à l'unisson, ce qui lui fit renverser la tête.

Elle se retrouva seule avec le grincement de son souffle et le sang qui coulait de ses oreilles. Sans indications de ce que cela pouvait signifier.

Mais la magie de l'amulette était bonne.

Lorsqu'Emma grimpa dans la diligence qui l'attendait, Cormac lui souriait du banc tourné vers l'arrière. Surprise, elle recula, ses bois grattant le bord de la diligence. Elle jeta un regard rapide par la portière qui se refermait, espérant que le valet de l'école ne l'avait pas entendue pousser un cri de surprise. Elle referma rapidement le rideau.

— Que fais-tu là ?

— Je t'attends.

— Pourquoi ?

— J'ai une surprise, annonça-t-il en l'attirant vers lui.

Lorsque la diligence vira vers la Tamise, Emma jeta à Cormac un regard interrogateur.

— Je devais rendre visite à Penelope.

Il souriait toujours, un éclat malin dans le regard.

— Je sais.

Elle plissa les yeux.

— Tu as l'air d'un chat entouré de pigeons, fit-elle remarquer. Qu'as-tu derrière la tête ?

— Il est grand temps que tu fasses l'expérience des beautés du monde de la sorcellerie. Tu as déjà connu trop de ses dangers. Une dette a été contractée envers toi, mon amour.

Elle aimait sa façon de l'appeler « mon amour ». Elle aimait tellement cela qu'elle faillit ne rien comprendre du reste de sa phrase. Elle s'efforça de rester concentrée.

— Je t'amène à Vauxhall.

— Le jardin des plaisirs ? demanda-t-elle, perplexe.

Elle y était déjà allée une fois, pour voir une montgolfière s'envoler. Il y avait eu du champagne et des fraises, puis une promenade dans une galerie de portraits.

— Mais cela n'a rien à voir avec les sorcières.

— Un soir de pleine lune, je crois que tu comprendras que ce n'est pas le cas.

Elle eut des papillons dans l'estomac à entendre la douce promesse dans sa voix. Dans le confinement de la diligence, les genoux de Cormac se pressèrent contre les siens.

– Et Virgil ? demanda-t-elle, affligée de briser le précieux instant. Ne nous verra-t-il pas ensemble ?

Cormac sourit d'un air narquois.

– Virgil suivra cette diligence chez ta tante, où Penelope s'est fabriqué des bois en papier mâché et a prévu défiler devant la fenêtre le reste de la soirée.

Elle éclata subitement de rire. Elle pouvait facilement imaginer Penelope se promener ainsi.

Lorsqu'ils arrivèrent à la résidence des Chadwick, une deuxième diligence sortit de l'allée derrière la leur. Les armoiries familiales avaient été retirées de la portière, mais le bois sombre et les accessoires en laiton luisaient. Elle n'avait rien d'un fiacre qui sentait le gin et les oignons. La portière s'ouvrit, et Cormac sortit en douce, s'assurant de rester entre les deux diligences pour ne pas être vu de la route. Emma le suivit.

La diligence s'éloigna, et la porte d'entrée s'ouvrit. Une lumière éclaira le perron. Penelope leur fit signe de derrière le majordome, l'ombre de ses bois de fortune couronnant sa tête.

Cormac tira les rideaux de nouveau, alors que la diligence descendait la rue.

– Le voilà, dit-il doucement.

Emma suivit son regard pour apercevoir Virgil adossé au mur du jardin de la maison d'en face. Il semblait s'ennuyer.

– Il n'a pas de parapluie, murmura Emma. Ce n'est pas pratique. Ne sait-il pas qu'il pleut beaucoup à Londres ?

Le tonnerre gronda, comme un félin paresseux.

— Quoique j'aime bien le voir trempé comme le rat mouillé qu'il est, tu devrais garder tes pouvoirs pour l'illusion de protection afin que personne ne te reconnaisse à Vauxhall.

Il sortit un masque des plis de la cape de velours.

— Et tu peux également porter cela.

Il était fait de cuir souple, peint en blanc et décoré de perles d'argent et de paillettes. Les bordures formaient des spirales aux coins des yeux, avec une frange de billes de verre au bas pour dissimuler davantage ses traits. Cormac se pencha vers l'avant pour le tenir près de ses pommettes, tandis qu'elle nouait le ruban fermement.

— Tu n'as pas dormi, remarqua-t-il doucement, si près que ses lèvres caressèrent celles d'Emma.

Son souffle se fit chaud dans sa poitrine.

— Ce n'est rien, dit-elle.

Elle n'avait pas envie de lui parler des cauchemars, pas à ce moment, pas après qu'il eut fait tant d'efforts pour qu'ils aient une soirée juste à eux, sans jeteur de sorts et sans la malédiction des sociétés secrètes de sorcières. Il n'avait pas besoin de savoir qu'elle avait offert un secret à la mère crapaud en échange d'un sort lui permettant d'ouvrir un portail. Le sort réclamait quelque chose de personnel qui appartenait à Ewan, ce qu'Emma pouvait se procurer, et une branche d'argent que la mère crapaud avait promis de fournir. Selon les légendes anciennes, une branche de pommier enroulée de cloches d'argent garantissait au porteur un passage sécuritaire aller-retour dans les Enfers. C'était, évidemment, difficile à obtenir.

— Tu n'es pas là, murmura Cormac.

Elle s'efforça de ramener son attention vers le présent. Cormac s'adossa aux coussins avec une confiance paresseuse, comme si rien ne pouvait le surprendre. Les autres garçons tentaient de l'imiter, mais ils avaient toujours l'air ennuyés et irritables, alors que Cormac avait l'air de protéger un délicieux secret.

Lorsqu'ils arrivèrent à Vauxhall, il régla le droit d'entrée et pénétra dans le plus célèbre jardin des plaisirs de Londres. Des bosquets d'arbres étaient séparés par des sentiers de gravier, des chutes, des grottes et des statues en marbre. Un orchestre jouait dans la rotonde principale, où des visiteurs dansaient ou se reposaient sur des banquettes somptueusement décorées pour déguster de délicates tranches de jambon et des fraises.

Cormac la mena par-delà des foules, vers les bosquets où les rossignols chantaient et où des milliers de globes lumineux étaient suspendus aux arbres. Ils étaient liés pour clignoter à l'unisson au son d'un quelconque indice musical. Emma aurait cru à de la magie, si elle n'avait pas été au fait.

Ils croisèrent un funambule couvert de paillettes et franchirent une fontaine sur un pont de corde entre un temple et un pavillon. Cormac prit la main d'Emma, et elle se laissa entraîner par le joyeux chaos illuminé du jardin. La fatigue l'envahit comme une toile d'araignée, alors qu'ils pénétraient plus profondément dans les bois où, à en juger par les ombres furtives, d'autres couples étaient en quête d'intimité.

– Il y a des charmes de protection et d'illusion qui empêchent les autres de nous trouver par hasard, expliqua Cormac, qui enjamba une touffe de camomille puante. Cette satanée plante garde la plupart des gens, sauf les plus curieux, à distance, de toute façon.

— Je comprends pourquoi, dit Emma, les yeux pleins d'eau.

Il y avait de plus en plus de feuillage et de moins en moins de globes, mais outre l'odeur désagréable, rien ne différenciait ce bosquet des autres du parc.

Soudainement, Cormac se glissa entre deux chênes et disparut complètement.

Emma demeura bouche bée lorsque l'espace entre les arbres ondula et miroita comme du verre à l'ancienne. Il ne reflétait rien, ne lui rendait pas son reflet étonné, seul le mouvement des branches au-delà, comme n'importe quelle fenêtre. Il y avait toutefois un faible scintillement, comme une poussière de diamant accrochée aux feuilles, aux branches et qui flottait dans l'air.

— Cormac ? murmura-t-elle, alors que son nœud de sorcière s'enflammait.

Cormac ne réapparut pas, mais son bras se tendit par-delà le mur de verre scintillant. Avec une profonde inspiration, elle lui prit la main et se laissa entraîner à travers le mur. Elle ressentit un léger vertige. Il y eut un éclair de lumière derrière ses paupières, puis elle se retrouva à ses côtés, alors qu'une nuée de libellules miniatures volait à proximité.

L'endroit rivalisait même avec la splendeur du marché des gobelins, puisque le jardin secret à la pleine lune était de toute évidence un endroit de célébration. Là, on ne redoutait pas l'Ordre ni les vagabonds. Il n'y avait que des sorcières dans leurs plus beaux atours qui dansaient sous les étoiles sans craindre de se faire reconnaître. Des tables débordaient de pains d'épice, de bouteilles de cordial à la fraise, de tartes aux fleurs de pomme et de biscuits demi-lune roulés dans le sucre glace, biscuits que Cormac appelait des gâteaux de lune. Des carillons à tiges frissonnaient dans les airs, pas simplement avec des sons, mais avec des notes de musiques, comme de petites harpes pincées dans les arbres. Cormac la mena vers un labyrinthe de pavés autour d'une fontaine où la sirène en pierre était animée et se lavait les cheveux avec l'eau qui coulait d'un coquillage.

– C'est parfait ici, sourit Emma. C'est tout droit sorti d'un poème.

– Presque parfait, dit-il.

Le bout de ses oreilles était rouge alors qu'il sortait une petite chaîne en argent de la poche intérieure de sa jaquette. Une petite étoile y était suspendue et tourbillonnait, le clair de lune et la lumière des lampes scintillant sur les petits diamants sertis.

– C'est magnifique, souffla Emma, touchée.

– Comme ça, tu auras toujours tes étoiles avec toi, même quand le ciel est couvert, dit-il d'un ton bourru.

Il la comprenait. Il la voyait, elle, alors que tant d'autres ne voyaient que la jeune fille discrète qui longeait les murs dans les salles de bal. Elle rayonnait, fermant l'agrafe autour de son cou. Puis, elle se leva sur la pointe des pieds pour l'embrasser. Il l'enlaça pour la soulever contre sa poitrine. Elle aurait pu y rester pour toujours, les lèvres de Cormac sur les siennes, sans penser à rien d'autre.

Lorsque Godric rentra à la maison quelques heures plus tard, Gretchen le trouva dans le salon, à donner de petits coups avec apathie dans le feu mourant.

— Tu as des appartements agréables loin de l'étouffement parental, lui fit-elle remarquer. Et tu ne t'en sers pas. Quelle honte, vraiment.

— Bah, échanger un règlement pour un autre, répliqua-t-il. Sans parler que c'est plutôt bondé de gardiens et de leurs ancêtres morts, en ce moment. La plupart sont en ce moment entassés dans le salon, à tenter de surclasser les autres. J'en avais mal à la tête.

Gretchen se redressa.

— Vraiment ?

Il se retourna promptement en reconnaissant ce ton.

— Mon Dieu, non.

— Mais je n'ai encore rien dit.

Il grogna.

— Je n'ai pas besoin d'être ton frère jumeau pour savoir qu'il y a une mauvaise idée dans cette tête d'idiote que tu as.

— Pourquoi tout le monde dit cela ? grommela-t-elle.

— Parce que nous te connaissons.

Elle n'aimait pas se faire contredire. Elle avait les yeux brillants.

— Je crois qu'il est temps que tu reçoives une visite de ton bon vieux cousin Geoffrey Cove, non ?

Cela faisait longtemps qu'elle n'avait pas enfilé des vêtements de Godric pour se promener en ville et profiter des libertés des garçons.

— Absolument pas, répondit-il en laissant tomber sa tête entre ses mains, conscient qu'il avait déjà perdu d'avance, peu importe ce qu'il en disait.

Gretchen bondit sur ses pieds, comme une enfant sur le point d'entrer dans une confiserie.

— Ne préférerais-tu pas aller à la taverne, comme nous en avions l'habitude ?

En effet, elle préférerait cela, mais cela n'était pas pratique pour l'instant.

— Pas cette fois. Je veux savoir ce que disent les gardiens.

— Je pourrais te le dire, dit-il en sachant déjà que ce ne serait pas suffisant.

Elle lui lança un regard convaincant.

— Tu n'y es à peu près jamais, ajouta-t-elle en grognant. Et je veux l'entendre par moi-même.

— Tu veux pouvoir l'utiliser contre eux plus tard, en fait.

— Ça aussi, sourit-elle, incorrigible.

Elle gravit l'escalier en chêne verni deux marches à la fois, une habitude que sa mère tentait de lui faire perdre depuis des années. Elle retira impatiemment sa robe, déchira les coutures en tirant trop fort. Elle ne pouvait demander à sa femme de chambre de l'aider. Marie serait bien incapable de garder un tel secret sous le regard furieux de sa mère. Gretchen enfila des hauts-de-chausses, une chemise de lin et un gilet pour camoufler ses courbes, puis boutonna une veste par-dessus. Elle se sentait plus à l'aise ainsi.

Godric était encore au salon, à siroter de la bière en attendant. Elle attrapa la bouteille.

— Tu ne peux pas être grisé, si on veut que ça fonctionne.

— Trop tard. Restons à la maison.

Elle l'entraîna dans le couloir, alors qu'il grommelait contre les sœurs et le fantôme du chat derrière le porte-parapluies.

Ils hélèrent un fiacre dans la rue, qui les mena vers ses appartements. L'édifice était réservé aux fils des membres de l'Ordre, mais il ne se différenciait en rien des autres édifices de la rue. Tard le soir, des chandelles brûlaient aux fenêtres, et des torches traçaient l'allée.

— Es-tu certaine de ce que tu fais ? demanda Godric. Tu n'en seras que plus frustrée.

Gretchen savait que pour Godric, il ne s'agissait que d'un autre édifice bondé d'esprits et de complications. Il était parfaitement heureux d'être un fils de comte et un homme du monde. Il n'avait pas particulièrement envie d'être un gardien, alors qu'elle aurait probablement aimé cela, si cela avait été une possibilité. Et c'était là le problème. Ce ne serait jamais présenté comme une option viable.

— Pour l'amour, Gretel, ne roule pas des hanches ainsi en marchant, siffla Godric tout bas. Tu vas te faire prendre.

Il était un bon frère. Il aurait probablement préféré sa vie ordinaire, mais parce qu'elle n'en voulait pas, il resterait à ses côtés. Il n'avait jamais tenté de lui faire adopter des comportements selon ses propres attentes, pas comme ses parents. Et si elle n'était pas heureuse, il ne pouvait pas non plus être vraiment heureux. Elle avait la même impression. Elle posa un baiser sur sa joue. Il fronça les sourcils.

— As-tu bu de la bière, toi aussi ?

— C'était simplement de l'affection fraternelle, dit-elle, les yeux levés au ciel.

— Bon, mais tu fais généralement cela avec tes poings.

— Allez, viens.

Le grand salon aurait pu se trouver dans n'importe quel club pour hommes de St. James. Il était bondé de jeunes hommes riches et titrés, de jeux de cartes, de nourriture et de bouteilles de vin.

— Godric, qui est ton ami ? demanda quelqu'un.

— Mon cousin, M. Cove. Il se joindra peut-être à nous, lorsqu'il s'installera à Londres.

Gretchen fit une révérence théâtrale, s'amusant déjà immensément. Après cela, personne ne leur porta attention, tant que Gretchen gardait son chapeau penché sur sa tête pour dissimuler ses traits. Elle s'adossa au mur avec l'ennui calculé qu'elle avait observé chez son frère et ses amis pendant tant d'années.

— N'aie pas l'air si heureuse, la taquina Godric, alors qu'elle survolait du regard l'assemblée bruyante et joviale.

Le buffet était plein de fromages, de viandes et d'olives. Des sorbes étaient accrochées à des fils blancs enroulés autour des tiges des rideaux, et des bols de sel étaient éparpillés comme des plats de bonbons. Quelqu'un avait interpellé un cheval blanc, et il galopait autour de la pièce déjà bondée, des étincelles fusant du bout de sa queue. Il devait transporter les esprits des jeteurs de sorts en colère, comme les sœurs Greymalkin, au besoin.

— Tu pourrais également invoquer un cheval blanc, suggéra Gretchen à Godric, lorsqu'il y a trop de fantômes dans le coin.

— J'y ai pensé, grimaça-t-il, mais cela me paraissait grossier.

— Vraiment ? s'étonna-t-elle avec un hochement de tête.

— Bon, en fait, apparemment, ce n'est efficace que pour les esprits bannis, pas pour ceux qui ne sont que morts, mais qui n'ont pas la décence de s'éloigner.

— Je vais me promener, dit-elle doucement.

— Ne te fais pas pincer.

— Est-ce que cela m'est déjà arrivé ?

Elle flâna tranquillement, savourant le subterfuge comme Penelope appréciait Shakespeare. Elle observa Oliver Blake perdre deux cents livres au jeu de dés. Cela ressemblait à n'importe quelle autre fête, n'eût été de la magie sous-jacente.

Jusqu'à ce que Tobias arrive. Évidemment.

Son don magique résidait probablement dans sa capacité à déceler les moments où elle s'amusait pour y mettre fin.

Elle revint vers Godric.

— Killingsworth est là, siffla-t-elle.

Il s'étouffa avec son vin.

— Très subtile. Je ne comprends pas pourquoi le ministère ne t'a pas incitée à devenir espionne de guerre. Il regarde vers nous, marmonna-t-il.

— Zut ! s'écria-t-elle en s'essuyant les paumes des mains sur sa culotte, son nœud de sorcière tout à coup moite.

Godric remplit son verre.

— Que fais-tu ? Cela n'a rien d'utile pour l'instant.

— Je crée une distraction, répondit-il. Va m'attendre à la diligence.

Il leva son verre et s'avança devant l'assistance. Son corps bloquait habilement la vue sur la porte de côté.

— Je lève mon verre ! annonça-t-il, alors que Gretchen s'éclipsait de la pièce.

Elle se précipita vers la porte arrière, tandis que son frère levait son verre au pied gauche d'une jeune fille.

Elle se rendit compte qu'elle était dans une maison remplie de gardiens. Et de secrets de gardien.

S'ils pouvaient l'espionner, il était juste qu'elle le puisse également. Particulièrement s'ils étaient tous justement rassemblés au salon. Qui pourrait résister ?

Elle attendit que le majordome disparaisse dans le salon avec un nouveau plateau de bouteilles de vin avant de se précipiter vers l'escalier principal. Elle était si occupée à lever les yeux au ciel à la vue de la sirène bien en chair qu'elle faillit se faire surprendre par le compagnon hibou de quelqu'un. Il était sur un arbre en pot, à hululer doucement. Elle longea le mur, dissimulée derrière les feuilles, puis se faufila par la première porte.

La chambre était à peine éclairée par les braises d'un feu de charbon dans le foyer. Il y avait les tables et les chaises habituelles, ainsi qu'un bureau. Elle fouilla rapidement les papiers et les livres sans rien trouver d'intéressant. Elle quitta la pièce, déçue. Cependant, au haut de l'escalier, sur le palier, elle remarqua Lucius et Ian boire du brandy.

– Tu surveilles lady Penelope, n'est-ce pas ? demanda Lucius.

Gretchen figea sur place.

– Oui, dit Ian. Pourquoi ?

– Elle est superbe, répondit Lucius.

Gretchen sourit. Penelope s'évanouirait quand elle apprendrait que deux charmants jeunes hommes parlaient d'elle.

– Me permettrais-tu de te remplacer ? J'aimerais une occasion d'apprendre à la connaître.

Ian sourit, posa une main sur l'épaule de Lucius. Son verre de brandy se renversa par-dessus le bord.

– Désolé, mon cher, ça ne fonctionne pas comme ça. C'est le premier légat qui assigne les tâches.

Elle ne remarqua pas le renard lumineux, jusqu'à ce qu'il passe à ses côtés, sa queue phosphorescente lui frottant la jambe.

— Il y a quelqu'un, dit Ian tout à coup.

Mince ! Elle n'était pas meilleure espionne que son frère. Gretchen fit demi-tour et disparut par l'escalier des domestiques. Avec un peu de chance, on la prendrait pour un valet ou un domestique qui passait par là, et Ian ne se donnerait pas la peine de lancer son renard à ses trousses. Elle traversa la terrasse, le souffle court, mais propulsée par l'adrénaline.

C'était cent fois mieux que d'être au bal.

— Où croyez-vous aller ?

Elle connaissait ce ton glacial étudié. Elle ne se retourna pas et ne fit aucun commentaire ; il la reconnaîtrait instantanément, si elle ouvrait la bouche. Elle ne prit pas la peine d'emprunter l'escalier de pierre et mit plutôt la main sur la rampe pour l'enjamber et sauter sur la pelouse plus bas. Elle atterrit recroquevillée dans les ombres jetées par les chandelles de la maison.

Pendant qu'elle se redressait, un sourire suffisant au visage, Tobias était là.

Il la prit par le bras, le lui replia derrière le dos et la coinça contre le mur sous la terrasse. Elle en perdit son chapeau. Une douleur lui parcourut le bras lorsqu'elle tenta de se dégager.

— Qui êtes-vous ? demanda-t-il d'un ton ferme, évitant un coup de pied dans ses parties intimes.

Il lui fit brutalement faire volte-face.

Elle savoura le regard d'étonnement sur son visage.

— *Gretchen ?*

Elle lui fit une révérence comme l'aurait fait Geoffrey Cove, mais cela la rapprocha de lui. Il avait relâché son emprise, mais ne l'avait pas complètement libérée. Et il ne reculait pas.

Comme à l'habitude, son plan tournait au fiasco.

Toutefois, n'était-ce pas plus amusant ainsi ?

— Sapristi ! Que faites-vous à rôder ainsi ? demanda-t-il.

L'adrénaline coulait toujours dans ses veines, probablement comme dans celles de Tobias, étant donné qu'il croyait avoir appréhendé un jeteur de sorts dans les buissons. Ses yeux étincelaient et viraient presque à l'argent. Gretchen eut la bouche sèche, sans trop savoir pourquoi.

— Je vous renvoie la balle, dit-elle de manière insolente. Malhabilement, admit-elle, mais c'est le principe qui compte.

— Sérieusement, avez-vous idée des dangers de jouer à ce petit jeu en ce moment ?

— Qu'est-ce qui vous fait croire que je ne suis pas sérieuse ?

Il se pencha vers elle. Elle put voir le trait gris pâle dans ses iris bleus.

— L'Ordre n'apprécie pas les espions.

— L'Ordre n'apprécie rien du tout, ajouta-t-elle, toujours adossée au mur.

Elle se demanda pourquoi elle ne le frappait pas. Peut-être parce qu'il semblait si déconcerté. C'était plutôt rafraîchissant.

— Pourquoi détestez-vous l'Ordre ? demanda-t-il doucement. De toute évidence, après ce bal désastreux, vous comprendrez que nous tentons simplement de protéger les sorcières de Londres.

— De nous ?

— Des jeteurs de sorts, les unes des autres, d'elles-mêmes…

Elle pencha la tête.

— Quel travail éreintant ! Pas étonnant que vous soyez toujours si fâché.

— Vous ne me rendez pas vraiment la tâche facile.

— Je le sais, acquiesça-t-elle avec un sourire ironique.

Il regardait sa bouche. Elle avait la drôle d'impression qu'il avait envie de l'embrasser de nouveau. Volontairement cette fois-ci, pas simplement pour rompre un sort.

Et elle en avait peut-être aussi envie.

Les cheveux de Tobias lui tombèrent devant les yeux. Elle leva la main pour les replacer, mais s'arrêta avant de le faire. Il se raidit, ses yeux bleus dilatés fixant ceux de Gretchen, avant de jeter de nouveau un regard à ses lèvres. Elle pouvait sentir sa chaleur. Leurs bouches étaient si près l'une de l'autre, même une ombre n'aurait pas pu s'immiscer entre elles. Les lèvres de Gretchen picotaient d'envie.

Il se recula avec effort, la libérant brusquement.

— Rentrez chez vous, Gretchen, ordonna-t-il d'une voix rauque. Rentrez chez vous.

# CHAPITRE 8

Le matin à Hyde Park rendait Londres tolérable. Gretchen pouvait chevaucher son cheval par-delà les collines aussi vite qu'elle le désirait sans personne pour la sermonner. L'après-midi, elle était reléguée dans Rotten Row, alors que des centaines de gens à la mode paradaient lentement avec leurs nouveaux chapeaux ; mais lorsque le soleil éclipsait la brume et que seuls restaient les enfants et les nourrices, elle pouvait savourer le ciel. C'était déjà une belle journée chaude, avec un ciel aussi rose que le cœur d'une pivoine.

Tout aurait été encore mieux, s'il n'y avait pas eu une poignée de gardiens qui passa à toute vitesse près d'elle en direction de la Serpentine. Entendant un faible chuchotement, Gretchen encouragea son cheval à partir au trot. Elle ne fut pas surprise de voir Tobias déjà sur place. Elle présuma qu'il la suivait, mais elle fut vexée de se rendre compte qu'elle ne l'avait pas remarqué. Cela devenait un jeu pour mettre ses talents à l'épreuve. Même si tôt le matin, il était si bien mis qu'il aurait pu être en route vers un bal. Elle se demanda si ses vêtements savaient même comment se froisser.

Ou bien s'il songeait à ce qui s'était passé entre eux, la veille, dans le jardin.

Elle descendit de sa selle et s'approcha de lui. Elle lui toucha à peine l'épaule, lorsque la main de Tobias se resserra autour de sa gorge. Elle se figea, respirant avec difficulté. Les dents de Tobias parurent tout à coup très pointues.

Il mit un long moment à la reconnaître.

Il la relâcha brusquement, la honte remplaçant le regard de défi qu'il avait un instant auparavant.

— Je suis désolé. C'est inexcusable, ajouta-t-il en faisant une révérence solennelle.

Elle déglutit, sentant encore l'empreinte des doigts de Tobias sur sa peau. Il avait l'air de vouloir partir en guerre plutôt que de déambuler dans Hyde Park juste après l'aurore. Ses pupilles étaient si dilatées que ses yeux pâles semblaient noirs. Des ombres bleues traçaient le bas de ses paupières comme s'il avait aussi mal dormi qu'elle. Pire, en fait.

— Qu'est-ce qui s'est passé ?

— Rien, dit-il d'une voix rauque.

Elle ferma un œil en raison de l'impulsion soudaine de bruit dans sa tête.

— Tobias, s'il vous plaît, ne me mentez pas, supplia-t-elle. Ça me fait mal.

— Vous ne devriez pas être ici, lui reprocha-t-il brusquement.

— Qu'est-ce qui se passe ? demanda-t-elle en jetant un œil aux alentours, alors qu'un bruit poignant lui perçait les oreilles.

Elle grimaça en se tenant la tête à deux mains.

Il y avait deux gardiens qui pataugeaient dans la Serpentine, des longueurs de chaînes en fer à la main. L'eau bouillonnait comme une bouilloire géante.

Les jupons des jupes d'une femme flottaient à la surface écumante.

Elle devait être une nourrice, à en juger par les deux jeunes garçons qu'on éloignait de la rive. Un petit voilier flottait à proximité, près du corps de la femme. Un des garçons se mit à pleurer.

Gretchen n'avait aucune idée de ce qu'il pouvait bien y avoir dans la Serpentine ; elle savait toutefois que les chaînes magiques ne seraient pas suffisantes.

— Ils ne s'y prennent pas comme il le faut, dit-elle en serrant les dents.

Elle ne pouvait supporter les gémissements du pauvre garçon ni de savoir que le sort des gardiens allait être le même que celui de la nourrice. Elle releva l'ourlet de ses vêtements d'équitation et se mit à courir.

— Gretchen, non ! s'écria Tobias, qui tenta, en vain, de la retenir.

Elle courait plus vite que Godric depuis qu'ils avaient sept ans. Avant que Tobias atteigne la rive, Gretchen pataugeait déjà dans l'eau jusqu'aux chevilles.

— Ces chaînes ne fonctionneront pas, dit-elle aux autres gardiens.

Elle s'efforça de noter les mots qu'elle entendait dans sa tête, et ce fut un peu plus facile. Toutefois, les mots n'avaient rien de rassurant : « faim », « course », « noyade ».

— Bien sûr qu'elles fonctionneront, se moqua un des gardiens, une chaîne en fer autour d'un poignet. Elles ont trempé dans l'eau salée trois nuits de pleine lune. Après avoir été ensevelies dans des sorbes et de la terre de cimetière. Nous savons quoi faire.

— Ce n'est pas suffisant, insista Gretchen, même lorsque Tobias arriva près d'elle. Cela ne fonctionnera pas.

— Vous devriez l'écouter, conseilla Tobias d'un ton sec. C'est grâce à elle que tout Londres ne s'est pas endormi, la semaine dernière.

Quelque chose commença à se frayer un chemin pour sortir de l'eau.

Une grosse tête de cheval émergea, les yeux verts furieux levés vers le ciel. Son regard était vif et cruel ; ses dents tranchantes semblaient faites pour moudre des os. Gretchen n'avait jamais rien vu de tel. Même si cela semblait être un cheval, c'était de toute évidence tout à fait autre chose.

— Qu'est-ce que c'est ? demanda-t-elle, le regard fixe.

— C'est un kelpie, répondit Tobias.

Elle recula d'un pas, glissant légèrement.

— Un quoi ?

— Un cheval aquatique, expliqua-t-il brièvement. Ils tirent les gens sous l'eau et les noient.

— Si vous ne savez même pas reconnaître un kelpie, remarqua le gardien, alors que du sang giclait de ses mains irritées et que l'eau se teintait de rose autour de ses jambes, comment pouvez-vous prétendre savoir quoi que ce soit à propos des chaînes ?

— Sors de là ! lui dit Tobias d'un ton ferme en tirant Gretchen également hors de l'eau. Ton sang lui donne encore plus faim.

L'étang se souleva, et l'eau s'abattit sur la rive, retournant le corps de la femme qui avait maintenant son regard vide braqué vers le ciel.

Pourtant, Gretchen trouvait le kelpie étrangement beau. Des marguerites, des centaurées et des violettes étaient disposées dans sa crinière noire lustrée. Ses yeux étaient exactement de la même couleur que les nouvelles feuilles de chêne, délicate et mélancolique. Elle tendit la main pour le toucher, curieuse de savoir s'il était aussi doux et velouté qu'il en avait l'air. La nourrice n'avait pas compris, elle n'avait pas accordé à cette créature extraordinaire le respect qu'il convenait. N'importe qui pouvait bien voir qu'il ne fallait qu'un peu de douceur.

Elle se rapprocha et l'eau clapota à ses pieds.

– Non, s'écria Tobias, qui referma sa main autour de son bras.

Se voyant refuser une nouvelle victime, le cheval aquatique rua avec ressentiment.

Gretchen prit soudainement conscience de l'eau froide dans ses bottes et du poids de ses vêtements d'équitation. Le tissu était lourd et encombrant. Il lui semblait qu'elle nageait avec des galets dans les poches. Elle expira tranquillement.

– Qu'est-ce qu'un kelpie fait dans la Serpentine ?

– C'est une très bonne question, répondit-il. Ils n'ont droit que de frayer dans la Tamise sous le pont du marché des gobelins, ajouta-t-il.

– Comme la dame en blanc ? murmura-t-elle, se souvenant de ses oiseaux blancs affamés. Cela semble se produire régulièrement, non ?

– Oui, dit-il sinistrement. Apparemment.

Les gardiens lancèrent leurs chaînes. Le kelpie attaqua avec ses sabots meurtriers. Le chuchotement dans la tête de Gretchen se transforma en bruits de couteaux qui s'aiguisaient les uns contre les autres. Elle se sentit mal en raison de la vibration. Elle crut entendre le fragment d'un nouveau mot, puis plus rien. Elle bloqua ses genoux pour ne pas vaciller.

— Gretchen, arrêtez, lui conseilla Tobias à l'oreille.

Il lui fallut un moment pour se rendre compte que la voix provenait de l'extérieur de sa tête.

— Tes yeux...

Ils étaient injectés de sang ; ses iris, cernés de rose, des veines blanches tachées de petits vaisseaux sanguins éclatés.

— Ça y est presque, insista-t-elle, pliée en deux, les mains sur les oreilles.

— Kelpie, marmonna-t-elle, kelpie, kelpie.

Elle se redressa brusquement. Elle aurait souri, si elle n'avait pas également essayé de s'empêcher de vomir.

— Du lierre, déclara-t-elle, finalement. Nous avons besoin de lierre pour entourer les chaînes.

— Je vais prendre votre cheval pour aller en chercher, offrit Tobias.

— Absolument pas, s'opposa-t-elle en courant pour ensuite bondir sur son cheval.

Son estomac se noua de façon désagréable. Tobias jura en se précipitant vers l'un des chevaux des gardiens. Il dut s'arrêter pour sortir un jeune homme avec une cravate puce qui n'arrêtait pas de patauger dans les eaux tumultueuses. Le kelpie cria et gémit piteusement.

Le lierre poussait en vignes accrochées aux branches des arbres et s'entortillait sur un mur de pierre effondré artistiquement. Gretchen en attrapa quelques poignées ; elle enroula le lierre autour de son pommeau, de sa taille et de son cou. Tobias travaillait silencieusement à ses côtés, sabrant les vignes avec l'un de ses couteaux. Puisque Gretchen ne pouvait presque plus voir à travers l'amas de lierre devant elle, elle fit demi-tour et guida son cheval à l'aide de ses talons. Il partit rapidement au trot. Elle sentit Tobias plutôt qu'elle le vit faire de même derrière elle. Ils pressèrent leurs montures au galop, tirant derrière eux du lierre et soulevant des nuages de poussière alors que les sabots foulaient le sol.

Gretchen se pencha vers l'avant, le vent contre elle. Elle atteignit la mare quelques secondes avant Tobias et descendit de sa selle en poussant le lierre en direction des gardiens. Ils enroulèrent le lierre aussi rapidement que possible, pour éviter les coups mortels du kelpie en colère.

Le bourdonnement dans les oreilles de Gretchen reprit de plus belle, avec beaucoup plus d'insistance. Elle se concentra de toutes ses forces, jusqu'à ce qu'elle ait un goût de cuivre en bouche.

— Arrêtez ! cria-t-elle. Il faut l'enrouler dans le sens antihoraire !

Avec des jurons, les gardiens tirèrent les chaînes et enroulèrent de nouveau le lierre avec des doigts détrempés et frigorifiés. Le kelpie se rapprochait de plus en plus.

Les chaînes claquèrent sur l'eau. Le kelpie grinça de ses dents puissantes, donnant des coups partout, dans les vagues, dans l'air… Les chaînes se resserrèrent, jusqu'à ce que finalement, épuisé, le kelpie s'immobilise. Il coula doucement jusqu'à ce que seule sa crinière fleurie soit visible. Des larmes brûlèrent les yeux de Gretchen.

Le chuchotement se transforma si soudainement en silence qu'elle en tressaillit. Sa tête tout entière lui parut être une cloche rouillée. Elle vacilla sur ses pieds. Tobias l'attrapa avant qu'elle tombe. Les plis détrempés de ses vêtements d'équitation étaient drapés sur le bras de Tobias.

— Zut, dit-elle, épuisée.

Il y avait trois Tobias qui vacillaient devant elle, leurs visages désapprobateurs se brouillaient.

— Tout ce dont les gens vont se souvenir maintenant, c'est que vous m'avez portée. Ils oublieront l'important.

— Que vous avez aidé à enchaîner un kelpie ?

— Non, que je vous ai battu à la course à cheval.

Gretchen s'était évanouie.

*Évanouie.* Elle ne s'était jamais évanouie de sa vie. Pas quand les sœurs Greymalkin les avaient coincées, elle et ses cousines, pas même lorsqu'elle était tombée d'un arbre directement sur la tête. Elle n'y croyait pas.

Et *Tobias* l'avait rattrapée.

Tout allait de mal en pis.

Elle se réveilla blottie dans ses bras, alors que la diligence se mettait en route. Mortifiée, elle resta figée. Avec un peu de chance, il ne remarquerait pas qu'elle était éveillée, et elle pourrait prétendre que rien de tout cela n'était vraiment arrivé.

Elle était assise sur ses genoux, ses jambes pendantes par-dessus lui, l'eau dégoulinant de ses bottes. Sa tête était blottie contre son épaule, et le bras de Tobias était chaud dans son dos et lui entourait la taille. Elle ouvrit à peine les paupières. Elle put voir le blanc de sa cravate et le tissé délicat de sa veste. Il avait retiré ses gants abîmés, et sa peau était plus hâlée qu'elle ne l'aurait cru, comme s'il passait plus de temps dehors qu'il ne le laissait paraître. C'était intrigant.

La diligence sautilla sur une bosse de la route, et le bras de Tobias la serra pour la garder en sécurité contre sa poitrine. Il sentait la terre et le savon.

Elle aurait juré avoir entendu l'une des sorcières mortes chantonner.

Comme si leur bavardage incessant n'était pas suffisant.

Le valet ouvrit la porte de la diligence et descendit la marche. Il eut un élan de surprise.

— Laissez-moi la prendre, monsieur.

— Ça va, dit Tobias, dont la voix résonna dans sa poitrine sous l'oreille de Gretchen.

Il ne l'abandonna pas. Il se contorsionna plutôt d'une façon qui devait être des plus inconfortables pour son cou, afin de descendre sans devoir la poser.

Le majordome se précipita pour le laisser entrer, et les valets vinrent rapidement l'aider, tout espoir de discrétion ainsi anéanti.

— Lord Killingsworth ! Quelle courtoisie.

Gretchen ne reconnut pas la voix, mais elle détesta instantanément le soupir de minauderie qu'elle dissimulait à peine.

— Elle a bien ruiné votre veste, dit Clarissa. Elle doit être très lourde, si on en juge par sa grande taille.

Gretchen dut se souvenir de ne pas montrer les dents. Elle était censée être inconsciente.

Tobias la porta dans le grand salon, pour la poser doucement sur le canapé. Elle avait dû tressaillir en entendant le gloussement agité de jeunes filles, car elle le sentit sourire.

— J'ai vu cela, murmura-t-il contre son oreille.

Son souffle était chaud et lui chatouilla la base du cou. Un silence impatient bourdonna derrière eux.

— Si j'étais vous, je ferais semblant d'être inconsciente, ajouta-t-il.

Elle ne put réprimer un sourire.

— Ça ne serait pas suffisant, répliqua-t-elle à voix basse.

Elle entrouvrit les yeux. Elle ne s'était pas rendu compte qu'il était encore très près. Elle pouvait voir le gris argenté dans ses iris étonnamment bleus et la cicatrice à peine visible sur sa pommette.

— Mesdames, dit Tobias, qui s'éloigna brusquement et se retourna pour faire une révérence, je la laisse entre vos mains compétentes.

— Lâche, grommela-t-elle.

— J'ai des sels !

— Non, essayons ma vinaigrette !

Les mêmes jeunes filles, qui regardaient habituellement Gretchen et ses cousines de haut, se précipitaient maintenant vers elle pour lui témoigner de la compassion et lui venir en aide. Elle n'ouvrit pas les yeux tant qu'elle ne fut pas certaine que Tobias était bien parti et que l'odeur nauséabonde de la vinaigrette de l'une des jeunes filles lui brûla les narines. Son lévrier se tapit sous le canapé, tout aussi affligé, les pattes sur le museau.

— Mais qu'est-ce que c'est ? demanda-t-elle d'un ton brusque en lançant un regard noir en direction de l'odeur désagréable. Du sang de démon ?

— C'est du sel d'ammonium et du vinaigre à marinade. Ma mère ne jure que par ça, lorsqu'elle se pâme.

— C'est dégoûtant.

— Tobias l'a portée jusqu'ici, lui expliqua Emma, qui lui tendit une tasse de thé chaud. Après quoi elles ont toutes rapidement perdu la tête.

— Il était très élégant, ajouta Penelope.

— Est-ce qu'il te courtise ? soupira l'une des jeunes filles, les yeux brillants d'espoir.

Gretchen espéra que cela n'était pas contagieux.

— Non, dit-elle fermement. Il ne me courtise absolument pas.

— Il t'a portée de la diligence jusqu'au bout de l'allée, ajouta une autre. Il ne voulait même pas que le majordome lui vienne en aide. Il t'a posée lui-même sur ce canapé !

— Il était si beau !

— Tu crois qu'il viendra te rendre visite ?

— Dommage que tu aies l'air si horrible, Gretchen, renifla Clarissa. Ton ourlet est couvert de boue.

Gretchen laissa sa tête retomber sur le coussin, renversant du thé dans la soucoupe.

— Cela ne suffit pas que j'aie combattu un kelpie ? Je dois également subir ces commérages et ces gloussements ?

— Tu préférerais le kelpie, n'est-ce pas ? dit Emma avec un sourire compatissant.

— N'importe quand.

— Tu es complètement détrempée !

— T'a-t-il également sauvée de la noyade ? Quel romantisme !

Le bavardage se transforma en un verbiage déchaîné. On aurait dit des moineaux en hiver se battant pour la même miette de pain. Sa bague de mauvais œil craqua en deux.

— Une femme s'est *en fait* noyée, interrompit-elle. Et je peux vous garantir que cela n'avait absolument rien de romantique.

Le silence se fit, mais ne dura pas longtemps.

— De toute évidence, nous sommes en sécurité à l'académie.

— C'est alors qu'il *t'a* sauvée ? demanda l'une d'elles avec hésitation. L'as-tu embrassé ?

Gretchen lui lança un coussin.

— Bon, allez, dit Penelope, qui se leva pour chasser les jeunes filles. Avant qu'elle se mette à lancer des meubles.

— Le grand salon ne t'appartient pas, Penelope Chadwick, renifla Clarissa.

Un soudain coup de tonnerre fit cliqueter le lustre. L'une des jeunes filles poussa un cri aigu. Clarissa sursauta, mais refusa de réagir. Elle jeta un regard furieux à Emma.

— Ne sois pas puérile, dit-elle.

Emma se contenta de sourire, et une rafale de pluie entra par la fenêtre derrière Clarissa. Elle fut éclaboussée d'eau froide et elle sortit en tapant du pied, entraînant les autres, qui préféraient soudainement rester au sec que d'entendre des commérages.

Gretchen sourit à Emma.

— J'adore ta magie, lui confia-t-elle.

Elle tenta de s'asseoir avec précaution. Puisque sa tête ne retombait pas, elle tendit la main pour prendre un biscuit.

Penelope cligna des yeux de façon suggestive.

— Tobias était plein de sollicitude.

— Tu es aussi terrible que les autres.

Au souvenir du souffle doux de Tobias près de son oreille, une chaleur monta aux joues de Gretchen. Elle devait être faible à cause de l'évanouissement. Elle mangea un autre biscuit aux amandes.

— Je suis persuadée qu'il avait simplement peur d'avoir des ennuis auprès de l'Ordre, affirma-t-elle avec une grimace. Ou auprès de ma mère.

— Ta mère est plutôt imposante, acquiesça Emma. Mais je ne crois pas que cela soit le cas.

Gretchen refusa de les regarder.

— Arrêtez, toutes les deux. Vous dites n'importe quoi. Et il y a des sujets plus urgents à traiter.

Penelope ne semblait pas convaincue.

En dépit de ses efforts, Gretchen ne pouvait pas battre son frère au billard.

Depuis qu'elle avait douze ans, Gretchen se faufilait régulièrement dans la salle de billard, au milieu de la nuit, pour s'exercer. Depuis des années. Avec assiduité. Pourtant, Godric la battait encore, partie après partie, apparemment sans grand effort.

Gretchen fit de nouveau le tour de la table, avec le regard d'un chasseur devant un lion nerveux.

Elle marmonna quelques paroles au sujet d'angles, de mathématiques et de frère jumeau arrogant. Godric s'appuya sur sa queue de billard, ennuyé mais enjoué. Le mur derrière lui était tapissé de soie bleu foncé et couvert de lances et d'épées purement décoratives, comme ils s'en étaient rendu compte le jour de leur infâme duel. Les lames s'étaient cassées en deux, émiettées comme du pain rassis.

Des bustes de marbre de philosophes classiques inconnus étaient alignés le long du mur de chaque côté de l'âtre. Des tableaux aux bordures dorées représentaient des chevaux et des chiens de chasse. Une porte menait à la terrasse. Les compagnons de Gretchen et de Godric étaient enroulés ensemble sous la table et la regardaient faire les cent pas.

– Si tu frappes la boule de cet angle, elle fera un ricochet ici sur le côté et risquera de bondir hors de la table. Encore une fois, commenta Godric.

Gretchen avait l'habitude d'employer trop de force sans assez réfléchir.

Elle le regarda.

– Ne m'aide pas, ordonna-t-elle. Lorsque je te battrai à plates coutures, la revanche sera douce parce que j'y serai arrivée par moi-même.

Godric fit un signe en direction des chandelles qui brûlaient dans leurs chandeliers en argent.

– Crois-tu y parvenir, aujourd'hui ? Avant que nos parents reviennent de l'opéra ? Je n'ai pas envie de me faire gronder de nouveau parce que je suis trop indulgent avec tes habitudes incongrues.

– Nous avons encore des heures, affirma Gretchen, qui rejeta le tout du revers de la main. Il est à peine une heure du matin.

– Certains d'entre nous aiment bien dormir.

– Franchement, nous avons à peine dépassé ton heure de débauche habituelle, sourit-elle. Tu veux simplement partir à la recherche de Moira.

Il rougit légèrement. Elle sourit encore plus.

– Je me préoccupe simplement de son bien-être, grommela-t-il.

— Moira peut bien prendre soin d'elle-même, lui assura-t-elle.

Elle joua à son tour, principalement pour lui changer les idées, et aussi parce que s'il arpentait les toits de Londres et du marché des gobelins, elle serait également inquiète pour sa sécurité. Elle le serait encore plus, en fait, puisqu'il n'avait pas la moitié de la férocité de Moira.

Gretchen précipita son mouvement et sut, avant même que la queue touche la boule, qu'elle avait raté son coup, comme d'habitude. Elle resta près de la table, les sourcils froncés. Son lévrier sortit de sous la table, les moustaches hérissées.

— Pas besoin de t'en faire, Gretchen, dit Godric. Je t'avais déjà prévenue de ne pas tenter ce coup.

— Cela n'a rien à voir, répliqua-t-elle, se redressant finalement.

Elle posa la main sur son sternum.

— Je me sens bizarre, confia-t-elle.

Elle avait une sensation de brûlement dans la poitrine, qui se transformait lentement en un picotement douloureux. Sa respiration se fit laborieuse. Son lévrier grogna, tandis que celui de Godric bondit à ses côtés, grognant également, les oreilles écrasées contre sa tête, qui luisait.

— Il y a quelque chose qui ne va pas, ajouta-t-elle.

La prise de Godric sur la queue de billard la fit paraître tout à coup comme une lance.

— Je vais aller voir.

Gretchen secoua furieusement la tête. Elle se sentait froide et pâle.

— C'est en moi.

Une douleur la transperça, comme une épée en travers de son ventre. Elle poussa une exclamation de surprise.

— Es-tu malade ? sourcilla Godric. Devrais-je appeler un médecin ?

— Non, s'opposa-t-elle d'une voix rauque, l'arrêtant alors qu'il allait appeler le majordome.

Elle était à la fois si vide et si désorientée à cause de la douleur qu'elle ne put que tomber à genoux. Les deux lévriers tournèrent en rond autour d'elle, avec des jappements furieux.

— C'est autre chose.

— Est-ce que cela est relié au chuchotement ? demanda-t-il, l'air impuissant.

— La douleur n'est pas dans ma tête, affirma-t-elle en secouant la tête.

Elle commença à se tordre alors que des aiguilles chaudes la transperçaient de partout. Du sang tacha sa robe, sous sa clavicule, sur son épaule, au-dessus de son nombril.

C'était de petites blessures, mais l'élancement était désagréable.

— C'est de la magie.

— Non, rétorqua Godric. Pas avec un gardien qui rôde probablement dans les buissons.

Il se précipita sur la terrasse, criant le nom de Tobias à tue-tête.

L'amulette en forme de tête de flèche de Gretchen devint aussi chaude que le métal de l'enclume du forgeron. Des vagues de chaleur iridescente en émanaient, et l'odeur âcre de la mélisse officinale força une autre dose d'adrénaline à travers son corps.

Tobias et son frère se précipitèrent dans la maison en traversant le jardin, laissant des fleurs et de la pluie dans leur sillage. Tobias s'arrêta brusquement, son expression toujours calme et distante. Elle trouva cela étrangement réconfortant.

— Fais quelque chose, supplia Godric d'un ton sec.

— Nous avons besoin de sel, ordonna Tobias.

Godric se dirigea vers la cuisine au pas de course. Gretchen tenta de se relever du sol, sans succès.

— Ne vous fatiguez pas, lui dit doucement Tobias.

Elle pouvait voir l'eau et la boue sur ses bottes. Elle se concentra sur cela, s'efforçant de ne pas se laisser aller à la panique. Tobias extirpa des sorbes et des copeaux de fer de la poche de son manteau pour tracer un cercle autour d'elle. Lorsque Godric revint avec le sel, Tobias l'ajouta au cercle.

Gretchen fut en mesure de reprendre son souffle un instant.

— Ça aide, dit-elle, mais elle savait que cela ne serait pas suffisant.

La douleur la traquait déjà. Elle pouvait presque la voir faire les cent pas derrière la barrière.

Un poignard invisible lui transperça la paume de la main. Un trou irrégulier s'ouvrit sur son nœud de sorcière, puis saigna lentement. Elle poussa un cri, sa main fixée au sol même s'il n'y avait rien de physique pour la retenir. La blessure la faisait étrangement souffrir.

— Prenez cela, demanda Gretchen, qui tâtonna avec difficulté de sa main libre pour trouver l'agrafe de son amulette.

Tobias s'accroupit devant elle et caressa sa nuque en détachant le talisman. Il l'ajouta au reste du cercle. Il pressa un morceau de jais juste au-dessus du décolleté de Gretchen. La pierre était froide contre sa peau fiévreuse. Il y eut un éclair de magie. Les chandelles s'emballèrent tellement qu'elles s'éteignirent immédiatement dans une flaque de cire fondue. Son lévrier hurla, d'un bruit troublant, à peine audible, mais qui glaçait le sang.

Le jais concentra en lui de plus en plus de magie, jusqu'à ce qu'il craque et qu'il éclate en morceaux. Les éclats volèrent dans toutes les directions. Sur la joue de Tobias apparut une petite coupure, lorsqu'un éclat le toucha. Un autre morceau frappa un présentoir en verre de nids d'oiseau, qui éclata. Le poignard invisible glissa de sa paume. Godric dénoua rapidement sa cravate et l'enroula autour de la main ensanglantée de Gretchen avec un morceau de tissu blanc.

— Vous voudrez le remplir de sel, dit Tobias.

— Quelle folie, répliqua Gretchen.

— C'est une blessure magique. Il serait préférable de la nettoyer adéquatement — il se dirigeait déjà vers la porte —, tandis que je traque ce sort.

Il disparut dans le jardin.

Godric tendit la main pour prendre ce qui restait de sel dans la salière en argent en forme de cygne. Il avait pris la première qu'il avait trouvée. Gretchen serra les dents.

— Vas-y, l'encouragea-t-elle.

Il aurait aussi bien pu lui verser de l'acide et du feu, alors que le sel coulait dans sa blessure. Elle le sentit lui brûler la peau et la chair, jusqu'aux os. Elle ne pouvait même pas crier. La douleur lui avait volé sa voix. Godric noua étroitement un bandage de fortune et répéta dans une grimace :

— Je suis désolé. Je suis désolé. Je suis désolé.

Lorsque Gretchen retrouva la vue, Tobias était de retour, tenant triomphalement une poupée dans ses mains.

— J'ai trouvé ceci.

— Est-ce là une poupée vaudou ?

Son lévrier jappa immédiatement d'un ton perçant et brutal. Petite, elle avait la même impression des poupées, mais à cet instant, elle se sentait tout simplement désorientée.

La poupée vaudou était fabriquée de laine brune grossière et cousue à la hâte de fil noir. Elle avait des yeux brodés, de la laine jaune en guise de cheveux et un nœud de sorcière à la main gauche. Non seulement était-elle bourrée comme une pelote à épingles, mais elle était également transpercée d'épingles. Elles la piquaient à la poitrine, aux côtés, au ventre et sur son nœud de sorcière.

— Une poupée vaudou, expliqua Tobias. Quelqu'un s'est servi de vos cheveux, de votre sang ou de votre salive pour la fabriquer.

— Ensuite, on l'a transpercée d'aiguilles, poursuivit-elle furieusement.

Elle se releva avec précaution pour éviter que sa main élance. Tobias l'aida à se redresser.

— C'est *grossier*, même selon mes normes, ajouta-t-elle.

— Nous trouverons le responsable, promit-il.

Une aura de violence et de représailles flottait autour de lui. Son regard semblait plus bleu et ses dents, plus tranchantes. Quelque chose en lui changeait lorsqu'il montrait une telle émotion primaire. Gretchen ne put dire exactement quoi.

— La poupée était cachée dans le creux d'un chêne près de l'entrée de la maison, continua-t-il. Je l'ai trouvée, mais la personne responsable devait avoir une diligence à proximité. La poupée y a été laissée, toutefois, probablement pour qu'elle puisse être employée contre vous de nouveau.

Le cercle de sel sur le sol se mit à trembler. Les petits grains blancs se mirent à vibrer, se rapprochèrent et s'éloignèrent les uns des autres comme des aimants, jusqu'à ce qu'ils forment des lettres. Les mots éclatèrent en flammes vertes. Le feu brûla un message sur le plancher.

*Je te vois Gretchen Thorn.*

Elle siffla de colère.

— Pourquoi m'attaquer ? demanda-t-elle.

— Pour vous dominer ? suggéra-t-il. Pour vous empêcher de sceller les protections magiques brisées et restreindre leur réserve de pouvoir ?

— Quel mauvais calcul, dit-elle en plissant les yeux en direction de l'avertissement. Parce que j'ai bien l'intention de *redoubler* d'efforts.

Elle retira sa bague de mauvais œil et la posa au milieu du mot « vois ». Elle avait lu suffisamment dans le grimoire pour avoir une bonne idée de la magie sympathique, alors qu'un symbole devenait littéralement ce qu'il représente, comme une poupée.

Ce petit jeu pouvait se jouer à deux.

Elle tendit la paume de sa main à Tobias.

— Un clou de fer, demanda-t-elle, consciente qu'il devait en avoir un en sa possession.

Les gardiens en avaient tout le temps avec eux.

Lorsqu'il le lui tendit, elle le planta au milieu de l'œil.

– Bon, et que voyez-vous maintenant, jeteur de sorts? demanda-t-elle farouchement.

# CHAPITRE 9

Au moment où la dernière des pensionnaires s'était endormie, Emma était encore à son bureau avec une pile de livres et une chandelle vacillante. Derrière elle, les rideaux jaunes autour du lit étaient appareillés au couvre-lit brodé et aux murs tapissés de soie. Elle mit un livre de côté pour en prendre un autre. Elle allait devenir une vieille dame voûtée sur des pages de papier vélin racontant les nombreux et sinistres secrets des Enfers.

Bien que peu de gens puissent décrire les Enfers avec précision, il y avait suffisamment de récits pour avoir une vue d'ensemble. Les Enfers étaient remplis d'âmes en peine forcées d'errer sans but, exclues des îles des Bienheureux par magie ou par malice. C'était également le foyer des jeteurs de sorts qui se terraient de la justice, des monstres et des spectres. Les voyageurs étaient rarissimes, pour de bonnes raisons, et l'accès ne se gagnait que par la mort ou par l'exercice délicat d'ouvrir un portail, ce qu'elle avait fait tout récemment. Elle avait accidentellement libéré des chiens des Enfers, des vampires et les sœurs Greymalkin.

Toutefois, depuis qu'elle voulait volontairement ouvrir un portail, elle n'avait aucune idée de la façon de procéder.

Sa frustration déclencha un grondement de tonnerre au loin. Une des autres jeunes filles avait remarqué que ce printemps semblait beaucoup plus orageux que le dernier, et principalement au milieu de la nuit. Ce n'était pas une coïncidence si les bois d'Emma lui donnaient mal à la tête au même moment et qu'elle était découragée et exaspérée par ses recherches. Par exemple, pourquoi tant de sorcières insistaient-elles pour faire rimer les sorts, alors qu'elles n'étaient pas très habiles à le faire ?

Et les quelques sorts qu'elle trouvait pour ouvrir un portail nécessitaient un meurtre ou diverses parties d'un cadavre.

Et une fois le portail ouvert, un passage sécuritaire était une tout autre histoire.

*Orion, la Grande Casserole, Cassiopée.* Comme d'habitude, le fait de réciter le nom des constellations la calmait.

De finalement trouver un indice utile l'apaisait aussi.

– *Les portails marquent le plan astral et laissent une trace là où ils sont ouverts. Même s'ils sont refermés et scellés par des sorts puissants, il demeure possible d'en forcer l'ouverture.*

Emma bondit sur ses pieds, retira sa chemise de nuit et enfila des vêtements d'équitation suffisamment épais pour lui éviter de porter un corset. Elle pouvait difficilement se lancer dans une aventure clandestine en appelant une domestique pour l'aider à s'habiller. Elle emplit ses poches de sel, de sorbes et d'un couteau subtilisé sur son plateau-repas dès son premier jour à l'académie.

Elle jeta un regard prudent dans le couloir, en quête du compagnon chat de Mme Sparrow, qui patrouillait régulièrement durant la nuit. S'estimant chanceuse, Emma se glissa hors de sa chambre et descendit précipitamment le grand escalier. Elle se faufila dans le salon bleu, qui avait les plus grandes fenêtres. Elle sortit par la fenêtre, bien consciente que toutes les personnes qu'elle connaissait la réprimanderaient, si elles la voyaient. Les buissons étaient épineux et peu invitants, ce qui constituait déjà une forme de réprimande.

En dépit de toutes les bonnes raisons de rester en sécurité à son bureau, Emma savait qu'elle devait mettre cette nouvelle information à l'épreuve. Elle devait se déplacer de nuit. Elle ne pouvait tout simplement courir le risque d'être surprise. Personne ne devait la voir à proximité des portails, pas encore une fois. Et même si elle savait que ses cousines seraient vexées qu'elle y aille sans elles, elle ne pouvait se décider à les exposer de nouveau aux dangers.

Le fait que l'aventure semblait idiote ne la rendait pas moins nécessaire. Elle s'efforça de sortir des buissons et courut le plus rapidement possible, traversa la grille de fer et se précipita sur le trottoir. Emma avait aidé Cormac et Moira à sceller un portail sur le toit d'une boulangerie près de Piccadilly. Ce n'était pas très loin, et avec un peu de chance, une pluie printanière fraîche libérerait le trottoir des piétons encombrants. Les nuages apparurent avec une rapidité peu naturelle, mais elle n'avait pas de temps pour la subtilité. La pluie miroita en tombant à travers la brume qui s'accumulait aux fenêtres. Emma s'enveloppa de brume pour se protéger.

Elle trouva finalement la boulangerie et se souvint d'avoir accédé au toit par une imprimerie voisine, sauf que Moira avait installé une échelle pour elle. Toutefois, le garçon manqué lui avait montré quelques trucs, et elle réussit à trouver un tuyau d'écoulement solide et des fenêtres grillagées pour grimper. Cela n'avait rien de gracieux, mais elle réussit à se hisser sur le toit.

Une fois hors de vue, elle laissa les nuages se dissiper pour révéler un clair de lune, afin d'éviter de glisser accidentellement et de se casser le cou. Elle traversa le toit avec précaution pour trouver un petit espace où sauter jusqu'à la boulangerie. Même dans l'obscurité de fin de pluie et de brouillard, elle put voir les marques des cerbères et les brûlures où le feu magique avait été allumé avec du sel et des sorbes. La zébrure du poignard de fer était gravée dans les bardeaux.

Elle ne pouvait toutefois rien voir d'autre. Il n'y avait pas de marques de brûlure pour indiquer par où la magie était libérée. Cependant, le portail avait déjà réagi à son sang. Dès que les trois sœurs s'étaient échappées, les jeteuses de sorts Greymalkin avaient fait les cent pas de l'autre côté du portail, attirées par leur lignée partagée.

Emma commençait à en avoir assez de devoir saigner pour jeter des sorts.

Elle prit une épingle dans ses cheveux et se piqua le bout du doigt sans cérémonie. Elle fit goutter le sang sur les marques laissées par le portail.

— Ewan Greenwood ! s'exclama-t-elle. Ewan Greenwood, je te somme de me trouver !

Les noms avaient du pouvoir. Le sang avait du pouvoir.

Et les Enfers avaient également du pouvoir.

La première chose que remarqua Emma fut l'odeur de fenouil et de terre noire humide. Un minuscule éclair de lumière violette transperça la brume. La lumière jaillit comme une flamme de chandelle dans le vent, s'étira et siffla. Le portail apparut doucement.

Il était à peine visible, comme une peinture délavée laissée trop longtemps au soleil. Il n'avait pas l'éclat lilas brûlant et sulfureux d'auparavant, mais il était tout de même tangible et s'ouvrit comme un fruit mûr. La magie fut libérée de celui-ci et s'enflamma violemment. Emma recula, les yeux plissés.

Jusqu'à ce qu'elle discerne la silhouette d'un homme coiffé de bois.

— Ewan Greenwood !

Un grognement retentit de façon menaçante, faisant dresser les quelques poils qu'Emma avait derrière la nuque. Elle reconnut ce bruit. Elle s'en souvenait très bien.

Un chien des Enfers se glissa entre Ewan et le bord du portail. Il avait la taille d'un poney avec des traits grotesques qui le faisaient ressembler davantage à une gargouille qu'à un chien. Son pelage noir étincelait d'éclairs mauves. Ses mâchoires se refermèrent autour de la jambe d'Ewan, juste au-dessus du genou.

Ewan sursauta et se retint au bord du portail alors que la lumière lui brûlait la paume des mains. Il refusait de lâcher prise, ses bois pointant dans l'air frais de la nuit londonienne. Du sang coulait de sa blessure ouverte. Deux autres chiens des Enfers se joignirent au premier, aboyèrent et tirèrent les hauts-de-chausses, les bottes et la peau d'Ewan.

Emma l'attrapa par le poignet.

— Non ! Tiens bon !

— Lâche-moi, Emma, cria-t-il. Tu seras attirée avec moi.

— Non, je vais te sortir de là !

— C'est trop tard, dit-il, son regard vert rivé au sien.

Il quitta le portail. Dès qu'il lâcha prise, les chiens le tirèrent vers les Enfers en grognant et en montrant les dents.

Emma se retrouva seule sur le toit.

Bon, pas tout à fait seule.

— Lady Emma, êtes-vous là ?

Zut.

Elle en avait oublié Virgil.

— Descendez tout de suite ! lui intima-t-il, agité.

Il devenait rouge tomate. Emma se demanda s'il était sur le point de faire éclater un bouton de son manteau.

— J'en aviserai lord Mabon, je ne m'en gênerai pas !

La dernière chose dont elle avait besoin, c'était que ses activités viennent aux oreilles du chef de l'Ordre.

Une fois de plus.

Dans le petit salon, Penelope lisait *Les Mystères d'Udolphe* avec un pot de chocolat, lorsque la gouvernante passa devant la porte, son tablier toujours noué par-dessus sa robe noire habituelle. Il était plus de minuit, et elle aurait déjà dû s'être retirée dans ses quartiers. Le père de Penelope mangeait au club avec des amis, et sa mère était à une soirée au sujet d'une exposition quelconque ou en train de coincer les juges de l'Exposition royale au sujet d'un vernissage. Penelope n'écoutait pas vraiment, puisque l'héroïne de son roman, Émilie Saint-Aubert, venait d'être emprisonnée dans le château d'Udolphe par Signor Montoni. D'une façon ou d'une autre, ils ne seraient pas de retour avant des heures, et seul Battersea, le majordome, les attendait, généralement.

— Mme Liverpool, dit Penelope, qui marqua sa page, est-ce que tout va bien ?

La gouvernante posa une main sur son cœur.

— Mon Dieu, vous m'avez fait peur, mademoiselle !

— Est-ce le médicament d'Hamish ? demanda Penelope.

Cedric avait conduit la diligence des parents d'Emma pour donner à son grand-père Hamish, le cocher officiel, l'occasion de se reposer. Ses articulations s'étaient raidies et fonctionnaient mal ; il se retrouvait donc figé dans de drôles de positions. La cuisinière lui préparait un tonique qui semblait aider, lorsqu'on arrivait à le convaincre de le boire.

— Oui, répondit Mme Liverpool en soupirant. Mais vous savez comment il est.

— Trop bien, répondit-elle ; et elles échangèrent un regard entendu d'exaspération.

— Donnez-le-moi, demanda Penelope, qui agita un doigt avec insistance, jusqu'à ce que Mme Liverpool lui tende la petite bouteille de tonique.

— Vous avez effectivement le tour avec lui, acquiesça-t-elle. Êtes-vous certaine ?

— Oh, j'en suis certaine, affirma Penelope, qui versa le contenu de la bouteille dans le pot de chocolat.

Elle posa son livre près de la tasse et de la soucoupe, puis s'empara du plateau.

— Laissez-moi porter cela, mademoiselle.

— Ça ira, répondit-elle.

Le plateau pencha dangereusement vers la gauche. Le pot glissa quelque peu. Mme Liverpool grimaça. Apparemment, porter un plateau était plus difficile que cela en avait l'air.

— Ça ira, répéta-t-elle, surtout pour se convaincre elle-même.

Battersea se précipita pour ouvrir la porte, les sourcils froncés.

— Hamish, dit Mme Liverpool pour toute explication.

— Bonne chance, mademoiselle, répondit-il sans tarder.

Mme Liverpool accéléra le pas pour ouvrir la porte menant à la chambre d'Hamish, au-dessus des écuries. L'escalier était sombre et précaire et embaumait le foin. Au bruit de ses pas, Hamish cria :

— Laisse-moi mourir en paix, vieille corneille.

— Ce n'est pas Mme Liverpool, espèce de vieux grognon, répliqua-t-elle gaiement en se tournant de côté pour passer la porte avec son plateau.

— Penelope !

La chambre était petite, avec un lit le long du mur, une table, deux chaises et une tablette remplie de tasses et de vaisselle. L'âtre était plein de charbons ardents. La chaleur lui chatouilla la gorge, mais Hamish était couché sur son lit sous une couverture épaisse.

— La demoiselle de la maison, rien de moins. Et je ne porte pas de chaussures.

Ses orteils pointaient sous la couverture.

— J'y survivrai sûrement, dit-elle.

Il se releva sur un coude pour tenter de se lever, avant qu'elle lui jette un regard réprobateur.

— N'ose surtout pas.

— Ce n'est pas convenable, contesta-t-il en se déplaçant avec difficulté, frêle comme un vieux papier.

Elle ignora ses protestations. Il lui glissait des bonbons dans les poches depuis qu'elle était assez grande pour les manger, lui avait appris à monter à cheval et lui avait même permis une fois de tenir les rênes de la diligence. Il était autant son grand-père que celui de Cedric.

— Tu peux te relever suffisamment pour prendre cette tasse de chocolat que je te porte.

— À cette heure de la nuit.

— Exactement. Après tout le mal que je me suis donné, tu vas me faire le plaisir de la boire.

Elle prit la tasse pour la lui tendre. Elle ne portait pas de gants et elle était fatigue ; cette situation provoqua un picotement derrière ses yeux en guise d'avertissement. Ce fut le seul avertissement qu'elle eut avant de se sentir tirée dans toutes les directions. Elle ne dirigeait ni les souvenirs ni leur ordre d'apparition. Cette fois, elle était une domestique d'arrière-cuisine lavant une tasse très tard le soir après un repas. Ses mains étaient gercées par l'eau chaude et le savon dur, et ses pieds lui faisaient mal, parce qu'elle était restée debout toute la journée. L'odeur du chocolat qui restait dans le pot supplantait celle des oignons et des restes de sauce au fromage dans les assiettes sales. Elle espérait que Cedric la remarque un jour et l'entraîne dans le foin pour lui voler un baiser.

Penelope jongla avec la tasse, qui se renversa. Une goutte de chocolat chaud éclaboussa son pouce et la ramena à la réalité.

— Vous ne devriez pas me servir, protesta Hamish.

Elle sourit chaleureusement, jusqu'à ce que la chambre cesse de tourbillonner autour d'elle. Il prit la tasse, les sourcils froncés. Ses cheveux blancs étaient étrangement dressés, comme une crête de coq. Il devait être resté couché toute la soirée, et la douleur était trop intense pour qu'il puisse bouger.

— Vous y avez mis le tonique de la cuisinière.

— En effet. Et j'ai sacrifié une tasse de délicieux chocolat pour ce faire, dit-elle en tirant une chaise pour s'asseoir près du lit, les bras croisés. Bois !

— C'est dégoûtant.

— Mais c'est bon pour tes douleurs.

— Oui, mais ça m'étourdit.

Il aimait grogner, mais elle pouvait voir les cernes de douleur au coin de sa bouche.

— Il est près d'une heure du matin. Est-ce que tu prévoyais aller te promener dans Hyde Park ?

— Jeune insolente, grommela-t-il, mais il y avait une étincelle d'approbation dans son regard.

Il leva la tasse et but son contenu, non sans grimacer.

— Tu ne peux même pas le goûter, dit Penelope.

— Quel livre vous a gardée éveillée, ce soir ? demanda-t-il.

L'amour de Penelope pour les romans était légendaire dans la maison. À dix ans, elle courait dans le petit salon avec un drap en faisant semblant d'être le fantôme d'une jeune fille perdue. Elle avait effrayé une dame prétentieuse, davantage pourvue de perles que d'humour, qui avait hurlé et avait lancé son assiette dans les airs. La crème renversée s'était retrouvée dans ses cheveux, et la jeune Penelope s'était esclaffée. Sa mère était devenue toute rouge, pas d'embarras, mais plutôt en raison de l'effort déployé pour s'empêcher d'éclater elle-même de rire. Après le départ des invités, la mère de Penelope lui avait montré comment peindre les bords du drap pour faire encore plus peur. Penelope avait été un fantôme tout l'hiver.

— *Les Mystères d'Udolphe,* dit-elle à Hamish. Je l'ai déjà lu, mais c'est tellement bon. Écoute bien cela.

Elle lui fit la lecture jusqu'à ce qu'il s'endorme, la tasse vide posée en équilibre sur la poitrine. Elle la prit doucement et remonta la couverture jusque sous son menton. Sa respiration était meilleure. Satisfaite, elle redescendit l'escalier avec son livre, laissant le plateau jusqu'au matin.

Le clair de lune luisait doucement sur les fenêtres noires de la maison, sur les urnes de cuivre du jardin près de la porte et sur la grille entrouverte. Le vent avait dû l'ouvrir. Elle descendit l'allée pour aller la fermer.

Ian sortit de l'ombre.

— Je suis désolé, s'excusa-t-il, juste avant de poser sa main sur sa bouche et de la tirer vers la diligence qui attendait au bord du trottoir.

— Lady Emma !

— Hé, quelqu'un doit le faire taire, s'écria Moira, adossée contre la rampe de fer derrière Emma, tout sourire.

Ses cheveux noirs tombaient en cascade sous son chapeau bombé. Elle portait un nouveau camée sur son manteau.

— Moira, répondit Emma, qui lui rendit son sourire.

Virgil jurait en bas, s'efforçant de se hisser le long du tuyau d'écoulement. Elles regardèrent par-dessus la rampe en soupirant.

— Va, Pip, murmura Moira à la petite gargouille qui volait au-dessus de son épaule. Donne-lui une bonne raison de jurer.

— Comment m'as-tu trouvée ? demanda Emma à Moira.

— Tu es sur mon toit, non ? Les garçons manqués savent toujours tout, expliqua-t-elle avec un haussement d'épaules. En tout cas, je le suivais, celui-là. Il a l'air louche.

— C'est le plus louche des louches, acquiesça Emma. Et c'est un gardien.

— Comme si je ne le savais pas déjà, renifla Moira. Qu'est-ce que tu fais ici, de toute façon ?

— J'enquêtais sur le portail que nous avons scellé ici, répondit-elle.

Ce qui n'était pas tout à fait un mensonge.

Les sourcils de Moira disparurent sous ses cheveux.

— N'ai-je pas déjà dit que les débutantes étaient d'étranges créatures ?

Emma fit une grimace sans pouvoir, en toute honnêteté, protester. Elle invoqua plutôt de nouveau le brouillard ; des vrilles se faufilèrent dans les allées et tourbillonnèrent autour des lampes à gaz. Virgil devint une silhouette indistincte avec un chapeau haut qui émettait des bruits de panique. Autour de lui, la magie éclata et vacilla dans la brume.

— Mince ! Voilà un talent utile, s'exprima Moira, qui regarda le brouillard, avant de sauter sur le toit de l'imprimerie. Vite, sauve-toi avant qu'il réussisse à jeter un sort de traque. Il y a une échelle, trois boutiques plus loin à l'arrière.

— En es-tu certaine ? demanda Emma.

Il lui semblait fâcheux d'abandonner une amie aux prises avec quelqu'un comme Virgil.

Moira parut vaguement insultée.

— Je peux battre une satanée barbe grise à la course, Emma.

— Je sais. C'est simplement que…

— Sauve-toi, espèce d'idiote. Et cesse de m'envoyer tes vieilles robes et tes châles de soie.

— Mais…

— Je sais, tu voulais bien faire, mais même si je cachais ces trucs élégants, quelqu'un aurait éventuellement des soupçons. Je me retrouverais devant un juge, accusée de vol, c'est certain.

— Ce n'est pas juste, remarqua Emma, mécontente.

Moira rit, légèrement incrédule.

— Bon, d'accord, pas de soierie.

Elle se demandait déjà ce qu'elle pouvait faire d'autre pour l'aider. Une meule de fromage, ce serait bien, non ? Ou de nouvelles bottes ?

— Sauve-toi, lui répéta Moira.

Elle s'efforça de faire du bruit en s'éloignant, et Virgil descendit précipitamment l'échelle pour la suivre.

Emma partit dans la direction opposée en souriant. Elle sourit jusqu'à l'allée menant à l'académie, jusqu'à ce qu'elle atteigne la grille… dont l'accès lui fut bloqué…

Par deux gardiens.

Les gardiens s'étaient glissés par-delà les domestiques endormis et ses parents couchés dans leur lit, emmitouflés dans des sorts qui les dissimulaient. La mère de Gretchen, ayant renoncé à la magie, n'avait aucun sort pour les détourner. Elle continua de dormir, tandis que les gardiens entraînaient sa fille hors de sa chambre.

Gretchen réussit à en mordre un, mais en fin de compte, elle fut dépassée en nombre. Ils l'enveloppèrent dans sa cape, lui immobilisèrent les jambes et les bras pour éviter qu'elle ne les blesse. Ils la posèrent dans la diligence et refermèrent brusquement la portière. Gretchen se libéra de la cape contraignante, crachant des jurons. Elle donna un coup de pied si violent à son ravisseur qu'il jura en trois langues. Elle se précipita sur la poignée de la portière avec l'intention ferme de se lancer sur le chemin.

— Vous serez piétinée à mort, espèce de garçon manqué, dit son ravisseur en lui attrapant le poignet. C'est moi, Tobias Lawless.

— Cela n'améliore pas la situation, l'informa-t-elle entre ses dents, juste avant d'essayer de le frapper de nouveau.

Il fut toutefois plus rapide cette fois-ci, et elle ne toucha que l'extérieur de son genou. Il claqua sa canne sur le sol entre eux pour se protéger.

— Je suis un gardien, lui rappela-t-il.

Elle tenta de le frapper de nouveau, par principe. Peut-être ne lui voulait-il aucun mal après tout, mais il semblait peu probable qu'il ait l'habitude d'enlever des débutantes. Elle s'arrêta, horrifiée. Était-il un chasseur de primes sous ce couvert de hautain mépris ? L'avait-elle mal jugé, tout ce temps ? Cela arrivait que des jeunes filles soient enlevées par des chasseurs de primes et soient forcées à se marier pour éviter le scandale.

— Je ne vous épouserai pas.

Il eut l'air tout aussi horrifié.

— Je ne me souviens pas d'avoir fait la demande.

— Alors, pourquoi une débutante serait-elle enlevée au milieu de la nuit ?

— Je suis en mission pour l'Ordre, dit-il en hochant la tête.

Elle ravala impitoyablement la déception de savoir qu'il s'en prendrait à elle ainsi. Il était un gardien. Il faisait ce qu'on attendait de lui. C'était ridicule de croire qu'ils avaient partagé un moment d'intimité, qu'il l'avait sauvée d'une poupée vaudou pour toute autre raison que parce qu'il était membre de l'Ordre. Elle se rassit contre les coussins.

— Je vais hurler.

— Allez-y. La diligence est entourée de sorts.

Elle devait vraiment apprendre à canaliser sa magie, ne serait-ce que pour propulser Tobias dans le futur avec une boule de feu. Et si ce genre de boule de feu n'existait pas, elle n'aurait qu'à l'inventer.

La lueur de la lanterne se balançant sur le crochet à l'extérieur ne l'aidait pas à pouvoir déchiffrer les expressions de Tobias. Il était aussi distant et froid que jamais.

— Je ne vous veux aucun mal, ajouta-t-il.

Ce n'était pas lui qui l'inquiétait.

Elle avait entendu parler du bateau de l'Ordre par Emma, mais la réalité était encore plus effrayante. Elle fut déposée dans une chaloupe, et la lanterne oscillant à la proue la désorienta davantage, lui laissant apercevoir les eaux noires de la Tamise, un imposant bateau et trois gardiens sur le banc devant elle, dont aucun n'osait la regarder. Seul Tobias était assez brave pour soutenir son regard noir.

— C'est très brave d'enlever une débutante dans son lit, dit-elle d'un ton sec.

Elle ne s'était jamais considérée comme une débutante, préférant tout autre surnom, mais aux grands maux les grands moyens.

Le silence en réponse n'était rompu que par le bruit des rames brisant la surface. La chaloupe frappa doucement la coque du bateau, alors qu'elle s'immobilisait sous une échelle de bois. Des bouteilles étaient alignées sur la rampe, et dans chacune, un œil l'observait alors qu'elle se levait pour attraper le premier barreau de l'échelle.

Elle commençait à comprendre un peu plus le rejet de sa mère de tout ce qui touchait l'univers de la sorcellerie.

Le pont brillait, lustré sous ses chaussons. Des boules de verre vert, emplies de bouts de ficelle, d'aiguilles, de fleurs et d'ingrédients pour jeter des sorts, étaient suspendues au gréement et au mât. Une était chargée de dents. Plus nerveuse qu'elle n'aurait osé l'avouer, Gretchen se donna un air renfrogné alors qu'on la poussait sur le pont en direction des quartiers du capitaine. Des gargouilles étaient accroupies au-dessus de la porte. À l'intérieur, des chandelles brûlaient dans des lanternes de verre, jetant juste assez de lumière pour lui faire voir Emma et Penelope debout au centre du plancher, à l'intérieur d'un cercle de sel et de sorbes. Gretchen fut poussée au centre du cercle avec elles.

Lord Mabon, le chef de l'Ordre, et le père de Daphne, le premier légat, étaient assis derrière un bureau fixé au sol par des clous de fer. Ils affichaient l'air impassible et imposant d'hommes habitués d'être les plus importantes personnes dans n'importe quelle salle, d'une réunion mondaine ou magique.

Gretchen désirait désespérément leur montrer à tous qu'ils avaient tort.

À côté d'elle, Penelope grommelait des jurons shakespeariens à voix basse. Emma était pâle, et ses doigts étaient recourbés sur son nœud de sorcière. Il faisait noir comme de l'encre. Avant d'enfermer les trois sœurs Greymalkin dans une bouteille de sorcière, sa marque était de la même teinte de thé délavé que celles de Gretchen et de Penelope. Les nœuds ne fonçaient qu'après avoir fait usage de la magie, et seuls les sorciers d'expérience et puissants avaient des marques aussi foncées que celle d'Emma, à ce moment. Gretchen glissa sa main dans celle de Penelope, qui glissa la sienne dans celle d'Emma de l'autre côté. Elles affronteraient l'Ordre ensemble, comme pour tout.

— De quoi s'agit-il, au juste? demanda Gretchen, qui tenta de reproduire le ton le plus méprisant de sa mère.

— C'est nous qui poserons les questions, Mlle Thorn, répondit lord Mabon.

Elle savait qu'il l'appelait consciemment Mlle Thorn plutôt que lady Gretchen dans le but de la subordonner. Il y avait un gardien de chaque côté de la porte, et les lumières de Londres derrière l'impressionnante fenêtre. Virgil entra en haletant.

— Pardonnez-moi, messieurs.

Emma eut un sourire suffisant. Gretchen se décida à lui demander ce qu'elle avait fait d'horrible à Virgil pour qu'il ait cette inquiétante ombre de puce.

— Elle était avec un garçon manqué, ce soir, l'accusa Virgil avec virulence, qui alla jusqu'à la montrer du doigt en tremblant comme une jeune fille.

— C'est une amie, répondit Emma.

— Rencontrez-vous souvent vos amies sur les toits au milieu de la nuit?

— À quel autre endroit pourrions-nous trouver une certaine intimité?

— Et pourquoi avez-vous besoin d'intimité?

— Mais pour parler des garçons, évidemment.

Son sourire fut adorable et teinté d'une innocence feinte. Il était plutôt difficile de paraître sage avec des bois sur la tête, mais elle y réussit plutôt bien.

— N'est-ce pas le seul sujet de conversation des jeunes filles ?

Comme Virgil avait tendance à croire ce genre de chose, il ferma brusquement la bouche et fronça les sourcils.

— Merci, Virgil, dit le premier légat. Nous prendrons note de l'infraction.

Il regarda fixement et froidement Virgil, jusqu'à ce que le jeune homme bégaie et quitte la salle.

— Il n'y a rien d'illégal à se lier d'amitié avec un garçon manqué, souligna Emma, les sourcils froncés.

— Avoir des fréquentations douteuses n'augure rien de bon à votre sujet.

— Alors, vous devriez nous laisser partir, suggéra Penelope avec un sourire adorable.

Le bateau tangua légèrement d'un bord, puis de l'autre. Les ficelles de sorbes et d'os sculptés pendues au plafond étoilé cliquetèrent entre elles. Lord Mabon s'agrippa au bord du bureau pour garder son équilibre. Le tonnerre gronda, mais à distance. Emma tremblait sous l'effort, la sueur lui collant les cheveux au visage.

Gretchen entendit le chuchotement déconcertant de la magie qui tentait d'accomplir son travail. Le pouvoir sur la temps d'Emma n'était pas un sort, il n'y avait pas d'erreur d'ingrédients possible. Cela ne devrait donc pas éveiller le chuchotement que Gretchen entendait dans sa tête. Elle se frotta les oreilles.

— *Du sel pour la croûte, du sel pour la déroute.*

Penelope murmura une des poésies étranges de sa mère. Gretchen donna un coup de pied dans le cercle de sel. La pluie martela les fenêtres comme des cailloux. Des éclairs zébrèrent le ciel et frappèrent la silhouette de la cathédrale St. Paul.

Mais ce n'était pas suffisant. Le premier légat lançait déjà trois pierres noires plates sur le sol autour du cercle de sel pour combler l'ouverture laissée par Gretchen. Le silence la sidéra, tandis que les protections magiques étaient renforcées autour d'elles. Les pierres brillaient comme les yeux d'une bête sauvage, prête à les dévorer, si elles bougeaient un muscle.

— Des pierres de contrainte, leur expliqua sévèrement lord Mabon. Emma Day, vous avez récemment employé la magie de sorcière pleureuse pour embouteiller les sœurs Greymalkin, poursuivit-il, comme si elle pouvait l'oublier. De la magie bien au-delà de votre savoir.

Elle essuya la sueur de ses tempes, avant qu'elle lui coule dans les yeux.

— J'imagine…

— Comment avez-vous réussi cela ?

— Je l'ignore, répondit-elle. Je me suis simplement dit que cela devrait fonctionner, puisqu'elles étaient accidentellement liées à moi lorsque j'ai ouvert le portail sans le vouloir.

— Hum. Comme cette sorcière pleureuse a été tuée dans la maison des Greymalkin, vous êtes maintenant l'une des rares personnes capables d'employer ce genre de magie.

Emma frotta nerveusement ses paumes sur ses jupes.

— Mais je ne suis pas une sorcière pleureuse. Je suis une sorcière du temps.

— Et pourtant, vous avez réussi à embouteiller trois puissantes jeteuses de sorts.

— Est-ce votre façon de dire merci ? demanda malicieusement Gretchen, même si elle était prisonnière d'un cercle magique.

Ou peut-être *en raison* de cet emprisonnement. L'air était irritant, comme de la laine mouillée, et il la pressait.

— Parce que vous devriez peut-être vous y exercer.

Lord Mabon serra les lèvres avec désapprobation.

Le premier légat haussa un sourcil.

— Vous êtes impertinente.

— Fréquemment, acquiesça-t-elle.

Si elle était capable de supporter les constants sermons de sa mère sur le comportement, elle pouvait soutenir un cercle de sel et de pierres noires.

— Vous serez réduite au silence.

— J'en doute fort.

— Il n'y a pas de quoi rire, répondit lord Mabon d'un ton ferme. La seule sorcière pleureuse formée de Londres est morte ce soir-là. Avez-vous idée des dangers de ne pas avoir de sorcière pleureuse ?

— Emma nous a tous *sauvés*, ou l'avez-vous oublié ?

— Nous ne l'avons pas oublié. Pas plus que nous n'avons oublié que vous avez réussi à vous introduire dans la maison des Greymalkin, quelque chose que l'Ordre n'a pas réussi à faire depuis avant votre naissance. C'est plutôt étrange, ne trouvez-vous pas ?

Comme ce l'était, elles ne répondirent rien du tout.

Il lança un regard noir à Emma.

— Depuis sa disparition, le sort de votre mère sur son propre nom a commencé à s'effacer. Nous savons maintenant qu'elle s'en est prise à son propre père, un gardien admiré de l'Ordre, avant de lier vos pouvoirs et d'embouteiller son propre compagnon. Pourquoi prendre de telles mesures, je me le demande ?

— Je l'ignore, répondit Emma.

De toute évidence, les sorts de sa mère n'avaient pas tous disparu, sinon ils auraient su que tout était relié à Ewan Greenwood.

— Le sort lui a fait perdre la raison, et elle n'a jamais rien dit de rationnel depuis.

— Ce genre d'antécédents n'est pas à votre avantage.

— C'est à *Emma* Day que vous vous adressez, souligna Penelope. Et non à *Theodora* Lovegrove Day. Il est facile de les différencier, si seulement vous vouliez bien essayer.

— Ça suffit, conclut lord Mabon d'un ton brusque. Je n'ai jamais rencontré de jeunes filles si insolentes de ma vie.

Gretchen et Penelope rayonnèrent de fierté, jusqu'à ce que lord Mabon prenne une figurine d'argile représentant une jeune fille avec un nœud de sorcière peint sur sa main gauche et un collier de jais autour du cou comme le rosaire de la Sainte Vierge. Il la lança au cœur du cercle, avec une telle force qu'elle éclata en morceaux à l'intérieur de la limite de sel.

— Je veux savoir ce que vous cachez, dit-il, d'un ton égal.

La rage réprimée dans son ton de voix était encore plus terrifiante que n'importe quel cri.

— Rien, répondit Gretchen. Nous ne cachons rien.

Les pierres noires devinrent chaudes et brillantes comme des braises.

— Essayons de nouveau. *Que cachez-vous ?*

— Non…, s'étouffa Gretchen.

Elle ferma la bouche, puis l'ouvrit de nouveau, sans émettre de son. Elle se frotta la gorge, prise de panique. Elle essaya autant comme autant, mais aucun son ne sortit de sa bouche.

— Voilà comment je sais que vous mentez. Essayons de nouveau.

— J'ai scellé les protections magiques et tiré tout le monde de ce sort de sommeil, souligna Gretchen d'une voix rauque. Et j'ai aidé à enchaîner un kelpie.

— Oui, c'est bien pratique, n'est-ce pas ?

Gretchen le dévisagea. Sans égard aux questions qu'il posait, il avait déjà décidé des réponses.

Il hocha la tête avec regret.

— Comme vous ne coopérez pas avec nous, vous vous retrouverez devant les magistrats.

— Je ne le crois pas, s'opposa la mère de Penelope d'un ton si glacial qu'elle perça la cabine.

Lorsque l'un des gardiens tenta de lui bloquer l'accès, elle le regarda méchamment de haut.

— Je connais ta mère, mon garçon.

Il recula immédiatement, en conflit avec lui-même.

— Comment nous avez-vous trouvés ? lui demanda lord Mabon, l'air pas du tout amusé. Nous avons des sorts de dissimulation pour ce bateau. Napoléon lui-même ne pourrait pas le trouver.

Tante Bethany leva le menton.

— Napoléon n'est pas une mère.

— Mère ou pas, vous devrez attendre à l'extérieur, Mme Chadwick.

— C'est lady Bethany pour vous. Je ne vous ai jamais donné l'autorisation de vous adresser à moi autrement, répliqua-t-elle.

Gretchen n'avait jamais vu sa tante tirer profit de son rang ni avoir tant l'air de la petite-fille de comte qu'elle était. Elle portait une robe de soie bordeaux bordée de perles et des épingles à cheveux serties d'opales en forme de lys qui lui donnaient un air royal. Ses gants étaient jaune pâle et montaient au-dessus du coude, attachés avec des pinces diamantées. Elle dégageait la richesse et ses prérogatives.

— Ne présumez pas être en mesure de me donner des ordres, lord Mabon, ajouta-t-elle, utilisant les mots comme des poignards. Je ne suis pas une jeune fille de dix-huit ans que vous pouvez intimider.

Son compagnon blaireau se promenait dans la cabine en montrant méchamment les dents.

— Vous avez enlevé ma fille et mes nièces, et n'allez pas croire un instant que je n'impliquerai pas les détectives de la rue Bow dans cette affaire, peu importe le satané secret de sorcellerie. Expliquez-vous, messieurs.

— Ces jeunes filles doivent être interrogées. La magie des sorcières pleureuses doit être employée sous l'égide des magistrats et de l'Ordre.

Il était si en colère qu'il avait de l'écume au coin des lèvres. Il se dressa devant tante Bethany.

— Je veux savoir comment elles sont entrées dans la maison des Greymalkin. Et comment celle-ci a-t-elle réussi à embouteiller trois jeteuses de sorts très puissantes ?

— Et je veux savoir ce qui vous fait croire que vous êtes en mesure de m'intimider, répliqua tante Bethany. Qu'une chose soit bien claire. Vous n'êtes pas le bienvenu chez moi, ni vous, ni aucun de vos gardiens. Si vous avez des questions pour mes filles, vous pouvez les leur poser à l'académie Rowanstone en ma présence ou devant Mme Sparrow.

Le visage de lord Mabon s'empourpra. Elle soutint son regard.

– Je sais très bien que vous n'avez aucune autorité à l'école, Lord Mabon.

– Comme vous n'avez aucune autorité ici, lui rappela-t-il. Nous avons la responsabilité de la sécurité de Londres et nous entendons bien nous en charger.

– Ne croyez-vous pas que je ferai de même pour ma famille ? Vous avez peut-être des protections magiques et des pendentifs de contrainte, Lord Mabon, mais j'ai autre chose.

Tante Bethany sourit et fit tomber la bouteille de brandy sur le buffet. La douce odeur d'alcool piqua l'air en se répandant sur le sol. Elle fit tomber une des chandelles sur le sol, et l'alcool s'enflamma immédiatement.

– Je possède le feu.

Une fumée noire tourbillonna, alors que les flammes vacillaient et sifflaient. Les gardiens se précipitèrent pour étouffer le feu avec leurs vestes. Ils toussèrent en inhalant la fumée âcre. Des étincelles volèrent sur les manches de leur chemise. Elle fit un signe de la main, et le feu fit des dessins qui n'avaient rien de naturel. Il siffla en direction de lord Mabon, léchant ses bottes.

– Attrapez-la !

Une flèche enflammée fracassa la fenêtre de la cabine et percuta le mur, avant que quiconque puisse faire un pas en direction de tante Bethany. Le feu parcourut une tapisserie de saint Georges et le dragon, qui s'envola en fumée.

— Je brûlerai tout le bateau, si vous ne les libérez pas immédiatement, poursuivit-elle, comme si la flèche ne l'avait pas ratée de peu. Me comprenez-vous ?

Elle haussa un sourcil en direction du gardien le plus près des cousines.

— Libérez-les, mon garçon.

Il sursauta et jeta un regard en direction de lord Mabon ; sa pomme d'Adam montait et descendait alors qu'il déglutissait de façon convulsive.

— Allez, les filles.

Elle n'eut pas besoin de le répéter deux fois.

— Cette histoire n'est pas terminée, la menaça lord Mabon, alors que la fumée envahissait la cabine.

— Vous pouvez nous demander gentiment notre aide ou devenir notre ennemi.

Tante Bethany lui décocha un sourire mauvais.

— J'imagine que le choix vous revient. Bonsoir, Rufus. Saluez votre adorable épouse de ma part.

— Il s'appelle Rufus ? murmura Gretchen, alors qu'elles se précipitaient sur ses talons. Pas étonnant qu'il soit toujours frustré.

# CHAPITRE 10

— Tante Bethany, c'était absolument génial, s'exclama Gretchen d'un ton impressionné. Je ne savais pas que tu étais si féroce.

— Oui, bon, l'Ordre préfère les supplications, répondit tante Bethany, qui retira ses gants imprégnés par l'odeur du brandy et de la fumée. Mais parfois, il est important de leur montrer qui mène. Et je peux vous garantir que lorsque j'aurai rendu visite à la femme de lord Mabon, ils seront plus polis.

Elle leva les poignets de Penelope et fit claquer sa langue quand elle vit les marques laissées par les liens.

— Es-tu blessée ?

— Ian a été plutôt gentil, en fait, répondit Penelope à sa mère. Il n'arrêtait pas de s'excuser. La corde m'a blessée parce que j'ai tenté de mordre un gardien. Ian l'a frappé pour avoir été si dur avec moi.

— Comment nous as-tu trouvées ? demanda Emma. Je croyais que le bateau était invisible et se déplaçait chaque jour sur la Tamise.

— Cormac a entendu dire que tu avais été enlevée pour être interrogée, expliqua tante Bethany.

— Est-il ici ? demanda Emma, qui étira son cou pour regarder par la fenêtre les entrepôts et les allées sombres.

Ce ne fut que lorsque la diligence vira dans la rue pour s'éloigner des quais que Cormac sortit brièvement de l'ombre. Gretchen le vit saluer Emma de son chapeau, alors que la diligence passait à proximité.

— Et les flèches de feu ? demanda Gretchen. Depuis quand connais-tu Robin des Bois ?

— Cedric est sur le toit de la diligence. Il a tiré quelques flèches pour soutenir mon propos.

Emma se frotta les bras, gelée.

— Pourquoi nous ont-ils amenées ici ? Ils nous ont laissées tranquilles pendant des semaines. Pourquoi tout de suite ?

— Parce que l'Ordre est plutôt désespéré, soupira tante Bethany. Sophie Truwell a disparu.

Une inquiétude s'installa en Gretchen.

— Que veux-tu dire par *disparu* ?

Sophie avait assassiné plusieurs jeunes filles pour utiliser leur magie afin d'alimenter les sœurs Greymalkin. Elle avait failli tuer Emma également

— Elle était confinée au bateau, tandis que l'Ordre tentait de trouver une autre sorcière pleureuse pour embouteiller son compagnon et lier sa magie. Comme ils ne réussissaient pas à en trouver une, ils ont cru préférable de la transférer à la maison Percival.

— Qu'est-ce que la maison Percival ? demanda Penelope, les sourcils froncés.

— C'est une vieille maison en terrain marécageux où les sorcières sont enfermées. C'est très sécuritaire. Sophie se serait échappée en s'y rendant et elle est actuellement en fuite.

— Il faut faire quelque chose! s'indigna Penelope, qui tapa des mains, agitée. Il doit bien y avoir une autre sorcière pleureuse quelque part.

— Il n'y en a qu'une en Angleterre pour l'instant, et elle est trop jeune pour être utile.

— Avez-vous cherché en Écosse? pressa-t-elle. En Espagne? En Égypte?

Emma était pâle, mais très calme, plus calme que ses cousines.

— Voilà pourquoi ils voulaient savoir comment j'ai réussi à embouteiller les sœurs Greymalkin, dit-elle avec un hochement de tête. Mais je ne suis pas une sorcière pleureuse. C'était plus une question de chance que toute autre chose.

Le sang de la famille Greymalkin d'Emma lui avait permis de réussir le sort compliqué, mais l'Ordre ne le savait sûrement pas. Cela ne les aiderait pas, de toute façon. Sophie prétendait être de la famille des sœurs Greymalkin, mais sa lignée était si diluée que le lien n'était pas suffisant pour lui permettre d'entrer dans la maison. Elle avait eu besoin d'Emma pour cela; elle l'avait presque tuée, en fait. Et c'était avant d'être découverte et arrêtée. Dieu seul savait ce qu'elle voudrait faire à Emma, à ce moment. Ce serait presque aussi désagréable que ce que l'Ordre avait en tête.

— L'Ordre voulait résoudre rapidement le problème. De deux choses l'une, soit elle devenait miraculeusement une sorcière pleureuse, soit ils la blâmaient pour tout ce fatras.

— Ce n'est pas juste, ajouta Penelope, fâchée.

— Non, mais ils ont peur, et les gens qui carburent à la peur sont rarement justes, répondit tante Bethany avec lassitude. L'Ordre gardera le secret le plus longtemps possible.

— Ils sont particulièrement ingrats, remarqua Gretchen. Nous les avons aidés, et ils nous traitent comme des criminelles.

Ses yeux étaient brillants.

— Et je ne les laisserai pas faire. Je trouverai un moyen de transformer leurs humeurs noires en araignées, s'ils n'arrêtent pas.

Tante Bethany reposa sa tête sur les coussins.

— Pourrais-tu attendre à demain, ma chère ? La nuit a été difficile.

Tobias était de très mauvaise humeur quand il arriva enfin à la maison.

Il avait passé quelques heures sur le bateau, tandis que lord Mabon et le premier légat débattaient de ce qui devait être fait afin de protéger l'univers des sorcières, avant d'être envoyé à la recherche de Sophie. La panique devait être évitée à tout prix. La première fois que les sœurs Greymalkin avaient erré dans Londres, la quantité de magie libre dans la ville avait presque causé une émeute. Les sorcières s'étaient jeté des sorts les unes les autres à la moindre provocation, et même les gens ordinaires avaient commencé à sentir les tensions. Non seulement l'Ordre devait retrouver Sophie, mais cela devait être fait en maintenant le calme.

Tobias avait cherché jusqu'à l'aube, mais ne trouvait aucune trace de Sophie. Si ce n'était pas assez, il devait ensuite faire acte de présence aux appartements de l'Ordre pour s'assurer que les autres gardiens savaient à quoi s'attendre. Ils étaient déjà si peu nombreux qu'ils devraient accueillir davantage d'élèves d'Ironstone.

Puis, il y avait Gretchen.

Il ne savait tout simplement pas comment composer avec elle. Elle était exaspérante, et pourtant, il devait se rappeler que d'être amusé par son impolitesse n'était pas une réponse adéquate. L'un d'eux devait rester convenable. Et de toute évidence, ce ne serait pas elle.

C'était encore plus exigeant de se souvenir que l'embrasser de nouveau était hors de question.

Il ne devrait même pas *souhaiter* l'embrasser.

Elle était sous la surveillance de l'Ordre. Sa famille avait des antécédents de rébellion. Elle faisait tout ce qu'elle pouvait pour piétiner les manières et l'étiquette qu'il considérait comme si nécessaires et si importantes. Elle était tout ce qu'il s'efforçait de ne pas être : impulsive, provocante et chaotique.

Cependant, il ne pouvait s'empêcher de penser à elle.

La porte avant de la maison était ouverte.

— Bonsoir, monsieur, l'accueillit Cameron, le majordome, qui s'écarta pour laisser entrer Tobias.

Cameron fit la révérence, comme si Tobias n'était pas nu sous sa veste et n'avait pas passé les dernières heures endormi sur le plancher de marbre sous la forme d'un loup géant. C'était plus facile que de rester éveillé pour attendre le retour de la famille. Entre Tobias, le gardien, Ky, qui errait à toutes heures, et leur mère, qui était la personnalité alpha, être au service de la famille Lawless imposait un horaire des plus irréguliers. De toute façon, Cameron se considérait davantage comme un garde du corps que comme un majordome.

Majordome ou garde du corps, les métamorphes préféraient les manteaux qui étaient assez larges pour permettre la métamorphose et assez longs pour camoufler le corps, lorsque les chemises de lin et les hauts-de-chausses étaient réduits en lambeaux. Tobias préférait les vestes bien taillées. Toujours.

— Ce n'était pas nécessaire d'attendre toute la nuit, dit-il en tendant à Cameron son chapeau et ses gants.

— Bien sûr que ce l'était, mon seigneur, répondit-il.

Tobias sentit, plus qu'il n'entendit, la présence d'un autre loup, et suivit son appel vers le jardin arrière. Le clair de lune brillait sur la fontaine et les statues de marbre. De l'autre côté de la haie, il entendit un bruissement.

— Posy, appela-t-il.

Un petit loup roux sortit des cèdres, des pétales de fleurs et des chardons plein le pelage. En approchant, elle se transforma en une jeune fille agile. Elle était gentille et solitaire, avec d'épais cheveux bruns et des yeux bleus.

Et une queue.

Elle tentait encore de maîtriser sa magie et ne réussissait toujours pas à bien dominer son loup. Parfois, elle avait des oreilles, une autre fois, malheureusement, des moustaches, mais généralement, elle gardait sa queue touffue. Il va sans dire qu'elle devait rester à la maison lorsqu'elle était à Londres.

— Ce n'est pas sécuritaire, lui dit Tobias, qui lui couvrit les épaules de la couverture laissée sur une chaise.

— Je suis à la maison, précisa-t-elle en lui tapotant le bras comme s'il était une nourrice surprotectrice. Que peut-il m'arriver ici ?

— Tout de même, répondit-il. Il est tard, même pour toi.

Posy avait un horaire étrange, même avant d'avoir de la difficulté à maîtriser son loup.

— Il y a eu une réunion, répondit-elle prudemment.

— Une réunion ?

— Maman a convoqué la meute de Londres, expliqua-t-elle. Lorsqu'elle a entendu parler de Sophie Truwell.

— Déjà ?

— Bien sûr, répondit-elle en haussant les épaules.

— Et tu aurais dû y être, interjeta Ky, qui sortit de la serre.

Il portait son habituelle chemise de lin, avec la lanière de cuir en travers de la poitrine, où étaient suspendus des poignards. Il n'avait rien d'un fils d'une longue lignée de comtes et tout du jeune homme prêt au combat.

— Ne commencez pas, les supplia Posy.

— Les chasseurs de loups sont déjà en chasse, dit Ky, qui ignora sa demande. Tu sais aussi bien que moi qu'une fourrure de métamorphe va chercher jusqu'à trois fois le prix lorsqu'il y a un jeteur de sorts en fuite.

Il testa le bout de son poignard préféré.

— Nous aurons besoin des carnyx pour être en sécurité.

— Voilà à quoi sert l'Ordre.

— C'est déjà dommage qu'ils connaissent notre secret ; je ne leur fais certainement pas confiance, renifla Ky.

— Et les carnyx sont bien mieux ? Une bande de voyous qui se battent pour le plaisir de se battre. Interroge Donovan au sujet du chasseur de loups qu'il a tué l'an dernier.

— Ce chasseur a pris la patte de son frère. Le chirurgien a dû lui amputer le reste de sa main, lorsqu'il a repris sa forme humaine. Et si tu avais laissé Gaelen joindre les carnyx, elle aurait peut-être été en mesure de se sauver.

Il y eut un silence tendu et fragile. Posy commença sa métamorphose, la tension étant trop grande pour elle. Ses dents s'allongèrent, et ses oreilles pointèrent dans ses cheveux.

Tobias et Ky étaient presque nez à nez. Ky grondait en montrant les dents, la colère couvrant la blessure d'un jeune frère. Tobias demeurait de glace, en maîtrise, mais ses poings se refermaient malgré lui.

— Ça suffit, dit leur mère d'un ton sec en provenance de la porte.

Lady Elise Lawless n'était peut-être qu'une silhouette vêtue d'une robe de soie bleue, mais elle parlait avec l'autorité d'un membre alpha, en plus d'être mère. Les frères s'arrêtèrent et s'éloignèrent l'un de l'autre.

— Le fils de lady Barlow a failli être pris par un chasseur ce soir, précisa-t-elle sinistrement. Il a été vu pour la dernière fois près du Blackfriars Bridge.

— J'en aviserai l'Ordre, ajouta immédiatement Tobias.

— Oublie ça, demanda Ky. C'est une affaire de famille.

— Oui, et je fais partie de la famille, souligna froidement Tobias.

Son loup intérieur tirait sur sa laisse. Il dut réprimer un grognement, le sentant résonner dans sa poitrine.

— Et pourtant, tu les choisis toujours avant nous.

— Ce n'est pas ça, répondit-il, même si, parfois, il en avait également l'impression.

— Je me bats pour notre meute. Pour notre famille, dit Ky. Pour qui te bats-tu ?

Gretchen, Emma et Penelope descendirent le couloir en chemises de nuit, le tapis absorbant le bruit de leurs pas. Elles n'allumèrent pas de chandelles avant d'être rendues dans la dernière chambre à coucher sur la gauche et que la porte soit bien refermée derrière elles.

La chambre de Sophie.

Elle n'avait pas encore été assignée à une autre élève, mais impossible de savoir combien de temps cela durerait. La chambre était aussi petite que celle d'Emma, avec un miroir doré au-dessus d'une table prévue pour les parfums et la coiffure, et des meubles peints en vert avec des fleurs jaunes. Les sorbes et le sel requis étaient posés dans les coins et sur le bord de la fenêtre.

Penelope fit le tour de la chambre. Elle effleura le dessus de la table de ses doigts et fut immédiatement assaillie par des images qui tournèrent comme une lanterne magique. Leur nombre et leur rapidité l'étourdirent : une domestique avec une brûlure de foyer ; un valet qui portait un coffre et qui tenait la gouvernante en grippe ; un élève capable de parler aux oiseaux, mais qui ne pouvait les empêcher de se frapper aux fenêtres ; une autre domestique ; trois autres élèves murmurant des malédictions par-dessus leurs livres d'école. Elle tituba, recula de quelques pas et se retint à la colonne de lit pour garder son équilibre.

— Je ne peux pas trier tous les résidus de magie. Il y en a trop.

— Tous ses biens personnels ont peut-être été emportés par l'Ordre, suggéra Emma, qui jeta un œil dans l'armoire, où il n'y avait aucune robe, aucune chaussure, ni aucun bonnet. Pour examen.

— Qu'est-ce que vous croyez faire ? demanda sèchement Daphne de l'embrasure de la porte, essoufflée et furieuse, mais splendide.

— Cela ne te regarde pas, rétorqua Gretchen, absolument incapable de refuser un défi, peu importe lequel. Et dois-tu toujours traîner partout ? Ne devrais-tu pas marcher sur les orteils d'un pauvre type.

— Contrairement à toi, certaines d'entre nous sont de très bonnes danseuses, répliqua Daphne, par habitude, ses yeux bleus plissés. Vous êtes dans la chambre de Sophie. Et je veux savoir pourquoi, avant d'appeler le gardien de nuit.

— Ce n'est pas un crime de se trouver dans une chambre, souligna gentiment Emma. On dirait que tu as couru jusqu'ici.

— J'ai jeté un sort pour être informée si quelqu'un tentait d'entrer ici, se justifia-t-elle en examinant attentivement les cousines.

— Pourquoi ? demanda Penelope.

— Comment ça, pourquoi ? s'étonna Daphne, qui cligna des yeux. Sophie était mon amie

— Et elle t'a trahie, rétorqua brusquement Gretchen.

— Gretchen, s'écria Emma, qui lui donna un coup de coude. Voyons !

Gretchen ne quitta pas le visage pâle de Daphne des yeux une seule seconde.

— Tu veux savoir pourquoi elle a fait ce qu'elle a fait. Pourquoi elle a choisi les sœurs Greymalkin au lieu de toi, poursuivit Gretchen, non sans méchanceté.

À la place de Daphne, elle n'aurait pas toléré la gentillesse ni la pitié. Et Daphne avait déjà décidé d'aider Emma, alors qu'Emma avait été accusée à tort du meurtre de Lilybeth, dans le but de débusquer le véritable meurtrier.

— Nous voulons également savoir pourquoi, ajouta-t-elle.

— Comment ? demanda Daphne. Je sais qu'elle est au large. Mon père me l'a dit, juste avant de m'envelopper dans tant de sorts de protection que je dois presque me tourner de côté pour passer dans l'embrasure d'une porte.

— Elle n'a aucune raison de s'en prendre à toi, affirma Emma. Elle m'a déjà dit que c'était grâce à toi que les autres jeunes filles avaient cessé de la taquiner lorsqu'elle est arrivée à l'école pour la première fois.

— Elle m'a bernée, acquiesça Daphne d'un ton désolé.

— Elle a berné tout le monde.

— Et pour quelqu'un qui prétendait être orpheline et si esseulée qu'elle a convoqué trois esprits de jeteuses de sorts, elle devait de toute évidence connaître d'autres personnes que toi et Lilybeth, remarqua Gretchen, qui haussa ses sourcils, tandis que les autres, perplexes, les froncèrent en sa direction. Bon, quelqu'un l'a aidée à s'enfuir avant d'arriver à la maison Percival. La question est de savoir qui et pourquoi ? demanda-t-elle en jetant un regard à Daphne. Ne vas-tu pas me dire que c'est le travail de l'Ordre et que nous devrions les laisser faire ?

Daphne releva le menton.

— Absolument pas. Ils ont à leur service tous les prophètes et les voyants pour tenter de retrouver Sophie, sans succès. Et j'ai un frère qui héritera du titre et des résidences de mon père, de même que de tout son savoir magique acquis à titre de premier légat, simplement parce qu'il est un garçon. Même s'il est un peu idiot et ne saurait pas différencier une amulette d'un petit gâteau, renifla-t-elle. Non, je crois qu'il est préférable de laisser cela à celles qui connaissaient le mieux Sophie, du moins l'univers dans lequel elle vivait. L'affaire sera mieux traitée entre les mains des débutantes.

— Oh, zut, marmonna Gretchen. Nous sommes d'accord sur un point.

— Je vais lire quelque chose qui a appartenu à Sophie, expliqua Penelope en desserrant ses mains du poteau. S'il reste quelque chose, en fait. Je n'ai pas eu de chance avec l'encrier.

Daphne regarda autour d'elle d'un regard entendu ; elle avait de toute évidence déjà passé du temps avec Sophie dans sa chambre.

— Elle aimait s'installer dans cette chaise près du foyer, pour boire son chocolat le matin.

Penelope hocha la tête.

— Cette chaise est là depuis bien avant que le roi George devienne fou. Je ne réussirais jamais à faire le tri de tant d'impressions magiques.

— Là, dit Daphne, qui désigna du doigt un petit sac de charme rouge accroché à la fenêtre.

Il était brodé d'un nœud de sorcière blanc et enroulé d'un fil noir.

— Elle aura sûrement ajouté des ingrédients à ce sac de charme. Il y en a un dans chaque chambre, et l'an dernier, on nous a donné comme tâche d'en augmenter le sort.

— N'y touche pas, dit rapidement Penelope alors que Daphne tendait la main pour le prendre. Cela neutralisera ce qui reste, puisque je ne peux lire aisément que l'histoire récente.

Daphne laissa retomber sa main. Penelope décrocha le petit sac du clou. Le ruban se dénoua, glissant sur ses jointures. Elle fut prise dans un kaléidoscope de couleurs et de bruits en fusion, jusqu'à ce qu'elle ne soit plus sur un siège doré, mais qu'elle se retrouve soudainement dans l'entrée de l'académie. Pendant un instant, les couleurs furent trop vives et agitées, ce qui lui donnait une drôle de sensation intérieure. Ses yeux se révulsèrent.

*Elle était dans une chaumière avec des fenêtres à carreaux au bord de la forêt. Elle était assise sur le bord d'un lit près du foyer, à tenir la main d'une petite fille. La petite fille était pâle et souffrante, les joues empourprées par la fièvre.*

*– Beth, pleura-t-elle. Ne meurs pas, s'il te plaît.*

*Elle frotta son nœud de sorcière jusqu'au sang. Et pourtant il n'y avait toujours pas assez de magie.*

*Rien ne pouvait l'arrêter.*

Les genoux de Penelope heurtèrent le plancher quand elle s'effondra.

– L'as-tu vue ? demanda Emma, qui l'aida à se relever.

– Oui, quand elle était plus jeune, avant qu'elle vienne ici, répondit-elle.

Elle hocha la tête, et s'arrêta parce que la pièce tournait autour d'elle.

– Dans une chaumière dans la forêt. Avait-elle une sœur ?

– Elle n'en a jamais parlé, répondit Daphne. Toutefois, elle avait cette vieille poupée dont elle refusait de se défaire. Elle disait qu'elle avait appartenu à quelqu'un qu'elle connaissait.

Gretchen eut tout à coup l'air joyeuse.

– Sais-tu comment fabriquer une poupée vaudou, Daphne ?

— Qu'est-ce que ça vient faire... Oh, oui, dit doucement Daphne, alors que l'idée germait dans sa tête. En fait, oui. Cependant, l'Ordre a brûlé tout ce qui lui appartenait, au cas où il y aurait des traces de magie noire. Ils n'ont jamais pensé qu'elle pourrait s'échapper.

Elle ouvrit le tiroir du bureau, fouillant dans une pile de rubans, de crayons et de plumes à écrire laissés par de nombreuses élèves.

— Que manigancez-vous, toutes les deux? demanda Emma.

— Une poupée comme celle qui a été utilisée contre moi, répondit sinistrement Gretchen. Par Sophie, je crois. Qui d'autre m'attaquerait?

— Toutes les personnes qui t'ont rencontrée, grogna Daphne. Et la moitié des filles de l'école qui ont vu Tobias te porter dans le salon dans ses bras très masculins.

— Merci, Daphne, dit Gretchen. C'est très utile.

Elle haussa les épaules.

— Toutefois, tu as probablement raison. Sophie aurait été vexée que tu défasses quelques-uns de ses sorts seulement cette semaine.

— As-tu dit que j'avais raison? Quelqu'un peut-il le prendre en note afin qu'elle signe sa déclaration?

— Oublie ça, intervint Penelope. Pouvons-nous utiliser le sac de charme, puisque nous savons qu'elle l'a touché?

— Non, il faut que cela soit un objet personnel, pas quelque chose qu'elle a à peine touché. Il faut que cela ait fait partie d'elle.

Daphne se dirigea vers la coiffeuse, puis s'arrêta près d'un plateau d'argent comprenant une brosse en argent qui ressemblait à une tresse de digitales et une bouteille de cristal qui contenait de l'eau de rose.

— Peux-tu savoir ce qui appartenait à Sophie ?

— Oui, affirma Penelope, qui se sentait aussi molle qu'une vieille feuille de laitue, mais se redressa avec détermination.

Elle se leva du lit pour s'étirer.

— Afin de ne pas tomber sur la tête, expliqua-t-elle avant de fermer les yeux, la même chose qu'elle faisait pour avaler un médicament désagréable ou des ris en gelée à un repas officiel.

Des araignées luminescentes, pendues à des toiles rayonnantes, sortirent de ses cheveux. Elle prit un des cheveux attachés aux poils de la brosse.

— Une fois de plus, mes amies, une fois de plus, dit-elle finalement.

*Elle était assise devant le miroir et brossait ses cheveux avec régularité en se mirant. Une solitude monotone la grugeait, la vidait de plus en plus, jusqu'à ce qu'elle se sente très vide. Le vent sifflerait à travers elle une mélodie.*

— *Bientôt, murmura-t-elle désespérément. Bientôt.*

Penelope ouvrit les yeux. Le ciel de lit brodé était pâle au-dessus d'elle, alors qu'elle attendait que l'étourdissement s'estompe. Au moins, la chambre ne tourbillonnait plus aussi vite qu'auparavant. Elle se redressa sur ses coudes.

— Celle-ci, dit-elle finalement, la voix rauque de fatigue.

Daphne la prit de sa main.

— Bien, émit-elle fermement. Allons-y, alors. Nous aurons besoin de tiges de lys séchés.

Gretchen grimaça, les mains sur ses tempes.

— Des roseaux seraient préférables. J'irai en chercher dans l'échoppe d'apothicaire.

Lorsqu'elle revint avec les fleurs mortes, Emma avait déjà décroché un des rideaux. Daphne avait trouvé des ciseaux et découpait assez de brocart beige épais pour fabriquer deux poupées.

— Il y en a juste assez pour fabriquer deux poupées, fit-elle remarquer. Une pour nous et une pour l'Ordre.

Lorsque Gretchen ouvrit la bouche pour protester, Daphne poursuivit d'un ton arrogant.

— Mon père est le premier légat.

— Pas encore ça, grogna Gretchen, sans rien ajouter.

— Je vais les coudre, offrit Penelope. Ce sera plus rapide. Donne-moi mon réticule.

Elle sortit une petite trousse de couture et commença à coudre le bord des poupées. Elle laissa les têtes juste assez ouvertes pour que Daphne puisse les bourrer, ajoutant à chacune des cheveux de Sophie. Elle prit de l'encre pour tracer sur chaque main gauche un nœud de sorcière et ajouter deux yeux.

Ce n'était que des poupées toutes simples qui sentaient la fleur.

— Sophie est capable de nous faire ressentir nos anciennes blessures, possède un lien avec les sœurs Greymalkin et a quatre meurtres de jeunes filles sur la conscience. Et nous avons une poupée, répondit sèchement Gretchen. Je me sens déjà plus en sécurité.

Penelope décida d'arrêter pour manger une glace chez Gunter dans Berkeley Square. Le soleil se montra finalement, et on aurait dit un vrai après-midi d'été. Le quartier de Mayfair sentait même les fleurs plutôt que la Tamise et les pommes de route. Elles avaient une poupée pour se protéger de Sophie, et elle venait tout juste d'acheter trois nouveaux romans et la nouvelle collection de poésie de Lord Byron. C'était là une bonne raison de célébrer.

Et puisqu'il était ridicule d'ignorer Ian, qui était debout devant la boutique, tentant d'avoir l'air nonchalant, elle lui acheta également une glace. Ils s'installèrent sous un auvent pour discuter de ses nouveaux livres, et il s'excusa de nouveau au moins trois fois de l'avoir amenée pour se faire interroger.

— Lady Penelope.

Penelope reconnut tout de suite la voix de Lucius Beauregard. Elle regarda Ian les yeux écarquillés. Ian, qui n'était pas Gretchen ni Emma, parut simplement perplexe. Elle soupira. Puis, il essuya le coin de sa bouche résolument, mais subtilement. Elle se lécha le coin des lèvres, pour goûter le dépôt sucré. Avoir son propre gardien pouvait s'avérer utile. Peu importe une jeteuse de sorts en fuite, il venait de lui éviter l'embarras de saluer Lucius avec de la nourriture sur le visage.

Elle tourna sur ses talons et lui fit une révérence.

— Lord Beauregard.

Il était toujours aussi beau, dans sa veste verte et ses hauts-de-chausses bouffants.

Il fit une révérence, le regard brillant d'appréciation.

— Puis-je vous avouer que vous êtes très séduisante dans cette robe ?

Elle portait une robe en mousseline vert menthe sous une pelisse rayée à manche cape. La teinte était presque exactement celle de la veste de lord Beauregard.

— Merci, dit-elle en rougissant.

— Je me demandais si nous pourrions discuter un peu, dit Lucius, qui baissa la voix avec beaucoup de douceur. J'ai…

— As-tu vraiment acheté une glace au citron à ton ravisseur ? demanda Gretchen, dont l'ombre filtra entre eux.

— Elle est à l'aveline grillée, en fait, lui répliqua Penelope. Parce qu'on l'*aime*, tu te souviens ?

Elle regarda derrière sa cousine.

— Où est Tobias, de toute façon ?

Gretchen haussa les épaules.

— C'est un autre élève d'Ironstone qui me suivait aujourd'hui, dit-elle. Je l'ai déjà semé.

Ian soupira.

— C'est embarrassant, en vérité, grommela-t-il.

— Honteux, acquiesça-t-elle. Tu pourrais faire beaucoup mieux.

Lucius parut surpris.

— Vous ne dites sûrement pas que vous avez défié un gardien.

Elle leva les yeux au ciel.

— Absolument. Il avait deux ans de moins que moi et il rougissait chaque fois que je le regardais. Comme un petit chien.

— Ils devraient mettre un vrai gardien à tes trousses, la taquina Penelope.

— N'est-ce pas ?

— Où est votre domestique ? demanda Ian.

Gretchen lui tapota le bras avec un sourire aimable, mais condescendant. Il hocha la tête.

— Oubliez ça.

— Bon, tu commences à comprendre, sourit-elle en volant une cuillerée de la glace de Penelope.

— Au parmesan, grimaça-t-elle. Tu choisis toujours les pires saveurs.

— Devrais-je t'en commander une à l'orange ? suggéra-t-elle.

— Ils ont eu la gentillesse d'en porter une à Cedric, là-bas.

Elle envoya la main à Cedric, adossé au mur, les bras croisés, une expression indéchiffrable sur le visage. Trois moineaux, un chat et un chien errant l'avaient déjà trouvé et étaient paisiblement assis à ses pieds sur le trottoir. Malgré le nombre de fois où elle lui demandait de se joindre à elle, il ne le faisait jamais. Il n'était pas étonnant qu'elle soit convaincue qu'il n'avait aucune intention romantique à son égard, malgré ce qu'en disaient ses cousines.

— Non, merci, je…

Gretchen s'arrêta en se pinçant la voûte du nez.

— Un mal de tête ? demanda Ian, préoccupé. Je vais chercher une chaise.

— Ce n'est pas cela, dit-elle en plissant les yeux en direction du réticule brodé de Penelope.

Il était en velours brun terre avec des branches formant des runes magiques. Elle en était très fière.

— Un point est défait.

— Comme si tu savais seulement ce que c'est, dit Penelope en haussant un sourcil.

— Là, dit-elle en grimaçant et se frottant les tempes. Cette ligne-là change le motif du sort de protection, et il n'est pas efficace. Crois-moi, je sais exactement ce que c'est.

Elle essuya une trace de sang de son oreille.

— Gretchen ! s'exclama Penelope, toute pâle.

Gretchen rejeta son inquiétude d'un sourire suffisant.

— Je m'améliore ! Ce n'est qu'une petite goutte, et je n'ai pas été malade sur les chaussures de personne.

Lucius recula furtivement hors d'atteinte.

— Pourrions-nous trouver un endroit plus… tranquille ? suggéra-t-il à Penelope avec ce sourire malicieux qui lui donnait la chair de poule.

— Désolé, mon cher. Je surveille Penelope, et il me surveille, dit Ian, qui désigna Cedric du pouce. C'est toute la tranquillité que vous trouverez.

Il parut frustré.

— Pourquoi ne pas aller nous promener au jardin ? Berkeley Square est très agréable, à ce temps-ci de l'année.

Penelope lui prit le bras qu'il lui offrait avec galanterie. Elle ignora Gretchen, qui échangea un regard avec Ian et Cedric, qui s'était redressé. Penelope se retrouvait presque seule avec Lucius, suivie d'Ian, suivi à son tour de Cedric et de la domestique de Penelope. Lucius jeta un regard amusé par-dessus son épaule.

— Vous êtes un cygne superbe, avec sa portée de canetons.

Elle rit.

— C'est une situation plutôt particulière, commenta-t-elle en le regardant. Vous n'êtes pas inquiet pour votre réputation ? Je me sens dans le devoir de souligner que Ian, quoique merveilleux, est là parce que l'Ordre n'a pas confiance en moi.

— Alors, l'Ordre est dirigé par des idiots, rétorqua-t-il, plus sévèrement qu'elle ne s'y serait attendue.

Elle dut le laisser paraître, puisqu'il ajouta sur un ton plus léger :

— Lorsqu'une dame comme vous est harcelée, j'estime que le système est défectueux.

Les joues de Penelope s'empourprèrent au compliment. Ils traversèrent Berkeley Square, qui comptait cinq acres de sentiers qui sillonnaient la pelouse, bordés de sculptures et d'une rangée de platanes aux larges feuilles avec leurs petites boules épineuses bien particulières.

— J'espère que vous me pardonnerez mon audace, dit Lucius. Mais j'ai un cadeau pour vous.

Elle le regarda par-dessous le bord de son bonnet. La société dirait que le fait d'accepter un cadeau, d'échanger des lettres et de danser plus de deux fois ensemble constituait des déclarations de l'intention de s'épouser. La mère de Gretchen aurait exigé d'elle qu'elle refuse le cadeau.

— C'est très gentil, répondit-elle plutôt.

Le sourire de Lucius s'élargit.

— Lorsque je l'ai trouvé, j'ai pensé à vous, expliqua-t-il, la menant vers un banc baigné de soleil qui filtrait à travers les feuilles.

Il sortit un petit paquet enveloppé de la poche de son pardessus.

— Cela fait des jours que je le traîne avec moi, dans l'espoir de vous croiser.

Le paquet était à peine plus large que sa paume et ressemblait à un livre. Elle déchira impatiemment le papier, essayant de ne pas remarquer Cedric, qui l'observait d'un autre sentier. Elle n'avait aucune raison de se sentir coupable et mal à l'aise. Elle appréciait la compagnie d'un jeune homme qui semblait partager son sentiment. De toute évidence, n'était-ce pas un signe de maturité ? Ne serait-il pas pire de soupirer sans espoir après quelqu'un d'autre ? C'était bien pour les romans, mais désagréable dans la vraie vie.

L'arbre au-dessus de sa tête se remplit de moineaux qui l'observaient. Sans égard à sa décision d'être mature, elle jeta un regard courroucé à Cedric, tout à fait consciente qu'il les utilisait pour l'espionner.

Elle dénoua le ruban rouge et repoussa le papier déchiré pour découvrir un petit livre relié en cuir. *Sonnets de Shakespeare* était écrit sur la couverture en lettres dorées. Elle glissa un doigt dessus.

— Oh, c'est magnifique, s'exclama-t-elle en feuilletant les pages, alors que des pétales de rose partiellement séchés s'en échappaient.

— Retirez vos gants, suggéra-t-il. Le cuir est doux comme de la soie.

Elle savait qu'elle ne devrait pas, mais il aurait été étrange de refuser. Et de toucher quelque chose qui datait peut-être véritablement de l'époque de Shakespeare était des plus tentant. Elle tira sur ses gants. Les doigts de Lucius étaient chauds, alors qu'ils glissaient sur son poignet et sa paume pour tracer son nœud de sorcière. Elle ne pouvait détourner le regard, ne pouvait bouger, pouvait à peine respirer. Il pencha la tête afin que sa bouche soit près de son oreille :

— Allez, Penelope. Les livres sont faits pour être aimés, n'est-ce pas ?

L'utilisation de son prénom lui donna des frissons dans tout le corps. Elle se sentit étonnamment nue sans son gant, quelque chose qu'elle aurait considéré comme absurde à peine cinq minutes auparavant. S'humectant la lèvre inférieure, elle caressa le livre. Il était doux comme un agneau et sentait la poussière, le soleil et la curieuse odeur de vanille du vieux papier.

— Vous avez raison, sourit-elle. C'est tellement…

L'univers se brouilla comme de la peinture sur une palette.

*La pluie rendait le trottoir glissant, alors elle se faufila dans la librairie la plus près. L'air était agréablement poussiéreux et sec. Elle sourit à l'employé. Non, pas elle.* Lucius *sourit à l'employé. Elle put sentir sa cravate serrée autour de son cou et son impatience.*

*— Où sont vos Shakespeare ? demanda-t-il. Je cherche un cadeau pour une jolie jeune fille.*

*Il parlait d'elle.*

La vision disparut abruptement. Elle sursauta.

— Êtes-vous souffrante ? lui demanda Lucius, préoccupé, ses yeux rivés sur le visage de Penelope.

Elle sourit faiblement. C'était une chose de connaître la magie, c'en était une autre de découvrir que la jeune fille à qui vous veniez d'offrir un cadeau était entrée dans votre tête un instant. Il la trouvait jolie.

— Ça va, le rassura-t-elle, le petit livre serré contre sa poitrine. Ça va très bien.

— En es-tu certaine ? demanda Gretchen d'un ton de doute, alors que la pluie perçait les feuilles des chênes en dehors de chez elle. Tu devrais me laisser venir avec toi.

Emma secoua la tête.

— Nous ne réussirons jamais à nous débarrasser de Tobias. Tu le sais très bien.

Puisqu'elle le savait très bien, Gretchen se renfrogna.

— Mais qui sait si le sort que j'ai jeté fonctionnera bien ?

— Je le sais, affirma Emma, qui glissa la pierre d'aimant dans son réticule, près de la poupée à l'effigie de Sophie.

Elle resta dans l'ombre de la diligence anonyme, pour ne pas que Tobias la voie.

— Es-tu certaine que Virgil ne te suivra pas ? demanda Gretchen, qui n'était pas convaincue.

— J'ai versé de la teinture de belladone dans son thé, que je lui ai fait porter par Olwen à l'extérieur de l'école. Elle lui a dit qu'elle avait peur qu'il attrape froid. Elle est plutôt jolie, alors il l'a crue.

— Mais c'est la sœur de Cormac. Il déteste Cormac.

— Elle est *vraiment* jolie.

Gretchen secoua la tête.

— Tant pis pour lui, alors, conclut-elle en tendant à Emma un rouleau de parchemin. Si le premier sort ne fonctionne pas, essaie celui-ci. Ils ont tous les deux besoin de ton sang.

— Cela fonctionnera.

— Emma, je commence à peine à ne pas saigner des oreilles lorsque je fais de la magie, lui expliqua-t-elle. Ta confiance en moi est touchante, mais cela ne te sera d'aucune utilité lorsque tu seras seule dans la forêt de Windsor.

— Tout ira bien. Je m'envelopperai dans un charme de protection, et personne ne me verra. Et je serai de retour pour le déjeuner. Tu t'inquiètes pour rien.

— C'est plus facile quand c'est *moi* qui concocte des plans idiots, grommela Gretchen. C'est nul de rester ici à attendre.

Elle recula le long du sentier bordé de lys menant à la porte d'entrée et disparut à l'intérieur. La diligence s'éloigna, et elle dut s'empêcher de presser son visage contre la fenêtre pour regarder sa cousine s'éloigner. Elle était rongée d'inquiétude. Du moins, c'est ce qu'elle aurait ressenti, si elle n'avait pas entendu un cri aigu en provenance de la cuisine.

Godric sortit du salon arrière pour la rejoindre alors qu'elle descendait rapidement l'escalier pour aller voir ce qui se passait. La fumée envahissait l'air, s'élevant dans les marches. Deux domestiques et un valet toussaient dans l'entrée. Une lumière vacilla de façon inquiétante dans l'embrasure de la porte de la cuisine.

– Au feu ! hurla la cuisinière, plus déroutée qu'inquiète.

Godric se cacha le visage derrière sa cravate, et Gretchen dénoua le bandeau dans ses cheveux pour se couvrir le nez et la bouche. La fumée était âcre et persistante.

La cuisinière versait un seau d'eau de lavage sur les flammes qui valsaient dans l'antre, mais celles-ci se jouèrent du jet. Elle s'essuya le front, étonnée, avant de remarquer la présence des jumeaux.

– Reculez ! Ce n'est pas sécuritaire !

Godric prit un autre seau des mains d'une domestique d'arrière-cuisine, qui pompait l'eau le plus rapidement qu'elle le pouvait. Lorsqu'il contourna la cuisinière pour lancer le contenu de son seau, le feu grogna et grimpa sur les murs. Quelque chose de petit mais d'encombrant sortit du feu et fouetta Godric. Godric tituba et tomba sur les fesses.

— Merde, qu'est-ce…

— Ce doit être quelque chose qui était pris dans la cheminée et que le vent aura délogé, suggéra la cuisinière, qui tentait d'éteindre les flammes avec un torchon.

— Cela n'a rien d'un courant d'air, murmura Gretchen, alors que les flammes répondaient en formant un petit gobelin aux cheveux rouges et aux sourcils en broussailles.

La cuisinière vit de toute évidence que le feu sautillait et se comportait étrangement, mais elle ne percevait pas le gobelin. Il caqueta d'une voix éraillée par la chaleur et la fumée. Il tapa du pied, et le feu explosa dans toutes les directions. Il caqueta de nouveau avant de s'en aller, brûlant légèrement le plancher sous ses bottes dans son départ.

— Quel petit salopard, s'indigna Gretchen, qui le pourchassa, sautant par-dessus Godric toujours affalé au sol.

Elle suivit le gobelin de feu, s'efforçant désespérément de se rappeler si elle avait lu quelque chose pour les combattre dans son grimoire. Elle opta pour un bombardement avec tous les objets qui lui tombaient sous la main : une tasse de thé, une petite fougère en pot et trois des cygnes en cristal de sa mère.

Finalement, elle l'accula dans le coin du salon. Les glands du tabouret pour les pieds fumaient. De la fumée filtrait étrangement de sous un canapé.

— Hé, dit-elle, empruntant un des mots favoris de Moira.

Les protections étaient en piètre état si les gobelins de feu pouvaient maintenant se promener librement dans Mayfair. La cuisinière aurait pu être gravement blessée. Et la maison d'à côté pourrait s'envoler en fumée, si les voisins ne reconnaissaient pas la présence d'un gobelin de feu.

— Tu ne devrais pas être hors du marché.

— Je n'y retournerai pas, croassa-t-il en se précipitant vers le foyer de marbre avec les têtes de lion en pierre.

Le feu crépitait hors de leurs bouches. Le charbon éteint dans l'âtre grésilla.

— Oh, non, pas ça, s'écria Gretchen, qui prit l'un des vases de fleurs que sa mère posait sur toutes les surfaces libres de la maison.

Si elle n'avait pas de magie pour le combattre, elle utiliserait son bon sens.

Et une grande part de violence.

Elle lança le vase de toutes ses forces. Des pétales de lys blancs volèrent partout. Le vase tangua, et de l'eau se renversa. Gretchen regarda l'eau éclabousser inutilement une des chaises. Finalement, le vase frappa le gobelin derrière la tête avec suffisamment de force pour l'envoyer valser sur le marbre du foyer. Il s'écrasa en grognant. De la fumée sortit de sous sa chemise. Ses sourcils lancèrent des étincelles, mais elles furent insuffisantes pour causer quelque dommage que ce soit.

Godric se précipita dans le salon, glissant sur le plancher.

— L'as-tu eu ? demanda-t-il en voyant le gobelin tituber.

— Nous devons le restreindre, suggéra Gretchen, avant qu'il reprenne son souffle.

Godric regarda autour de lui dans la pièce.

— L'urne, dit-il.

Elle était assez large, puisqu'elle leur avait servi de cachette quand ils étaient petits. Elle était alors remplie de plumes d'autruche et de paon.

Ils durent se mettre à deux pour la tirer jusque dans le coin. Les bras de Gretchen tremblaient sous l'effort lorsqu'ils atteignirent le gobelin. Elle se servit de tout son corps pour la pousser et la faire basculer par-dessus le gobelin avec un bruit sourd, le coinçant à l'intérieur.

— Et maintenant? demanda Godric, qui s'appuyait dessus.

— Maintenant, nous faisons signe à Tobias de sortir des buissons pour qu'il puisse venir s'en occuper.

Puisqu'il était la cause, consciemment ou non, qu'elle n'avait pas pu joindre Emma, il devrait se rendre utile.

— Avant que maman rentre à la maison.

Godric pâlit, l'air inquiet pour la première fois de la soirée.

— Sapristi.

Emma s'adossa aux coussins, après avoir donné au cocher la directive de l'amener à la maison de son père après sa visite chez Gretchen. Elle avait dit à Mme Sparrow qu'elle passait la nuit à la maison, mais ne s'était pas donné la peine d'en informer son père, puisqu'il serait au club et n'en verrait même pas la différence. Elle n'avait même pas dit à Gretchen la véritable raison de sa visite à la forêt de Windsor. Ce n'était pas pour y chercher sa mère, cette fois-ci. Elle avait besoin de quelque chose ayant appartenu à Ewan si elle voulait réussir à le faire sortir des Enfers.

Elle attendit que la diligence s'éloigne avant de se glisser dans l'écurie. Elle prit le cheval du fond, qui était le plus éloigné des garçons d'écurie endormis. Le tapotement de la pluie sur le toit couvrait tout bruit qu'elle pouvait faire. Elle avait en fait hâte à la chevauchée dans la nuit du Berkshire. Cela la tirerait agréablement de son inquiétude à l'égard de son père, d'Ewan, et de ses rêves sur les sœurs Greymalkin.

Invisible grâce à son sort de dissimulation, elle était à l'abri des dangers de la route, des regards curieux des bandits de grand chemin. Cela épuisait sa magie, mais cela en valait la peine. À proximité de la maison de campagne familiale, elle glissa au sol, les jambes molles.

La forêt de Windsor était sombre et humide, comme l'intérieur de la bouche d'un géant. Elle frissonna, consciente qu'elle avait besoin de plus de courage qu'elle l'avait cru, juste pour faire les premiers pas. Les arbres murmuraient autour d'elle et égratignaient ses bois. Elle osa allumer une lanterne. Elle serait peut-être débusquée par des braconniers, mais elle tournerait en rond sans elle. Elle tenait un poignard dans son autre main, la lame trempée dans l'eau de tonnerre et le poivre, pour affronter tous les dangers.

Elle utilisa le bout de la lame pour se piquer le doigt, puis laissa tomber une goutte de sang sur la pierre d'aimant que Gretchen lui avait donnée. Une silhouette grossière de cerf était peinte en blanc, avec deux « E » dos à dos sur son ventre. Elle présuma que c'était pour « Ewan » et « Emma ». Son sang était celui d'Ewan, et le sort la mènerait à sa hutte, celle que sa mère avait déjà visitée.

Le sang tacha les lettres. Rien ne se produisit. Il n'y eut ni étincelle ni éclair. Elle ne vit pas soudainement une carte imprimée sous ses paupières. Elle n'était encore qu'une jeune fille perdue en forêt.

Les sourcils froncés, elle pivota sur ses talons en quête d'indices. Elle prononça les paroles que lui avait apprises Gretchen.

– *Le soleil et la lune tracent le chemin ; soleil devant et lune au loin.*

La pierre d'aimant devint inconfortablement froide. Pendant qu'elle continuait de pivoter pour se tourner vers le sud, elle se réchauffa. Curieuse, Emma fit un pas dans la direction opposée. La pierre d'aimant devint très froide et se couvrit de glace. Un autre pas vers la direction précédente, et la pierre d'aimant se réchauffa comme le soleil.

– « Soleil devant », murmura-t-elle en tenant la pierre d'aimant sur son nœud de sorcière et la lanterne dans l'autre main.

La pierre d'aimant la mena entre les arbres, par-delà un ruisseau, à travers des fourrés de lierre et de framboises. Elle continua d'avancer jusqu'à ce qu'elle ait l'impression de tenir à la main un charbon ardent.

Lorsqu'elle arriva aux ruines de la hutte, son nœud de sorcière était brûlé en son centre. La pierre d'aimant s'adoucit et redevint une simple pierre.

La hutte était exactement ce que lui rappelaient les souvenirs emprisonnés dans la bouteille de sorts de sa mère, quoique légèrement plus à l'abandon. La gargouille dans l'arbre avait perdu une oreille, et le cercle de pierres devant était empli de vieilles cendres et d'eau de pluie. La porte en saule était craquée, et une de ses charnières était défaite.

Elle pénétra à l'intérieur avec précaution, contournant une chaise brisée et couverte de champignons. Les couvertures sur la couchette étaient rongées par les mites et les souris. De la mousse couvrait les troncs de cèdre qui servaient de poutres de toit. Elle ignorait si le père d'Ewan était encore en vie, mais il n'était de toute évidence pas resté là après sa disparition.

Elle fouilla sous les lits et dans les coins pour trouver quoi que ce soit qui aurait pu appartenir à Ewan. Elle trouva des araignées, des cafards et des copeaux de bois d'un projet de sculpture. Elle chercha dans les copeaux, jusqu'à ce qu'elle trouve un morceau de saule abandonné taillé comme un cerf décoré de campanules. Au dos, en lettres grossières, elle lut l'inscription : *Pour Theo.* Il devait avoir passé des heures à le fabriquer pour sa mère. De toute évidence, il devait être empreint de sa sueur et de son sang. Elle le glissa dans le réticule qu'elle avait autour de son poignet et se retourna pour quitter les lieux.

À l'extérieur, une branche se cassa.

Alarmée, Emma se pressa contre le montant de la porte pour jeter un regard dans la pénombre. Des éclairs zébrèrent le ciel. Elle ne s'était même pas rendu compte qu'elle les avait invoqués, jusqu'à ce que dans la clairière, ils illuminent tout à coup un cerf. Le pelage de la biche était roux et lisse, et le bout de sa queue blanche luisait sous les éclairs. Elle tapa du pied impérieusement, en guise d'avertissement.

Ce n'était pas simplement une biche.

— Maman? demanda-t-elle doucement, d'un ton hésitant.

La biche agita les oreilles. La lanterne éclaira de grands yeux humides, trop humains pour le visage délicat de la biche.

— S'il te plaît, supplia Emma, l'espoir et la tristesse en conflit intérieur.

C'était un combat brutal qui la laissa tremblante, à la recherche de ses mots. La neige virevolta entre les branches.

— Tu dois redevenir Theodora Lovegrove.

Elle avança doucement. La biche se tendit. Emma s'immobilisa.

— S'il te plaît, ajouta-t-elle. Sophie est de retour, ce qui signifie que les sœurs Greymalkin ne sont probablement pas très loin. J'ai *besoin* de toi.

La biche l'observa un instant avant de se retourner pour s'éloigner.

— Ewan a besoin de toi.

La biche s'arrêta.

Retenant ses larmes, Emma ignora la neige sur ses cils et la buée qui s'échappait de sa bouche. Le vent déchirait les feuilles autour d'elles.

— Il est prisonnier des Enfers. Je ne peux l'en sortir moi-même. Et si Sophie veut de nouveau ouvrir la maison des sœurs Greymalkin, elle se servira de moi pour le faire. Ewan s'est sacrifié pour empêcher que cela se produise.

La biche dilata ses naseaux, discernant l'odeur de la neige et du sang des Greymalkin sur sa fille, comme l'odeur d'Ewan dans la hutte. Emma remarqua les traces de sabots sur la terre autour de l'abri. Elle était là depuis un certain temps, assez pour qu'Emma comprenne que sa mère n'était pas complètement perdue.

— Maman, s'il te plaît.

La biche s'éloigna en bondissant sans un bruit par-dessus les branches et les sous-bois.

La foudre frappa le sol derrière elle, et les arbres brûlèrent comme des torches.

Lorsqu'Emma rentra à l'académie, Virgil l'attendait. Il paraissait fatigué et furieux, les yeux dilatés par la teinture d'herbe. Sa cravate et sa veste étaient fripées, car il avait dormi dans les buissons.

— Où étais-tu ? demanda-t-il.

— Je suis allée me promener, répondit-elle avec un sourire fade. Je ne pouvais pas dormir.

— Que m'as-tu fait ? s'enquit-il, de la boue dans les cheveux. Je me suis réveillé dans un rosier.

Elle se serait peut-être sentie mal s'il n'était pas toujours si méchant à l'égard de Cormac.

— Ce n'est pas de ma faute si tu ne peux pas vaquer à tes occupations, se défendit-elle. Peut-être devrais-tu boire moins de vin.

— Je n'étais pas ivre ! protesta-t-il, furieux. J'exige que tu me dises ce que tu faisais.

— Je te l'ai dit, répondit-elle d'un ton dédaigneux. Maintenant, si tu veux bien m'excuser, j'ai des cours à préparer.

Il l'attrapa par le bras alors qu'elle s'éloignait, ce qui laissa une marque sur sa peau. Elle le foudroya du regard juste au moment où le tonnerre secouait le ciel si fort que le sol en trembla.

— Je ne ferais pas cela, si j'étais toi, lui conseilla-t-elle doucement.

— Je suis un gardien de l'Ordre, répliqua-t-il furieusement. Et tu me répondras.

Il tira un bout de corde noire de sa poche pour la dérouler comme un serpent. La pluie tomba entre eux, argentée et tranchante. Emma tenta de se défaire de son emprise, mais il était fort d'une manière exaspérante. Elle songea à utiliser ses bois, mais plutôt que de la ligoter, il laissa le bout tomber au sol et mesura Emma.

Avant qu'elle puisse lui demander ce qu'il fabriquait, un balayeur de nuit les remarqua.

— Hé, laisse-la, cria-t-il de la route, sa charrette arrêtée devant lui. Avant que j'appelle le gardien.

Virgil la lâcha à contrecœur, mais il avait un sourire suffisant qui donna des frissons à Emma.

# CHAPITRE 11

Tobias sut l'instant exact où tout bascula.

Cormac lui jeta un regard.

– Où ?

Il savait exactement que cette expression particulière sur le visage de Tobias, jointe à ses propres amulettes qui dégageaient presque de la fumée à travers sa chemise, n'augurait rien de bon.

Les dents serrées à cause de la douleur, Tobias s'éloigna sur le trottoir, tous ses sens en éveil, les narines dilatées. La traque était à la fois physique et magique, donc difficile à cerner. Londres empestait la fumée de charbon, la pluie et les chevaux. Il tenta de se concentrer sur l'aspect physique : l'odeur de la mélisse officinale brûlée, qui suivait toujours les sortilèges des jeteurs de sorts, ou plus communément, l'odeur du sel et du fenouil des protections magiques à travers la ville. La magie grinçait comme un violon brisé.

Ils arrivèrent dans Piccadilly, les lampes à gaz brûlaient de façon agitée à travers la brume jaunâtre. Des hommes se pressaient vers le pub, et les balayeurs de rue attendaient sur les coins avec des balais en lambeaux. Les dames jetaient un regard par la fenêtre de leur diligence. C'était un endroit plutôt étrange pour qu'un jeteur de sorts accomplisse ses méfaits. La magie noire avait des effets secondaires, après tout, comme la magie plus bienveillante.

— Es-tu certain que c'est bien cela ? demanda Cormac, qui tentait de regarder au-delà des dandys rassemblés le long du trottoir.

La foule à cette heure de la nuit rendait toujours les choses plus difficiles. Quelqu'un cria.

— J'en suis certain, répondit sèchement Tobias.

Ils s'éloignèrent au pas de course, se faufilant entre deux hommes si ivres qu'ils se balançaient ensemble. Le cri provenait d'une femme pressée contre le mur d'une fruiterie. Une pyramide d'ananas trembla derrière la vitre contre son dos. Elle était pâle, et sa poitrine se soulevait pour prendre de l'air. Quelques jeunes hommes étaient debout à proximité, principalement pour admirer son décolleté plongeant. L'un d'eux avait sorti son pistolet, mais il n'était pas tout à fait certain qui il devait viser.

— Il va se tirer dans le pied, grommela Cormac, qui s'approcha du groupe avec un sourire avenant.

Il avait le charme et la patience pour traiter avec les gens, en plus d'une habileté ésotérique à charmer. Tobias était trop coincé pour paraître autrement que ce qu'il était : un jeune homme qui respectait bien les règles et la bonne conduite.

Tandis que Cormac convainquait le jeune homme de ranger son pistolet, s'attirant simultanément l'attention de la femme, Tobias se concentra pour trouver la source du sort interdit.

La femme cria de nouveau, attrapant la manche de Cormac.

– Là, vous voyez, non ?

– Hé, émit dans un étranglement un des jeunes hommes, renonçant à toute prétention d'héroïsme pour se cacher derrière Cormac.

Tobias suivit la trajectoire de leurs regards fixes en direction d'une forme dissimulée dans la brume étiolée. Et une autre. La malveillance exsudait, étirant des doigts invisibles.

– Le peuple de l'ombre, marmonna-t-il.

Les formes sombres demeuraient à la limite du regard, peu importe la rapidité à laquelle vous tourniez la tête. C'était comme sentir l'haleine chaude d'un chien enragé, les yeux bandés. Ils n'avaient aucune forme au-delà de l'ombre qui s'était détachée du sol et marchaient à ce moment en position debout. Ils ne portaient pas d'arme et n'avaient aucune forme physique, mais leur simple présence causait une montée soudaine d'adrénaline et de terreur à proximité d'eux.

Le pistolet réapparut. D'ici peu, ils auraient une émeute sur les bras.

– Reculez, ordonna Cormac. On dirait une bande de voleurs à la tire, mentit-il.

Toutefois, le mensonge n'éloignerait pas leurs peurs bien longtemps.

Les ombres se firent de plus en plus insistantes et de plus en plus empoisonnées. Tobias leva la main gauche, et son nœud de sorcière brilla d'un feu bleu-blanc qui leur décocha des flèches de lumière. Leurs visages absents s'allongèrent en un cri silencieux.

— Qu'est-ce que cette lumière ? s'enquit un passant.

— Une lampe à gaz brisée, improvisa Cormac, qui jeta des poignées de sel sur le sol entre eux et les ombres.

Les ombres reculèrent légèrement, juste assez pour que les battements de cœur ralentissent et que la terreur redevienne une peur ordinaire des voleurs à la tire.

Les ombres se tournèrent vers Tobias et Cormac, qui s'installèrent en formation défensive habituelle. Cormac avait ses armes de fer et de sel, et Tobias canalisa sa magie personnelle à travers son corps, comme des glaçons dentelés en provenance du bord de la rivière.

Le peuple de l'ombre exsudait une avidité sombre et morbide. Le jeune homme au pistolet s'évanouit. Tobias tira davantage de flèches de lumière magiques, même s'il lui en coûtait beaucoup. Il commençait à éprouver ce qu'il avait senti lorsqu'il avait été alité avec de la fièvre. Les ombres se séparèrent lentement et s'éloignèrent. L'air de la nuit en était toujours contaminé.

Tobias renifla l'odeur de la mélisse officinale brûlée avant même d'avoir le temps de savourer un peu ce moment de triomphe. Il suivit l'odeur dans l'allée, un poignard de fer à la main. Il trouva une pierre noire et lisse dissimulée derrière un tuyau d'écoulement. Elle se trouvait dans un pot en verre avec des opales brisées dans la terre autour.

Le peuple de l'ombre était de retour et profitait de sa distraction.

Le sort les appelait dans le coin, mais ce n'était pas la magie noire qu'il avait sentie plus tôt. Et ce n'était pas non plus une protection brisée ou un sort capricieux.

— C'est une diversion, apprit-il furieusement à Cormac.

Il leva le pot, et les abeilles s'éloignèrent, déroutées. Le peuple de l'ombre vacilla.

— Il se passe quelque chose d'autre. Quelque chose de pire.

Gretchen était en route vers la maison en provenance de Rowanstone lorsqu'elle se mit à entendre des voix hurler et pousser des cris stridents dans sa tête.

Elle frappa sur le toit de la diligence et dégringola presque de celle-ci avant que les chevaux soient complètement immobilisés. Les gens la bousculèrent en passant près d'elle sur le trottoir. Une femme lui dit d'un ton brusque de se pousser du chemin. Elle les ignora, s'efforçant de trouver la cause de cet avertissement cacophonique qui retentissait dans sa tête. Cette fois, c'était différent. Ce n'était pas tellement un chaos de sorts prononcés, mais plutôt une assemblée de sorcières qui scandaient un avertissement. Elle ne pouvait pas discerner ce qu'elles disaient, simplement que cela provenait de l'église St. James de l'autre côté de la rue. Les murs de pierres, patinés par des siècles de vent et de pluie, jetaient leurs ombres sur la rue.

La grille était verrouillée, mais le mur était tristement facile à escalader. La flèche du clocher perçait le ciel, et les fenêtres étaient sombres, des yeux vitreux suivant sa progression dans le cimetière. Si Godric avait été là, elle savait qu'il aurait vu des fantômes flotter par-delà le sentier. Elle tenta de ne pas y penser.

— *Un anneau pour les épousailles, un anneau pour les funérailles.*

— Comme si je savais ce que cela signifie, marmonna Gretchen.

— *Abandonnez vos vêtements de deuil.*

Elle aurait plutôt espéré qu'à un moment ou un autre, ces sorcières mortes gênantes commenceraient à devenir logiques.

Une fumée vert fougère s'éleva entre les pierres tombales. Elle eut un haut-le-cœur, étouffée par l'âcreté de l'odeur. C'était gluant et déplaisant, comme une pellicule d'eau verte sur un étang stagnant. Elle tituba, puisque cette fumée adhérait à elle et se métamorphosait pour l'envelopper comme une brume empoisonnée. Emma se sentit immédiatement mal et étourdie. Elle devait trouver un moyen de la maîtriser, avant que cela se répande, mais elle ne pouvait en trouver l'origine exacte ; elle ne pouvait que percevoir davantage de ce brouillard vert fougère.

— *Sauve-toi.*

Cela n'avait rien d'énigmatique.

Elle s'efforça de discerner la cacophonie grandissante de voix. Elles se faisaient urgentes, craintives et édifiantes, comme si elle ne savait pas déjà que toute magie douteuse qui souillait l'air même n'était pas la bienvenue.

— *Nous sommes encore là.*

— Qui êtes-vous ? demanda-t-elle.

Elle aurait pu jurer qu'une des voix lui était vaguement familière. Elle attrapa une branche d'un if voisin pour se tenir fermement. La douleur faisait danser des points noirs devant ses yeux. L'acidité lui brûlait la gorge. Elle entendit un bruit sourd, et son nez se mit à saigner. La douleur dans sa tête s'intensifia, mais elle refusa d'abandonner.

— Gretchen, arrêtez ! cria Tobias, qui fut soudainement à ses côtés pour la soutenir. Vous devez partir d'ici !

Elle secoua la tête. Elle ne pouvait pas s'arrêter. Elle était trop près du but.

Il ne lui restait qu'à distinguer les dernières voix qui l'agressaient.

– *Un sort de jeteur de sorts, nous sommes encore là.*

– J'y suis presque, dit-elle d'une voix rauque.

– Vous en mourrez, insista-t-il, lui tenant fermement les bras. C'est de la magie de jeteur de sorts.

Il sortit un petit sac de la poche de son manteau, les doigts légèrement tremblants.

– Des feuilles d'angélique, de la molène et du poivre, détailla-t-il, les dents serrées. Brûlez-les.

Gretchen fit une petite pile d'herbes sur le sol et utilisa une allumette que lui donna Tobias pour transporter le feu d'une des torches de l'église. Le mélange se consuma et s'envola en fumée, qui poussa contre le brouillard surnaturel.

Entre-temps, Tobias tremblait et s'était détourné d'elle, les épaules voûtées. Se rappelant sa réaction lorsqu'elle l'avait surpris le jour où ils avaient contraint un kelpie, elle s'approcha prudemment de lui.

– Qu'est-ce qui ne va pas ? demanda-t-elle.

Il ne se retourna pas.

– Prenez ce flacon, recommanda-t-il en le lui tendant.

Sa voix était étouffée et essoufflée.

– C'est de l'eau salée, expliqua-t-il. Versez-en sur vos pieds et sur votre nœud de sorcière.

Elle fit ce qu'il lui demandait, tentant de garder un œil sur le brouillard empoisonné qui s'estompait ainsi que sur Tobias. Elle entendit un craquement alarmant et abandonna le résidu de magie de jeteur de sorts.

Tobias n'était plus tout à fait Tobias.

Ses dents s'étaient allongées, et ses yeux étaient de la couleur du ciel par une belle soirée estivale. Ses iris étaient trop dilatés, et un drôle de son émanait de sa gorge.

Juste avant de tomber au sol, ses mains se métamorphosèrent en pattes velues. Des griffes grattèrent le sol. Cela ne dura qu'un instant fugace. Le temps que Gretchen cligne des yeux en raison de la surprise, il était redevenu Tobias. Les coutures de son manteau étaient décousues, mais rien d'autre ne témoignait de la métamorphose. Elle avait peut-être tout imaginé.

Elle recula d'un pas, pour reprendre son équilibre.

Mais tomba dans un trou.

Non, pas exactement un trou.

Une tombe ouverte.

Tobias se pencha sur le bord.

— Êtes-vous blessée ?

— Non, répondit-elle enfin péniblement.

Elle était tombée sur le dos, et la force de la chute lui avait coupé le souffle. Elle était offensée plus que blessée.

— J'ai simplement le souffle coupé.

De la terre tomba sur elle et glissa sur ses vêtements comme des fourmis. Elle eut mal au coccyx en tentant de s'asseoir. Plus de terre tomba sur elle et lui ensevelit les jambes.

C'est alors qu'elle se rendit compte qu'elle n'avait pas atterri sur un cercueil ou sur un tas d'os. Le cadavre qui était là n'y était plus.

— Merde, dit-elle en tentant de se relever.

Tobias lui tendit la main pour l'aider à sortir de la tombe.

— Ce cadavre a été délibérément exhumé, remarqua-t-il.

— Des pilleurs de tombe? demanda-t-elle avec scepticisme. Dans Piccadilly?

Il ne fit que désigner les clous de fer plantés dans le sol. En plissant les yeux, Gretchen put voir le sel répandu dans le trou. Tous deux étaient des signes évidents de magie.

— *Un anneau pour les funérailles.*

Le sel. Les chuchotements indiquaient le cercle de sel autour de la tombe.

Tobias en fit le tour, l'air encore plus austère qu'à l'habitude. Sa concentration était intense et prédatrice; il traquait clairement quelque chose. Elle regarda de plus près, mais ne vit rien d'autre que la terre creusée et l'éclat de clous.

— Pourquoi quelqu'un ferait une chose pareille? demanda-t-elle.

Elle s'approcha de la pierre tombale qui avait été renversée à proximité. On pouvait y voir gravé un ange qui pleurait.

— Je dois la retourner, dit Tobias, qui s'accroupit pour l'attraper.

Gretchen se précipita à son aide. Il la regarda avec stupéfaction. Elle n'eut pas le souffle pour faire une remarque tranchante; elle était déjà rouge sous l'effort. Tobias s'efforça avec empressement de retourner la tombe. Elle tomba au sol avec un bruit sourd. Gretchen essuya la terre qui couvrait l'écriture. Sa main s'arrêta, et son sang se figea.

— Lilybeth Jones, dit-elle à haute voix.

Tobias se releva en jurant doucement.

— Les protections ne libèrent pas de magie par elles-mêmes. Elles ont pour but de garder l'Ordre occupé, tandis que Sophie emmagasine de la magie.

Il sortit un rouleau de parchemin de sa poche et le déroula.

— D'autres tombes pillées, dit-il.

Gretchen regarda par-dessus son épaule pour voir les noms qui commençaient à brûler sur le papier.

Margaret York.

Alice.

Les noms de sorcières que Sophie avait assassinées pour les sœurs Greymalkin.

— Pas encore, dit tristement Gretchen.

Même après minuit, le marché des gobelins grouillait d'activité. Habituellement, seules les tavernes et les boutiques louches étaient ouvertes après la tombée de la nuit, à moins qu'il ne s'agisse d'un soir de pleine lune ou un jour de seuil, qui étaient des moments de pouvoir, comme les solstices ou le premier jour de mai et minuit. Toutefois, le monde de la sorcellerie était assurément sur les nerfs. Si d'autres protections étaient brisées, Joe-le-borgne pourrait prendre une retraite aisée. Et Londres pourrait venir à manquer de sel.

Moira en versa dans une toute petite bouteille de verre en tentant d'éviter, sans grand succès, d'en répandre sur la table. Elle était meilleure pour sauter d'un toit à l'autre que pour fabriquer des sorts délicats, mais Joe-le-borgne avait besoin d'aide, malgré ses protestations. Elle ne pouvait pas sculpter des camées pour lui, mais elle pouvait assembler les autres charmes qu'il vendait dans sa boutique.

Le marché des amulettes de protection était encore plus florissant depuis la découverte du kelpie dans la Serpentine juste devant la haute société. Ils avaient dû fermer le rideau de brocart sur le côté de la tente où étaient servis les clients réguliers en quête de camées. Les talents d'illusion de Joe-le-borgne étaient assez puissants pour garder la tente entre les deux mondes, mais il y avait tout simplement trop de magie à faire, et il semblait déjà fatigué. De l'autre côté de l'étal, des gobelins, des sorcières trop pauvres pour s'acheter des chaussures, des sorcières aristocrates, des esprits, de vieilles sorcières, des vagabonds et des garçons manqués se mélangeaient les uns aux autres de façon incertaine. Des guirlandes de sorbes étaient suspendues en travers de la porte. Quelqu'un avait ajouté des ciseaux en argent avec du fil de cuivre, et des billes de jais étaient accrochées aux lanternes de grenade. Des nœuds de sorcière protecteurs et d'autres symboles étaient peints sur les murs, tracés à la craie sur les pavés et tissés sur des coussins de rêve qui devaient protéger les compagnons pendant le sommeil. Des billes de mauvais œil vous regardaient de partout.

En fin de compte, toutefois, si vous n'étiez pas plus fort, vous ne pouviez qu'espérer être plus rapide.

Moira avait l'intention d'être plus rapide. Marmelade rôdait d'un air boudeur, confiné dans sa stalle. Il aurait voulu aller courir, mais elle ne pouvait pas prendre le risque. Elle n'était même pas certaine que la tente de Joe-le-borgne était sécuritaire, mais elle ne pouvait plus supporter son compagnon impatient qui grattait sans cesse dans sa poitrine pour se libérer.

Joe-le-borgne était voûté au-dessus d'un camée de coquillage délicat. Il portait sa cravate mauve habituelle et son manteau gris, même s'il faisait une chaleur étouffante dans la tente. Un brasier de charbon et d'encens fumait à ses pieds. Ses doigts noueux travaillaient prudemment à sculpter un relief d'un chevalier portant un bouclier décoré d'un nœud de sorcière. Moira savait qu'il mettrait du sel, des sorbes écrasées, de la poussière de fer et des ailes de mantes religieuses au dos avant de le terminer. C'était à la fois une protection magique et un bel objet, et donc populaire auprès des jeunes filles qui fréquentaient l'école avec Emma et ses cousines. Cedric en avait acheté un pour Penelope, le matin même.

— Tu pues, aujourd'hui, Joe, dit Moira, le nez plissé.

Il sentait généralement le gin et la laitue, une autre illusion pour garder les curieux à distance. C'était particulièrement puissant ce jour-là, malgré l'odeur de l'encens.

— Es-tu fâché contre moi ?

— Jamais contre toi, mon petit furet, s'esclaffa-t-il. Aucun jeteur de sorts ne voudrait avoir de démêlés avec un vieillard qui sent mauvais. C'est la meilleure protection magique possible.

Elle se frotta le nez avec le revers de sa manche.

— Je comprends, grommela-t-elle, avant de retourner à son travail. Qu'est-ce que celui-ci ? demanda-t-elle en ajoutant trois cheveux à un mélange de baies de gui et de poussière de miroir dans le mortier.

— Les métamorphes s'en servent pour se dissimuler. Tu peux en regarder un bien en face sans vraiment voir son visage, lui expliqua Joe-le-borgne.

Ils travaillèrent en silence pendant un long moment, et Moira se dit qu'elle devrait cueillir davantage de gui pour l'armoire. Elle observa la démarche d'Atticus de l'autre côté de la rue, ses cheveux pâles luisant comme des fils d'or. Piper suivait, comme d'habitude. Elle portait une nouvelle robe, avec des rubans roses aux manches.

— Depuis quand ont-ils les moyens d'acheter cela ? demanda Moira.

— Pardon ? voulut comprendre Joe-le-borgne, qui leva la tête.

— Atticus, expliqua Moira. Il trame quelque chose. Même les vagabonds le laissent tranquille.

— Il est comme un enfant, grommela Joe-le-borgne négligemment. Il veut tout ce qui brille et pleure quand c'est cassé.

Elle ricana, entièrement d'accord.

— Mais il dit qu'une barbe grise l'a embauché pour trouver des dents de sorcières mortes.

Joe plissa les yeux d'un air interrogateur. La fumée de l'encens se transforma en hiboux et en furets, tandis qu'il réfléchissait.

— Je n'aime pas ça du tout, se contenta-t-il de dire.

Il fouilla dans un panier sur la table et lança à Moira un gland de mauvais œil.

— Je n'ai pas besoin de plus de charmes, refusa-t-elle. Vends-les à la prochaine sorcière de campagne qui se pointera ici.

— Fais plaisir à un vieillard, insista-t-il.

Elle grimaça, mais noua le gland au bout de sa tresse, avant de la rejeter par-dessus son épaule.

— Voilà, es-tu satisfait ?

— Aïe, toussa-t-il en se levant de sa chaise.

Elle s'empressa de lui saisir le bras. Puisqu'il ne protesta pas, elle s'inquiéta davantage.

— Je crois que je vais dormir sur la couchette ce soir, dit-il en se traînant les pieds vers la couchette étroite derrière un paravent.

Elle l'aida à s'allonger sur le matelas de paille et tira les couvertures sur lui.

— Ne t'inquiète pas, grommela-t-il tout en lui tapotant gentiment la main.

— Je n'ai rien dit.

— Tu penses trop fort, l'avisa-t-il.

Le pont ne semblait pas normal. Le vent était trop froid ; les bruits, trop tranchants. Elle n'avait pas besoin de Cass pour savoir qu'il s'était passé quelque chose. Elle jeta un regard à l'extérieur. Le dragon qu'il avait conjuré pour protéger la tente n'avait pas cette férocité habituelle qui gardait à distance les vagabonds, les voleurs et les barbes grises. Elle ne crut pas que cela garderait à distance quiconque de plus de six ans, ce soir-là. Il était mince et transparent, et avait l'air aussi vieux et fatigué que Joe-le-borgne.

Moira attendit qu'il ronfle avant de s'installer sur une chaise pour monter la garde.

Le fait que Sophie recueillait les ossements des sorcières qu'elle avait assassinées n'augurait rien qui vaille.

Gretchen aurait sans doute dû se concentrer sur cela.

Toutefois, ce n'était pas tous les jours que quelqu'un se métamorphosait à moitié en loup devant elle.

Particulièrement pas quelqu'un qu'elle considérait comme l'homme le plus coincé et le plus correct qu'elle connaisse. Honnêtement, elle se disait qu'il serait plus probable qu'elle se transforme accidentellement en loup bien avant Tobias Lawless, vicomte de Killingsworth, sieur de tout ce qui est convenable. Et pourtant, il paraissait aussi hautain et calme que jamais. Personne ne soupçonnerait que des crocs lui avaient poussé. Et un pelage.

Il ne lâcha pas son bras jusqu'à ce qu'il ait hélé un fiacre et qu'elle soit montée à bord. Il donna au conducteur l'adresse et s'installa à l'intérieur devant elle. Elle se frotta les bras, frissonnant depuis que l'adrénaline et la bravoure s'étaient dissipées.

— Vous ne me conduisez pas à l'Ordre ?

— Non.

Elle s'humecta les lèvres.

— Je vous en suis reconnaissante, mais pourquoi ?

— Avez-vous fait cela ?

— Bien sûr que non.

— Savez-vous où est Sophie ?

— Non.

— Alors, pourquoi diviser le peu de ressources qu'il nous reste à vous interroger plutôt que de pourchasser une jeteuse de sorts ?

— Oh.

C'était logique. Cependant, elle s'attendait tout de même à ce qu'il respecte la loi à la lettre lorsqu'il était question de ses devoirs. La diligence se mit en route, et elle grimaça à cause des meurtrissures qui se formaient sur ses fesses.

— Vous êtes blessée, dit-il d'un ton sec.

— Juste quelques meurtrissures à cause de la chute, précisa-t-elle.

— Vous avez été chanceuse de ne pas vous ouvrir le crâne.

— Vous êtes un loup, dit-elle carrément.

Il resta immobile de façon inquiétante, à l'exception de son regard, qui se tourna brusquement vers son visage, son regard bleu aussi sauvage que le reste de sa personne était civilisé.

— Oui, avoua-t-il simplement.

Elle le dévisagea.

— Un *loup*, répéta-t-elle. Je ne savais même pas que c'était possible.

— Cet univers est encore nouveau pour vous, souligna-t-il. Et nous préservons notre intimité, dit-il en se penchant vers l'avant. Sérieusement.

Son expression était trop changeante pour obtenir une lecture claire.

— L'Ordre est au courant, je présume.

Toutefois, à bien y penser, elle n'avait jamais entendu de rumeur de loup, et les jeunes filles de Rowanstone se pâmaient d'admiration pour lui.

— Le premier légat est au courant, répondit-il. Et Cormac, mais personne d'autre.

— Personne d'autre ? Pourquoi pas ? Et comment est-ce possible ? demanda-t-elle en hochant la tête.

— Parce que c'est ainsi, coupa-t-il.

Elle le regarda attentivement, en quête de signes de sa véritable identité. Il n'était pas qu'un gardien, un traqueur ou même un aristocrate. Il était autre chose, sous toutes ces règles, mais elle ignorait qui il était vraiment. Le masque de gentleman correct était fermement, et de façon exaspérante, bien en place.

— Pouvez-vous le faire de nouveau ? demanda-t-elle. Vous transformer en loup ?

— Non, répondit-il simplement.

Tobias pensait à Gretchen lorsqu'il avait presque foncé vers sa propre destruction.

C'était sa propre faute. Il savait qu'il valait mieux ne pas se promener dans Londres avec cette odeur de loup.

Il n'avait pas perdu la maîtrise ainsi depuis ses treize ans. Un instant d'inattention, et il était à la merci d'une autre sorcière. Elle pourrait le raconter à n'importe qui, malgré sa promesse de ne pas le faire. La parole d'une débutante imprudente qui se retrouvait toujours au mauvais endroit au mauvais moment était au mieux une bien faible garantie.

Elle avait une odeur de neige et de pin, comme la maison. Comme un loup. Il n'arrivait tout simplement pas à la déchiffrer. Il maîtrisait son loup intérieur avec le genre de précision violente habituellement réservée aux rencontres avec Napoléon lui-même.

Mais elle n'était pas la seule entité envers laquelle son loup réagissait.

Londres était peuplé de prédateurs pour ceux qui ne se méfiaient pas : des voleurs à la tire, le choléra, des fuites de lampes à gaz, la Tamise au mois d'août. Toutefois, les métamorphes, particulièrement les loups, avaient de véritables prédateurs.

Les chasseurs de loups.

Il ignorait ce qui l'avait alerté cette fois-ci, il savait seulement que cela faisait dresser ses poils sur sa nuque. Il continua de marcher, s'efforçant d'éviter que son loup presse trop fort sur les protections qui le gardaient à l'intérieur de lui. Il pouvait sentir la pluie dans les caniveaux, un pâté de poisson sur le bord d'une fenêtre et l'odeur d'une tache de bière noire séchée sur une manche de manteau. Il n'entendit aucun pas, simplement un faible bruit de dents sur une chaîne.

Puis, sortant de l'ombre, un homme passa près de lui, vêtu de hauts-de-chausses robustes et d'un manteau de cuir au revers souillé. Tobias huma le fer, le sang et l'encens.

Il était idiot d'avoir baissé la garde, ne serait-ce qu'un instant. Les chasseurs de loups étaient toujours à l'affût. Ils n'étaient jamais rassasiés et considéraient leur travail comme sacré, et non sauvage. Sa propre mère portait les marques de leur travail : une cicatrice du cou à la clavicule et une blessure à la lèvre supérieure lorsque l'un d'eux avait tenté de lui arracher une canine pour fabriquer un talisman. Un grognement retentit dans sa poitrine à l'idée.

— Pardon, dit-il plutôt, d'un ton cultivé et hautain.

Ce ton ne risquait pas d'être associé à celui d'un loup.

Tobias fit appel à sa maîtrise légendaire pour garder une allure régulière, tranquille, et pour respirer calmement. Avec un peu de chance, le chasseur poursuivrait sa route, ne voyant qu'un aristocrate coiffé d'un chapeau coûteux. Il était conscient de toute goutte de pluie, du craquement de toutes les roues de charrette, de tous les grattements des chats dans les allées. L'adrénaline lui picotait la peau et cherchait à sourdre, alors qu'il s'efforçait de maîtriser la réaction magique qui se créait dans son sang et dans ses os.

L'illusion d'invisibilité, jetée par le brouillard et l'ombre, disparut.

Le chasseur de loups ne prononça pas une parole, ne fit aucune pause, mais Tobias savait qu'il était pris en chasse.

Ils se mirent à courir simultanément. Tobias pourrait le distancier, s'il se métamorphosait, et ils le savaient tous les deux. Les chasseurs de loups misaient sur la peur de leur proie. La magie d'un métamorphe résidait dans sa fourrure, ses os et ses dents. C'était ce que désirait tous les chasseurs de loups, qui posaient des pièges rusés et violents pour parvenir à leurs fins.

Comme ils semblaient s'être croisés par hasard, le chasseur était probablement seul. C'était un petit avantage. Tous les sorts du chasseur de loups étaient sûrement prêts à l'utilisation, comme le dictait leur mode de vie. Durant la chasse, leur instinct animal semblait plus fort que celui du loup. Ils se donnaient tout entier à leur tâche, comme un amant.

Tobias courut plus vite. Au moins, son visage était partiellement dissimulé par le bord de son chapeau. Le chasseur de loups le traquait instinctivement, pas par nom ou par réputation. Il se faufila dans les rues, jusqu'à ce qu'elles soient bondées de femmes rassemblées sous des réverbères pour terminer leurs ouvrages de couture. Les chandelles étaient précieuses dans ce quartier de Londres. Des enfants couraient dans tous les sens, occupés à jouer. Des hommes, debout dans les embrasures de porte, discutaient. C'était la meilleure protection qu'il trouverait ce soir-là.

Il jeta un regard par-dessus son épaule et aperçut son poursuivant. La dent de loup qu'il utilisait comme bouton sur son manteau luisait. À la campagne, les chasseurs portaient des bandes de fourrure. Tobias sentit ses propres dents s'allonger pour devenir des crocs. Son loup était à la fois débordant de joie et désespéré. Tobias referma fermement ses mâchoires qui le trahissaient, la tête penchée pour dissimuler une nouvelle perte de maîtrise temporaire.

Il tenta de comprendre où il était exactement. Près de la rue Fleet, peut-être. Il y avait un lieu sûr à proximité. Avec ses frères et sœurs, il avait mémorisé tous les repaires de métamorphes de Londres, dès qu'ils avaient été assez âgés pour échapper à l'attention de leur nourrice. Il y en avait trois entre les quartiers de Seven Dials et de Westminster. Il devait être près.

Mais pas tout à fait assez près.

Le premier charme du chasseur le trouva, perçant un trou dans la brume. Il empestait le poivre et l'eau d'un étang, ce qui désorienta son sens de l'odorat. Le deuxième craqua comme du verre, le bruit déstabilisant son ouïe fine.

Toutefois, le chasseur de loups n'avait pas l'habitude de poursuivre quelqu'un comme Tobias. Sa magie limitée faisait plus de ravage que n'importe quel sort de chasseur. La douleur n'avait aucune emprise sur lui.

Le poignard vint ensuite, mince et étonnamment pointu. Il transperça son manteau, déchira la chemise mince et atteignit la peau en dessous. La coupure était superficielle, un simple désagrément.

Toutefois, l'aconit tue-loup qui coulait dans ses veines était autre chose.

Tous les loups connaissaient bien cette plante. Ses fleurs mauves étaient tardives en saison et étaient transformées en teintures et en poudres pour torturer les loups.

Des teintures efficaces.

Il ralentissait déjà. Le chasseur de loups le rattraperait à tout instant. Il tituba, ses bras pleins de feu, de vinaigre et de rouille. La sueur lui colla immédiatement aux cheveux. La douleur coula dans son bras jusqu'à sa main, qui se referma en une patte. Avec la sueur, la fourrure se développa. Ses ongles devinrent des griffes noires. Il s'étouffa en goûtant le sel et les fleurs d'aconit.

Il était trop lent. Trop fatigué d'avoir combattu le peuple de l'ombre et Gretchen.

Une chaîne de fer trempée dans l'eau d'aconit le frappa au visage, s'enroulant autour de son cou. Le chasseur de loups tira sauvagement, pour l'étaler sur le trottoir. Sa joue était déjà déchirée par la chaîne. Le poison le rendait maladroit et étourdi. La chaîne se resserra davantage, l'étouffant. Il la griffa désespérément, se débattant dans tous les sens. Des pièces de monnaie et des clous de fer tombèrent de ses poches.

Il s'arrêta, cligna des yeux rapidement pour faire le point. Il fouilla dans ses poches, en sortit d'autres pièces de monnaie et retira ses boutons de manchette en or. Ils étaient étonnamment brillants. Son épingle à cravate couverte de saphirs était facile à enlever, même avec les doigts gelés de ses mains encore humaines.

— L'aumône ! cria-t-il en les lançant dans les airs.

Les flammes de la lampe à gaz firent scintiller l'or et les bijoux. Des gens s'approchèrent, les enfants couinant et les adultes souriant en silence, dans l'espoir que les autres ne remarqueraient rien. Ceux qui étaient trop méfiants pour se laisser prendre à sa ruse ne se mirent pas en travers de son chemin.

Il ne gagnerait pas beaucoup de temps, mais cela devrait suffire. L'aconit envoya des décharges d'acide dans sa poitrine, lui coupant le souffle. Il repoussa la chaîne.

Il ne mourrait pas. Pas ainsi. Sa famille avait besoin de lui. Sans la protection d'un vicomte et d'un gardien, ils seraient vulnérables. Sa mère menait peut-être la meute des Lawless, mais les règles de la société étaient différentes.

Le chasseur de loups n'aurait pas sa peau.

Pas plus que son aconit.

Il trébucha, puis s'arrêta brusquement de l'autre côté de la rue d'un asile de pauvres à la façade triste. Ils étaient érigés pour éviter que les gens traînent dans les rues, mais leur succès était lamentable. Les gens évitaient tout contact avec ses endroits, conscients que ce n'était que de tristes boîtes où les pauvres étaient forcés de travailler avec peu d'espoir de s'en sortir.

Cet endroit était différent, et pas seulement parce qu'il était dissimulé à la vue de ceux qui n'avaient pas un regard animal. Même les sorcières passeraient à côté sans le voir. Le seul indice de la présence du repaire Sabot et corne étaient les marques de griffe dans une brique du coin. Tobias tomba, plus qu'il ne marcha, à l'intérieur. La porte de cèdre était si lourde qu'elle aurait tout aussi bien pu être encore un arbre enraciné dans le sol.

Il réussit à se rendre jusqu'au comptoir, où il s'affaissa à demi. La porte se referma lourdement derrière lui, et le courant d'air créé fit valser la flamme des chandelles. Il y eut des traces de lumière mauve, et Tobias sut que l'aconit s'était bel et bien infiltré en lui, à ce moment.

– S'il vous plaît, croassa-t-il à la femme derrière le comptoir.

Elle portait une tresse enroulée autour de la tête et avait un regard qui n'entendait pas à plaisanter, mais qui était réconfortant. Réconfortant ou non, il ne lui restait pas d'argent. Il l'avait tout lancé dans la rue.

– Lawless…

– Oh, je sais qui tu es, chéri, dit-elle. Jonquille ! cria-t-elle par-dessus son épaule.

Une femme émergea de derrière un paravent en bois taillé dans le coin près du comptoir. Elle portait un épais tablier de lin et de cuir sur une robe brun foncé. Elle avait des dizaines d'amulettes et de charmes autour du cou, et des petits sacs accrochés à la large ceinture de cuir qu'elle portait autour de la taille. Une broche d'un poignard croisé avec une aiguille indiquait qu'elle était une guérisseuse magique. La dent de loup trempée dans l'argent et enroulée dans un cercle de dents de lapin signifiait qu'elle se spécialisait dans la guérison des métamorphes. Elle fronça les sourcils en sa direction, le nez plissé.

— Un empoisonnement à l'aconit, déclara-t-elle avec un soupir. Tes pupilles sont aussi grandes que des étangs.

— Pardonnez-moi, dit-il, ignorant pourquoi il s'excusait.

— Bois, barbe grise.

Trois bouteilles de teinture flottaient devant lui. Après l'avoir observé attraper l'air, la guérisseuse lui mit les bouteilles dans les mains. Elle les guida vers ses lèvres. La première gorgée fut granuleuse et salée. Le reste était aussi mauvais au goût que prévu : une mixture de sel, de menthe poivrée, de clous de girofle et de feuilles de mauve trempées dans de l'eau d'un puits de guérison gallois.

— Merci, dit-il à Jonquille. Merci beaucoup !

Elle s'ébroua, le repoussant lorsqu'il tenta de se relever.

— Tu es loin d'être guéri, mon cher.

Lorsque ses pupilles se rétractèrent suffisamment pour que sa vision soit moins trouble, il fut en mesure de jeter un œil autour de lui. Ce qui n'était que des ombres floues et des lumières trop éclatantes devinrent des métamorphes méfiants et la lumière du feu.

Dans les repaires régnait au mieux une ambiance de méfiance paisible, attribuable davantage à un ennemi commun qu'à toute affinité. Nulle part ailleurs, un lapin, un loup, un chat et tous les autres métamorphes n'auraient pu prendre un verre ensemble. Le repaire lui-même était aussi chaleureux et accueillant que possible. Il y flottait une odeur de fumée, de musc et de fourrure, avec une bonne dose d'eau de rose pour couvrir les relents plus animaux. Des signes cabalistiques étaient peints sur les murs avec une pâte d'ocre rouge, de suie et d'herbes. Des sorbes accrochées sur du fil blanc étaient suspendues aux lustres de fer et pendaient comme des guirlandes de Noël aux bords des fenêtres. Le sol était couvert de sel, de pépins de pomme et de lavande.

Au-dessus du foyer principal était accrochée une protection fabriquée de dents de toutes les sortes de métamorphes : des loups, des sangliers, des lapins, des renards, même des souris et des campagnols. Les chasseurs de loups et autres chasseurs magiques s'appropriaient des dents pour leurs propriétés magiques, mais celles-ci avaient été offertes gratuitement, ce qui triplait leur puissance.

Trois hommes se dirigèrent vers lui. L'un d'eux portait un collier de dents humaines dans une sinistre imitation des trophées de dents de loup que portaient les chasseurs. Il s'agissait de chasseurs endurcis, du genre qu'admiraient Ky et ses amis.

— Qui t'a empoisonné, camarade ? demanda-t-il.

— Je ne lui ai pas demandé son nom, répondit Tobias d'une voix rauque en raison de la chaîne qui lui avait serré la gorge.

Il s'ébroua.

— Je n'ai pas besoin de son nom pour le tuer, mon cher.

Tobias tenta de nouveau de se lever, même alors que Jonquille était aux petits soins avec lui.

— Laissez faire, dit-il. Il est loin, maintenant.

Leurs rires tinrent davantage du jappement. Deux métamorphes lapins dans un coin enfoncèrent nerveusement leur tête dans leur capuchon. Tobias repoussa avec détermination son propre loup, flairant un duel. Jonquille glissa son bras autour de ses épaules douloureuses pour le stabiliser.

— Doucement, murmura-t-elle.

Il respira par le nez, pour se concentrer sur l'intensité du sel, le résidu de tant de magie protectrice à l'intérieur du repaire.

— Tu n'es pas en position de les arrêter, affirma-t-elle alors que les hommes sortaient du repaire avec fracas. Même s'ils n'étaient pas des carnyx.

— S'ils le trouvent, ils le tueront, protesta-t-il.

Il était encore faible en raison du poison, mais il avait l'impression que c'était important.

— Probablement, acquiesça Jonquille, qui ne semblait pas particulièrement outrée.

— C'est un humain.

— Et donc cela ne me regarde pas, dit-elle avec un haussement d'épaules pragmatique. Je n'y connais rien en médecine humaine, ajouta-t-elle en glissant un coussin sous lui alors qu'il titubait de nouveau. Mais je sais que si tu pars maintenant, tu te feras tuer et tu gaspilleras un bon remède contre l'aconit.

Tobias voulut protester, mais la potion de guérison avait été mélangée à de la belladone et de la valériane. Il s'endormit en s'étalant d'une manière loin d'être digne.

## CHAPITRE 12

Lorsque Gretchen arriva à l'académie, elle trouva Emma à une petite table dans la salle à manger avec Catriona, la jeune Écossaise que tout le monde craignait trop pour se lier d'amitié avec elle. Son habitude de prédire la mort d'une personne était inquiétante. Tant que Catriona ne mangeait pas toutes les tartelettes aux fraises, Gretchen ne s'en préoccupait pas beaucoup.

Elle s'installa sur une chaise, réquisitionna deux tartelettes et un petit pain, puis se servit une tasse de thé très fort. Ses yeux étaient fatigués et douloureux en raison du manque de sommeil. Par contre, elle était fatiguée, mais non aveugle. Les autres s'étaient toutes arrêtées pour la dévisager, tasses de thé et cuillerées d'œufs suspendues dans les airs. Gretchen tartina du beurre sur son pain.

— J'imagine que tout le monde le sait, hum ?

— En doutais-tu ? l'interrogea Emma, qui grimaça. Lynn a fait un signe de croix quand je l'ai croisée, et elle n'est même pas catholique.

— As-tu gardé un peu de terre du cimetière ? demanda Catriona.

Gretchen cligna des yeux à ce changement de sujet.

— Hum, non. Aurais-je dû ?

— Dommage, c'est assez puissant.

Son expression était d'une dureté déconcertante pour une jeune fille qui avait l'habitude de se promener avec un sourire égaré. Comme elle ne développait pas son idée, Gretchen se concentra de nouveau sur son repas.

— Le père de Daphne était ici un peu plus tôt pour parler à Mme Sparrow, lui apprit Emma. Et les parents de trois jeunes filles sont déjà venus les chercher pour les amener à la campagne.

— Est-ce plus sécuritaire là-bas ? se demanda Gretchen.

— Il y a plus de gens à tuer à Londres, expliqua calmement Catriona. Et les sorcières sont plus faciles à trouver ici.

— Génial, ironisa Gretchen. Tu es enjouée, n'est-ce pas ?

Elle sourit pour que ses paroles soient moins tranchantes. Catriona ne gloussait pas et ne faisait pas de commérages, alors Gretchen l'aimait bien, malgré ses déclarations morbides.

Il y eut un arrêt dans les bavardages de la salle à manger, avant que le tout reprenne de plus belle.

— Et quoi encore ? s'étonna Gretchen. Franchement, on dirait une pièce remplie de moineaux.

Daphne s'arrêta dans l'embrasure de la porte. Elle portait sa robe habituelle, garnie de rubans et de volants, et ses cheveux ressemblaient encore plus à de la barbe à papa qu'à l'habitude. Son expression, toutefois, tenait davantage des épées et des sabres que des sucreries. Les autres élèves se turent de nouveau, sauf une d'entre elles qui éclata en sanglots hystériques.

Daphne redressa les épaules et traversa la pièce comme un bateau qui se rend à la guerre. La jeune fille sanglota davantage et eut le hoquet.

— Pauvre Lilybeth.

Gretchen eut alors envie de lui lancer le reste de son petit pain. Daphne déglutit, scrutant les visages qui la dévisageaient. Elle se glissa finalement sur la chaise vide à côté de Gretchen, alors que les autres recommencaient à chuchoter, leur bouche cachée derrière leurs mains et les yeux tout ronds.

— Daphne ? lui demanda doucement Gretchen, également étonnée.

— Oui.

— Tu ne nous aimes *pas*, tu te souviens ?

— Au moins, vous ne me traitez pas comme une poupée de porcelaine, renifla Daphne.

Ses yeux étaient rougis, mais elle gardait la tête haute. Emma versa du thé dans une tasse qu'elle glissa vers Daphne.

— Pas de problème, ajouta Gretchen. Toutefois, si tu manges la dernière tartelette aux fraises, je te planterai ma fourchette dans la main, peu importe que tu sois triste ou non.

Daphne esquissa un faible sourire.

— Et ne t'inquiète pas, lui dit Catriona. On ne meurt pas de pitié.

— Je ne peux t'exprimer combien cela me réconforte.

Puisque Mme Sparrow avait décidé d'annuler les cours cette journée-là afin de s'adapter au défilé de parents en détresse,

Gretchen prit son grimoire et se dirigea vers l'échoppe d'apothicaire, en quête d'ingrédients pour fabriquer des amulettes de protection. Elle portait sa tête de flèche, mais elle avait enlevé la pierre de sorcière pour la donner à Penelope, et la sorbe, à Emma.

Elle sortit dans ce matin lumineux et chaud, complètement en désaccord avec la peur qui se cachait dans tous les coins. Elle la vit aux gargouilles qui montraient les dents chaque fois qu'une ombre passait, aux cordes de clochettes d'argent accrochées aux grilles de fer et aux branches de sorbier attachées aux poignées de porte avec un ruban rouge.

Elle ne s'était pas souciée de se faire accompagner d'une domestique ou d'un valet. C'était inutile, puisque Tobias devait déjà la suivre, de toute façon. De plus, elle trouvait libérateur de marcher seule, malgré l'état actuel des choses dans l'univers magique de Londres. Elle ne pouvait croire que Sophie oserait se trouver dans une rue si passante, pas tant que les gardiens de l'Ordre étaient à ses trousses. Elle s'était démasquée en volant les restes de Lilybeth. L'Ordre avait été incapable de garder sa disparition secrète, malgré leurs efforts pour apaiser la société des sorcières. Avec les rayons du soleil qui filtraient entre les colonnes et les vitrines fraîchement lavées des magasins, il était facile de s'imaginer qu'il était complètement impossible pour quelqu'un de voler les ossements d'une jeune fille morte, de toute façon.

La boutique était bondée de clients, coude contre coude, près du comptoir. Deux commis se pressaient dans tous les sens, soupesaient des herbes et mesuraient des toniques. Les tablettes de l'apothicaire étaient remplies de bouteilles en verre de toniques, d'eaux florales, de boutons de roses et d'un chat. Elle inhala les odeurs réconfortantes de la lavande, de la menthe et de quelque chose de plus médicinal.

Elle se tourna de côté, tandis qu'une commis s'approchait d'elle, son chignon à moitié défait.

— Il ne nous reste plus de sel ni de sorbes, l'informa-t-elle, avant même que Gretchen dise quoi que ce soit.

— Vite, j'aimerais rentrer à la maison, interrompit un client qui jetait des regards furtifs à gauche et à droite.

Lui et presque tout le monde dans la boutique songeaient à des sorts de protection, certains plus efficaces que d'autres. Gretchen entendait le chuchotement grandissant.

— Cette jeune fille était là avant vous, monsieur, s'excusa la commis.

Gretchen lui tendit sa liste, que la commis scruta rapidement.

— Je peux vous aider avec tout, sauf le millepertuis. Il ne peut être cueilli que la veille du solstice d'été, si on l'utilise pour un sort.

Elle leva le couvercle d'un énorme pot de verre empli de feuilles séchées et se servit d'une cuillère de bois décorative pour en mettre un peu dans un sac en tissu.

— Les cuillères en métal contiennent parfois du fer, expliqua-t-elle à Gretchen, qui examinait la cuillère gravée de petites fleurs de lotus. Ou de l'argent. Et les deux peuvent modifier les propriétés magiques d'une plante.

La voix égale de la commis apaisa les chuchotements dans l'esprit de Gretchen. Elle inspira profondément.

« Chut, songea-t-elle. Il ne s'agit pas de mes sorts, et vous me rendez folle. »

Étonnamment, le volume des chuchotements diminua.

— Vous, là, dit une femme vêtue d'une pelisse en velours vert, qui claqua des doigts d'une façon impérative.

Gretchen reconnut une comtesse, mais ne put se rappeler son nom. Sa mère avait mémorisé le *Debrett* tout entier et connaissait tout le monde en Angleterre. Elle avait demandé à Gretchen de le lui réciter chaque soir avant le repas, l'été de ses douze ans. Gretchen l'avait toutefois oublié le plus rapidement possible.

— Je suis certaine que vous alliez ajouter « s'il vous plaît », fit remarquer Gretchen à voix haute. Vous qui êtes une dame d'une telle élégance.

La comtesse inspira si profondément qu'elle sembla avoir le nez pincé.

— Je vous *demande* pardon.

— Est-ce Gretchen Thorn ? murmura quelqu'un d'une voix marquée. Elle a trouvé une des tombes vides !

Le bavardage qui en résulta fit soupirer Gretchen. Elle s'appuya sur le comptoir, le menton sur la main.

— Génial, c'est comme à l'académie.

— Je mérite certainement davantage votre attention qu'une Lovegrove, insista la comtesse d'un ton hautain. J'ai besoin d'un pot entier de sorbes et plusieurs herbes que vous n'avez plus en stock. C'est tout simplement inacceptable.

— Je suis certaine que nous pourrons trouver quelque chose de tout aussi efficace, lui assura la commis. Si vous voulez bien m'attendre un instant, madame.

Elle était rapide et efficace, et faisait glisser les paquets enveloppés sur le comptoir. Gretchen lui tendit une pièce de monnaie.

— Devrions-nous vous faire livrer ces colis, madame ?

Gretchen hocha la tête.

— En fait, si vous voulez bien les donner au jeune homme au regard désapprobateur qui attend juste dehors, il les portera pour moi.

Si Tobias devait continuer de la suivre plutôt que de marcher à ses côtés, particulièrement après les derniers événements, elle avait l'intention qu'il se rende utile.

La comtesse se lança immédiatement dans une tirade condescendante, étant donné que la commis ne lui offrait pas l'aide qui faisait exactement son affaire.

— Je suis certaine que mon grimoire parle d'hysope. Et il appartient à ma famille depuis la chute d'Hastings, mademoiselle. Je lui accorde toute ma confiance, contrairement à une jeune commis.

— Votre grimoire fait erreur, rétorqua Gretchen, qui se pinça le pont du nez pour tenter de faire taire le chœur soudain de dizaines de voix de sorcières hystériques dans sa tête. L'hysope ne fonctionnera pas, déclara-t-elle à la comtesse, vous devriez lui faire confiance.

Elle ferma la porte fermement derrière elle, heureuse d'être de nouveau dans la rue. Elle s'empressa de traverser le pont, pour éviter les regards curieux de ceux qui la reconnaissaient comme la jeune fille qui avait chuté dans une tombe et qui la montraient du doigt. Les autres rues de Londres étaient tout aussi bondées de gens et de vendeurs qui proposaient à peu près n'importe quoi, des muffins beurrés et des pommes de terre aux petits bouquets de violettes printanières. Elle ne pouvait retrouver Tobias dans cette mer de chapeaux, pas plus que Sophie ou toute autre chose indésirable.

En vérité, elle était un peu déçue, pas en raison de Sophie, évidemment, mais bien parce qu'elle avait une centaine de questions à poser à Tobias. Comment quelqu'un pouvait-il se métamorphoser en loup ? Était-ce douloureux ? Savait-il toujours qui il était ? Était-ce extraordinaire de courir aussi rapidement que pouvaient vous porter quatre pattes ?

Elle jeta un regard furtif dans les vitrines des boutiques au passage et remarqua un imposant porte-parapluie en forme d'éléphant. Si elle achetait quelque chose d'embarrassant et de lourd pour qu'il le porte, serait-il tenté de lui adresser la parole ?

À bien y penser, pourquoi attendre ?

Déterminée, elle se retourna brusquement, dans l'espoir de le surprendre. Elle réussit à heurter un valet les mains pleines de colis et une vieille dame qui la frappa sauvagement du bout de son parapluie. Elle ne vit Tobias nulle part. Il devait déjà être tapi dans l'ombre.

— Bon, nous verrons bien, n'est-ce pas ? grommela-t-elle pour elle-même.

Elle remonta la rue, jetant un regard dans toutes les ruelles et tous les magasins, même chez le marchand de tabac, qui ne fut pas heureux de voir une femme dans l'embrasure de sa porte.

Toujours pas de Tobias ni d'autres gardiens.

Tout à coup préoccupée, elle accéléra le pas. Elle connaissait déjà assez bien Tobias pour savoir que si personne ne la suivait, il était au rendez-vous. Et s'il était en devoir et qu'elle ne pouvait pas le trouver, alors il y avait quelque chose qui allait vraiment de travers.

La diligence qui attendait tranquillement sur le bord du trottoir n'aurait pas dû attirer son attention.

Cependant, Tobias était appuyé à la fenêtre et plissait les yeux en raison du rayon de soleil qui filtrait au bord du rideau, qu'il referma brusquement. Elle ouvrit la portière et grimpa à bord de la diligence avant que le conducteur puisse l'en empêcher.

— Tobias Lawless, vous m'avez fait terriblement peur, vous…

Elle s'arrêta, choquée. Il n'était pas rasé de près, et sa cravate dépassait de sa poche. Sa gorge était exposée, de même que la peau lisse sous ses clavicules.

— Êtes-vous *ivre* ?

— Pas en ce moment, Gretchen, répondit-il en se frottant le visage.

Elle renifla l'air avec précaution, mais ne sentit pas l'odeur piquante du whisky ou du gin. Elle connaissait bien l'odeur de Godric, qui rentrait de ses soirées dans les salles de jeux et les clubs, et Tobias n'avait pas du tout cette odeur. Il sentait la fleur et la pluie. Ses cheveux étaient ébouriffés, sa chemise de lin était froissée et n'était pas rentrée dans ses hauts-de-chausses. Horrifiée, elle s'adossa brusquement. Le rouge lui monta aux joues.

— Étiez-vous avec une *fille* ?

Toutefois, cela ne la regardait évidemment pas. Et cela ne devait pas lui importer du tout, non plus. En fait, cela ne la *dérangeait pas*. Elle était simplement curieuse. Elle aurait été curieuse de trouver n'importe qui dans cet état, particulièrement si l'on considérait son élégance habituelle. Son cœur traître s'emballa, la traitant de menteuse. Elle n'avait pas besoin des sourires narquois des sorcières mortes dans sa tête pour le savoir.

— Allez-vous-en, Gretchen, ordonna-t-il violemment, les dents serrées.

Elle haussa un sourcil.

— Je croyais que vous aviez de bonnes manières, Lawless.

Il haussa les épaules, un étrange grognement grondant dans sa poitrine. Il y eut un bruit de tissu déchiré, et elle vit la couture de sa chemise éclater. Ses dents blanches et effilées apparurent.

— Je suis sérieux, partez, aboya-t-il, se tenant à la fenêtre d'une main, une botte sur le siège à côté d'elle. *Sortez !*

Trop tard.

Tout à coup, elle se retrouva prisonnière d'une petite diligence luxueuse avec un loup au regard bleu brûlant.

Dans des circonstances normales, si cela existait toujours, Gretchen aurait été trop heureuse de voir Tobias se transformer en loup. Il était superbe ; son pelage était pâle, et ses yeux, trop bleus pour être naturels. Ses jambes étaient étonnamment longues ; son pelage caressait ses jupes, alors qu'il tentait de garder ses distances. Il était si imposant qu'il prenait toute la place. Ses pattes étaient aussi larges que les mains de Gretchen.

La métamorphose était survenue si rapidement qu'elle avait à peine eu le temps de s'en rendre compte. Il luisait comme des éclairs de chaleur. La violence de la situation flottait dans le petit espace qui les séparait. Elle pouvait entendre le cocher s'efforcer de maîtriser les chevaux, qui sentaient de toute évidence la présence d'un prédateur. La diligence oscilla dans tous les sens, au risque de se renverser. Gretchen posa la main sur un des côtés. Les lèvres de Tobias ouvertes sur ses longues dents la firent grimacer. Elle n'eut pas besoin d'imagination pour se les représenter broyant des os de cerfs et de lapins.

Ses os *à elle*, si elle n'était pas prudente.

Elle songea à sauter dehors par la portière, mais cela ne ferait que libérer un loup dans les rues de Londres. Et elle avait promis à Tobias de préserver son secret.

Cependant, elle se glissa vers la porte sans s'en rendre compte, et il aboya une fois, brusquement. Ce fut si fort et si inattendu qu'elle eut l'impression d'avoir été giflée. Elle se figea, évitant de le regarder directement. N'avait-elle pas déjà lu quelque part qu'un chien risquait d'attaquer, si on le dévisageait ? Elle ignorait si les chiens et les loups réagissaient de la même façon, mais elle n'avait pas vraiment envie de le découvrir.

Dans son regard bleu, il restait quelque chose de Tobias, l'homme, malgré son pelage. Le cœur de Gretchen battait un peu moins la chamade, sans toutefois ralentir. Il bougea nerveusement, inconfortablement. La diligence étroite sentait la forêt, la neige, les pins et le danger.

Mais elle n'avait plus peur.

Particulièrement lorsqu'il gémit. Déglutissant, elle tendit la main, bougea le plus lentement possible. De grâce, Dieu, faites qu'elle ne perde pas ses doigts. Il gémit de nouveau en se déplaçant.

– Ne soyez pas en colère comme Tobias, murmura-t-elle. Gentil loup.

Il haletait, ses pattes avant piétinant le sol, alors qu'il tentait de se retenir. La diligence hoqueta violemment, s'arrêta et repartit. Ses vêtements en loques tombèrent sur les bottes de Gretchen. Les chevaux hennirent et s'ébrouèrent.

— Oubliez-les, dit-elle doucement, retirant un de ses gants. Ils craignent que vous veuillez les manger. En fait, je ne devrais peut-être pas vous donner des idées.

Elle tendit les doigts pour le toucher; son pelage semblait assez épais pour y glisser la main. Son museau noir se dilata.

— Mais je sais que vous êtes un gentil loup, poursuivit-elle pour le calmer.

Gretchen plongea ses doigts dans son pelage et caressa la peau chaude et musculaire qui s'y dissimulait. Il était aussi doux et chaud qu'elle se l'était imaginé. L'haleine de Tobias était chaude sur son bras. Il la poussa du bout de son museau humide. La diligence hoqueta de nouveau. L'estomac de Gretchen se noua de façon inquiétante.

— Je crois que je vous préfère en loup, murmura-t-elle, mais malheureusement, j'ai vraiment besoin que vous redeveniez Tobias.

Ses doigts caressaient un pelage doux et épais. Elle se figea et retira sa main, quand elle se rendit compte qu'elle touchait à de la peau chaude.

Le loup était redevenu Tobias.

Et il était nu.

Ils se dévisagèrent.

Elle était dans une diligence avec un homme nu.

Et pas n'importe quel homme, l'homme le plus convenable de tout Mayfair.

Elle eut un fou rire. Elle mit sa main sur sa bouche pour l'étouffer.

— Sapristi, dit Tobias, d'une voix rauque comme s'il avait été un loup pendant des semaines plutôt que quelques instants.

Il attrapa des pans déchirés de ses vêtements. Gretchen gloussa de nouveau.

— Ce n'est pas amusant, dit-il sévèrement.

— Mais si, ce l'est, insista-t-elle, même si ses joues étaient très rouges et que son regard se baladait partout dans la diligence.

Elle vit les rideaux de brocart, les panneaux d'acajou, la poitrine de Tobias, le bout de ses propres bottes, les épaules de Tobias, sa robe et le visage de Tobias, dont les lèvres eurent de petits mouvements saccadés, qu'elle faillit ne pas voir. Leurs regards se croisèrent de nouveau, et ils s'esclaffèrent. Le rire de Tobias était comme de l'hydromel, doux et étonnamment sucré. Elle ne l'avait jamais encore entendu rire.

— La plupart des jeunes filles ne trouveraient pas cela si amusant d'être prises dans une diligence avec un loup, remarqua-t-il finalement.

— Peu importe le loup, vous êtes toujours nu.

— Je vous serais reconnaissant de me donner les vêtements de rechange qui sont sous votre siège, ajouta-t-il.

Il leva la main pour donner deux coups de poing sur le toit de la diligence, s'arrêta et recommença. Le cocher répondit par deux coups rapides.

— J'imagine que ce n'est pas la première fois que cela se produit ? demanda Gretchen, qui se leva pour déplacer le coussin et tirer sur le couvercle à charnière du siège creux.

— Non, dit-il brutalement.

— Et pourtant, vous êtes si bien préparé.

Dans le compartiment, il y avait une robe et deux habits masculins, de même qu'une couverture de laine. Elle lui tendit les hauts-de-chausses noirs et une chemise blanche en lin, résolue à ne pas regarder. Elle aperçut sa poitrine dans le reflet de la fenêtre, avant d'avoir fini de se faire la morale. Lorsqu'elle se retourna, il était déjà plus décent, quoique plus décontracté qu'à son habitude. Il semblait parfaitement en santé, comme si l'état dans lequel il était lorsqu'elle l'avait trouvé avait été exorcisé par sa métamorphose en loup. Seul son regard était encore sauvage et dangereux.

— Je vous demande pardon, dit-il sévèrement, retrouvant son habituelle politesse si insupportable.

— Oh, non, pas ça, le pria-telle.

— Mais je vous ai mise dans un grand danger, poursuivit-il. Et j'en suis vraiment désolé.

— Je n'avais pas peur. Ou presque pas, avoua-t-elle en rejetant l'idée du revers de la main.

— Pourquoi n'avez-vous pas tenté de fuir ?

— On aurait pu vous découvrir, répondit-elle. Et je vous ai donné ma promesse.

— Oui, en effet, n'est-ce pas ?

Sa façon de la regarder la mit au supplice, mais elle ignorait pourquoi. Elle se sentit tout à coup plus nerveuse que lorsqu'elle avait été coincée avec un loup de plus de quarante-cinq kilos.

Son regard bleu ne la quitta pas pendant qu'il inclinait la tête et posait un léger baiser sur ses jointures.

— Merci, Gretchen, dit-il.

Elle dut s'éclaircir la voix avant de pouvoir répondre :

— Je vous en prie.

Il ouvrit les rideaux pour regarder la rue baignée de soleil. La lumière et l'achalandage semblaient être une intrusion.

— Je vous ramène à la maison…

Il fit une pause pour regarder par la fenêtre et jura doucement.

— Changement de programme.

Gretchen se pencha vers l'avant pour voir ce qui l'avait alerté, mais il la retint.

— Non, vous ne pouvez pas être vue.

Elle haussa les sourcils.

— Vous vous préoccupez de ma réputation ?

Sa présence d'esprit devait avoir été altérée par la vue d'un homme se métamorphosant en loup, parce qu'elle trouva cela adorable pour une raison ou pour une autre.

— Bien sûr, répondit-il, mais il ne s'agit pas que de cela.

— Y a-t-il plus risqué pour ma réputation que les tombes ouvertes, les loups et les hommes nus ? s'enquit-elle.

Elle en doutait fort. Le rouge monta aux oreilles de Tobias. Et c'était tout aussi adorable. Sapristi. Elle s'éclaircit la voix résolument, déterminée à ne pas être une tête de linotte.

— Que voulez-vous dire, Tobias ?

Le regard de Tobias se posa sur le sien lorsqu'elle l'appela par son prénom. Elle sourit d'un air contrit.

— Vous direz que je devrais vous appeler Lord Killingsworth, mais je crois qu'on peut maintenant se passer des civilités habituelles, non ? Tout compte fait ?

Elle ne put s'empêcher de remarquer le pelage de loup collé au siège.

— Qu'est-ce que c'est ?

— Je vous ai dit que les familles de loups préféraient garder leurs distances.

Il sortit une roue de bois de sa poche. Elle semblait avoir déjà appartenu à une voiturette.

— Oui.

— Pour des questions de sécurité, vous comprenez.

— Je ne comprends pas en quoi c'est différent que d'être un interprète des morts ou une de ces femmes qui dansent avec des sabres.

En vérité, elle était plutôt jalouse d'eux.

— Croyez-moi, c'est différent, insista-t-il.

Il brisa la roue en deux et tambourina de nouveau sur le toit.

— Plus vite, Hale ! cria-t-il au cocher. Il y a des gens qu'on appelle les « chasseurs de loups ». Leur seul but est de nous chasser pour notre fourrure qui permet à une sorcière non-métamorphe de se transformer.

— Quelle barbarie !

Il hocha la tête d'un air grave.

— Nos os et nos dents contiennent également de la magie. Cela se produit plus souvent que vous ne le croyez. Alors, je crains que vous deviez venir chez moi.

Elle brûla instantanément de curiosité de voir comment il vivait.

— Bien sûr, dit-elle, espérant ne pas avoir trahi son enthousiasme indécent.

— J'ai passé la nuit à me remettre d'un empoisonnement à l'aconit, expliqua-t-il. Et l'homme qui m'a attaqué me suit toujours. Vous portez mon odeur de loup, Gretchen. Et ils seront donc à vos trousses également, s'ils le sentent, ne serait-ce que pour connaître mon identité.

— Je ne leur dirais jamais, répondit-elle doucement.

— Leurs méthodes de persuasion n'ont rien de gentil.

Quand la diligence vira à gauche, Tobias se pencha pour attraper la poignée de la portière.

— C'est ici. Êtes-vous prête ?

Un regard par la fenêtre de la portière lui fit comprendre qu'ils n'étaient pas dans un quartier résidentiel de Londres.

— Prête pour quoi exactement ?

— Nous devons changer de diligence, expliqua-t-il. J'en ai appelé une autre avec cette roue ensorcelée. Nous avons en place un système de convocation et d'issues de secours. Un chasseur de loups suivra la première diligence, alors qu'à son insu, nous voyagerons à bord d'une deuxième.

Lorsqu'il ouvrit la porte, le bruit des roues s'entrechoquant et du vent s'engouffrant dans une ouverture soudaine fut assourdissant. La diligence roulait toujours à vive allure parallèlement à une autre non identifiée.

— Celle-ci est trop facile à traquer, maintenant qu'elle est empreinte de l'odeur de ma métamorphose. Et nous ne pouvons tolérer aucun retard, ajouta-t-il. Absolument aucun.

Il l'observa avec attention, comme s'il s'attendait à ce qu'elle soit nerveuse.

— Ça ira ?

Elle lui jeta simplement un regard hautain et se leva dans l'embrasure de la portière.

— Ce n'est rien du tout. J'ai fait une chute dans une tombe ouverte, ne l'oubliez pas.

— Je ne risque pas de l'oublier.

Le sol défilait à une allure inquiétante sous elle. Si elle devait glisser, elle serait écrasée par les sabots des chevaux derrière, et ce, si elle ne se fracassait pas d'abord le crâne sur les pavés. Des cailloux et de la poussière s'élevaient entre les deux véhicules en leur martelant les chevilles.

— Tant pis, dit Tobias derrière elle, les mains sur sa taille pour la stabiliser, alors qu'il y avait une bosse sur le chemin.

Les diligences s'éloignèrent momentanément l'une de l'autre.

— Nous nous arrêterons. Cela ne prendra pas de temps. J'ignore à quoi je pensais.

Gretchen hocha la tête, se souvenant d'avoir couru sur les toits avec Moira. En quoi cela pouvait-il être différent ?

Voilà ce qui lui donna une idée, en fait.

Elle se retourna et retira le coussin du siège. Tobias cligna des yeux quand elle souleva la planche de bois. Elle posa une extrémité au bord de la portière et attendit que les diligences soient de nouveau alignées. Lorsqu'elles furent aussi stables qu'elles ne le seraient jamais, elle laissa tomber la planche entre les deux, qui créa un pont comme celui que Moira avait fabriqué pour Godric.

— Laissez-moi d'abord tester, dit Tobias, d'un ton impressionné à contrecœur.

Il se prépara, une main posée de chaque côté de l'ouverture et le pied droit levé vers l'avant. Prudemment, il mit du poids sur la planche, le vent lui soufflant dans les cheveux et plaquant sa chemise sur sa poitrine. Gretchen retint son souffle.

— C'est solide, assura-t-il, mais sa voix fut enterrée par le bruit des roues qui s'entrechoquaient.

Elle sortit en évitant de regarder le sol défiler sous eux. Tobias était à moitié dans l'autre diligence, un pied bien ancré à l'intérieur et la main tendue pour l'aider.

— Regardez-moi, dit-il. Juste moi.

Son regard la soutint aussi bien qu'une corde. Son visage était empreint de force et de confiance, sous cette politesse hautaine qui, elle le savait maintenant, protégeait parfaitement des secrets bien gardés. C'étaient ces secrets qui lui inspiraient confiance. Elle sortit dans le vent qui battait son plein, alors que les diligences tanguaient sur la route. La main de Tobias, chaude et solide, se referma sur son poignet, et il la tira vers lui à l'intérieur.

Les diligences s'éloignèrent l'une de l'autre. Gretchen chuta contre lui, alors qu'ils penchaient fortement sur la droite pour compenser. La planche de bois tomba entre les deux et éclata en morceaux. Un cocher cria des insultes, tirant sur ses rênes pour éviter les fragments.

Elle était toujours dans les bras de Tobias. Elle semblait y passer beaucoup de temps, ces jours-ci. Elle s'éloigna, gênée, et il la relâcha brusquement.

— Est-ce que quelqu'un aura remarqué cela ? demanda-t-elle pour couvrir le silence inconfortable. Cela n'avait rien de subtil.

— La planche, sûrement, mais pas nous. Ils croiront qu'il s'agit d'un panneau brisé ou d'un colis pas bien fixé sur le toit, répondit-il en s'assoyant. Il y a un charme d'illusion qui fait croire aux gens que la diligence est deux fois plus large que dans la réalité.

Il remarqua les maisons et les grilles à rinceaux en fer forgé noir.

— Ce ne sera plus très long.

— Les avons-nous semés ? demanda Gretchen.

— Oui, je le crois. Cependant, je vous ferai couler un bain pour laver l'odeur du loup de votre peau. Nous portons également des charmes, évidemment, mais comme la magie est vraiment imprévisible ces temps-ci dans Londres, il est préférable d'être plus prudent. Cela peut prendre un certain temps avant de trouver le charme qui fonctionnera bien pour vous garder en sécurité. Vous devrez rester ici, ce soir.

– Si vous me les montrez, je pourrai vous aider, proposa Gretchen.

Il la regarda avec considération.

– Je n'y avais pas pensé, les chuchoteuses sont plutôt rares.

Il tira sur le col de sa chemise, et elle vit un peu la peau bronzée de sa gorge. Il tira sur un mince fil de cuir sous sa chemise.

– Le fer et le métal interfèrent avec la magie, expliqua-t-il en lui montrant le pendentif lisse en bouleau. Seuls les éléments naturels semblent fonctionner pour les métamorphes, et particulièrement pour les loups.

Elle s'approcha, jusqu'à ce que l'ombre de Tobias la couvre complètement. Elle glissa un doigt sur le disque pour tracer les symboles cabalistiques qui y étaient inscrits. On aurait dit d'anciennes runes.

– Il a baigné dans le clair de lune pendant trois nuits, poursuivit-il d'une voix un peu rauque.

Elle sentit son haleine sur sa joue.

– Et dans l'eau de pluie cueillie dans la trace d'une patte de loup métamorphe. Cette eau peut métamorphoser un humain en loup.

– Qu'est-ce que ça fait exactement ?

– Cela vise à couvrir notre odeur et à confondre la traque d'un chasseur. Nous posons également au dos une goutte de sang de sorcière humaine.

— Cela me semble salissant pour vous, se moqua-t-elle, sans une once de rancœur, toutefois. Qu'arriverait-il, si vous perdiez ce charme ?

— Certains d'entre nous ont le symbole tatoué sur la peau.

Elle fut soudainement extrêmement curieuse de savoir s'il portait un tel tatouage et, le cas échéant, où il pouvait bien être.

— Ne pouvez-vous pas utiliser le sort de protection qu'Emma utilise pour dissimuler ses bois ? demanda-t-elle plutôt.

Il fit signe que non.

— Ce n'est pas assez puissant pour dissimuler un métamorphe entier de la magie d'un chasseur. Voilà le problème. Ils possèdent autant de magie que nous.

Sa maison était dans Berkeley Square, pas très loin du manoir des parents de Gretchen. Elle se fondait bien dans le voisinage, ni plus grande, ni plus petite, ni plus belle, ni plus laide que les autres. Elle avait des fenêtres à imposte à la mode, des sentiers en pierres et ce qui semblait être un grand jardin à l'arrière. Un valet attendait à l'intérieur des grilles pour les refermer et les verrouiller derrière la diligence. Quand elle sortit sous la lumière du jour, Gretchen s'attendait presque à ce que la nuit soit déjà tombée. Il lui semblait impossible que tant de choses soient déjà survenues en moins d'une demi-heure.

Le frère de Tobias se précipita vers eux, l'air fâché. Il semblait être environ du même âge, mais il n'avait en rien le raffinement de son frère. Il portait des hauts-de-chausses, des bottes usées et une ceinture avec des anneaux destinés à accrocher des poignards.

— Quoi…

Il s'arrêta, remarquant Gretchen.

— Qui diable es-tu ?

— Tu resteras poli, lui dit doucement Tobias, mais avec un ton glacial dans sa voix.

— Je ne peux pas croire que tu joues les prétendants, en ce moment !

Les joues de Tobias s'enflammèrent.

— Je t'assure que ce n'est pas le cas.

Combattant une étrange déception, Gretchen sourit.

— Votre frère ne s'intéresse pas à moi, en fait, remarqua-t-elle en inclinant la tête. Vous êtes également un loup, je présume ?

— Ky, voici lady Gretchen Thorn, dit Tobias d'un ton sévère, alors que Ky la dévisageait.

— Lui as-tu dit ? demanda-t-il, bouche bée.

— Je n'ai pas eu le choix, répondit-il.

— Je l'ai vu se métamorphoser, expliqua-t-elle. Il ne pouvait pas vraiment faire comme si de rien n'était.

En fait, Ky parut encore plus surpris.

— Tu portais le loup ?

— Ce n'est pas le moment, Ky, dit brusquement Tobias. Laisse tomber.

— Est-ce que tu…

— Tobias a raison, intervint sa mère, qui descendait les marches. Ce n'est pas le bon moment. Toutefois, je vous l'assure, nous en reparlerons.

Elle portait une robe bleu foncé sans enjolivements. Elle était grande et élégante, et Gretchen sut immédiatement à quel parent Tobias ressemblait. Cependant, le regard bleu pâle de sa mère n'avait rien de l'étincelle sauvage de celui de

Tobias. Ky se soumit, ce qui aurait surpris Gretchen, si elle n'avait pas senti qu'elle devait agir ainsi, même si elle n'avait rien fait. La comtesse était impressionnante, pour le moins, même sans cette pâle cicatrice à la lèvre supérieure.

— Qui était-ce, alors ? aboya Ky. Qui t'a empoisonné à l'aconit ?

— Je l'ignore, répliqua calmement Tobias.

— Comme si je te croyais. Le carnyx m'a dit que tu refusais d'en parler hier soir. J'exige un nom.

— Et je veux un bain chaud, répliqua Tobias, sans changement de ton.

— Tu aurais pu en mourir, souligna-t-il avec frustration, les bras levés au ciel.

— Poursuivons la conversation à l'intérieur, proposa leur mère.

C'était davantage un ordre qu'une suggestion, et la comtesse se retourna, attendant qu'on lui obéisse. Elle ne fut pas déçue. Elle rentra, et ils lui emboîtèrent le pas.

Un jappement les accueillit de l'autre côté de la porte. Lorsqu'elle s'ouvrit, Gretchen fut accueillie par une meute de lévriers et de mastiffs énormes. Son compagnon bondit hors de son corps en un éclair de plaisir pour aller sauter partout. Elle jeta un long regard à Tobias, se demandant si elle contrevenait à une étiquette quelconque de la sorcellerie. Probablement. Pourquoi agirait-elle autrement ?

Toutefois, la mère de Tobias éclata de rire.

— Oh, elle me plaît bien, celle-ci, Tobias, dit-elle. Elle a des esprits animaux.

Godric pouvait comprendre pourquoi Moira préférait les toits.

Il était au-delà du pire de la ville : les odeurs déconcertantes, la boue et la poussière des rues. Il était si haut, en fait, que ses genoux étaient littéralement en gelée.

Il apprécierait peut-être la vue, mais il n'aimait pas les hauteurs. Son corps savait parfaitement ce qui lui arriverait, s'il chutait de si haut. Malgré la logique qui lui rappelait qu'il y avait une rampe entre lui et la gravité, une sueur froide lui coula sur la nuque. Son compagnon lévrier refusait de sortir de son corps. Il ne lui restait que quelques doigts de whisky dans son flacon, et il ne pouvait même pas le boire. Il était en hauteur et devait rester sobre.

Tout ça pour une jeune fille.

Une jeune fille revêche qui pourrait autant le pousser par-dessus ladite rampe que lui sourire.

Il avait essayé tous les sorts romantiques qu'il avait trouvés, avait risqué sa peau à livrer des roses rouges sur les toits dans l'espoir qu'elle les trouve ; il avait même erré pendant trois nuits d'affilée dans le marché des gobelins dans l'espoir de la croiser. Il avait plutôt été mordu par un chou carnivore, avait bu assez de bière noire pour voir des étoiles et avait perdu sa nouvelle montre de poche, volée par un vagabond bâti comme un satané bœuf. Et il était de nouveau sur les toits, à sacrifier ce qu'il lui restait de whisky à la gargouille à ses côtés pour qu'elle ne lui arrache pas le visage.

Il sentit un faible changement dans l'air derrière lui. L'avait-il enfin trouvée ? Il s'efforça de se retourner lentement, alors que tout ce dont il avait envie était de sauter de joie. Les gentlemen ne sautaient pas de joie. Il était persuadé qu'il s'agissait là d'une des nombreuses règles de sa mère. Ses règles étaient importantes et ennuyeuses ; celles de Gretchen étaient épiques. La fois où sa mère avait tenté de toutes les noter par écrit, Gretchen avait brûlé l'ouvrage qui en avait résulté, au risque de mettre le feu à la maison.

Pourtant, il était là, loin de son univers de règles et de responsabilités, seul avec une jeune fille qu'il connaissait à peine, mais qu'il aimait déjà.

— Moira, dit-il, enfin.

Seulement, ce n'était pas Moira derrière lui, c'était un fantôme.

Les pignons miroitaient à travers elle. Godric inspira profondément et en eut la gorge glacée.

— Tonnerre de Dieu, grommela-t-il, ce qui était loin du poème qu'il avait mémorisé pour Moira, même si elle ne semblait pas du genre à aimer la poésie.

N'était-ce pas là ce que vous deviez faire pour démontrer votre amour ? Se couvrir de ridicule ? Et comment le faire mieux qu'avec un sonnet ?

Il aurait préféré être n'importe où ailleurs que là, face à un fantôme qui le dévisageait avec un regard affamé et plein d'espoir ; mais sa formation de gentleman l'empêchait de faire autre chose que de saluer poliment, même devant une jeune fille morte.

Elle sourit faiblement. Ses longues boucles étaient si pâles qu'il pouvait à peine discerner là où elles finissaient et se transformaient en neige. Ses poignets portaient des marques foncées, et une cicatrice rouge était visible sur sa clavicule. Une petite souris blanche était perchée sur son épaule. Il s'imagina qu'il s'agissait de son compagnon, avant même qu'elle lève la main pour lui montrer son nœud de sorcière. Elle lui fit signe d'avancer. Il grogna.

— Je préférerais ne pas avancer.

Elle lui fit de nouveau signe, avec insistance.

Lorsqu'il lui fit un sourire d'excuse avant de se diriger vers la porte du grenier par où il était sorti, elle se précipita vers lui, des étincelles et des glaçons volant dans tous les sens. Les bardeaux se glacèrent sous ses pieds. Des glaçons tombèrent de la rampe comme des poignards.

Il recula brusquement, mais les doigts de la jeune fille se refermèrent sur son poignet, le blessant. Il claqua des dents involontairement, quand le froid l'envahit. Elle semblait mélancolique sans être découragée. Puis, elle s'envola, flottant brièvement dans l'espace entre les deux édifices. De la neige tomba de sa robe.

Il hocha fermement la tête.

— Je ne suis pas un garçon manqué qui court sur les toits. Si tu veux que je te suive, ce sera au sol.

Il rata l'étincelle d'enthousiasme du fantôme, quand il plongea dans la taverne pour ressortir au rez-de-chaussée, comme une personne normale. Il croisa quelques jeunes filles qui vendaient des bottes de cresson. Les feuilles gelèrent brièvement, au moment où le fantôme le retrouva. Des piétons frissonnèrent, se demandant s'ils allaient être malades. Elle oscillait comme une flamme de chandelle dans son propre coup de vent surnaturel.

Elle bifurqua dans une allée entre une mercerie et une boutique de rubans, et le guida vers une pile de caisses brisées et une gargouille au nez retroussé, qui cligna une fois des yeux à son intention. Elle flotta le long des pignons en lui jetant des regards impatients.

— Génial, dit-il. Encore de l'escalade.

Tobias n'aurait jamais pu imaginer l'incongruité de la présence de Gretchen chez lui. Il fut surpris de constater qu'il aurait espéré avoir plus de temps pour en profiter.

Le manoir des Lawless était élégant et à la mode, avec des appliques en argent, du papier peint en soie et un grand escalier tournant avec une rampe en acajou. Il savait, sans qu'on le lui ait dit, que rien de tout cela n'impressionnerait Gretchen. Il n'y avait rien dans cette partie de la maison qui laissait soupçonner le caractère particulier de la famille, sauf peut-être son frère, qui arpentait l'entrée, faisant vibrer les cristaux des lustres en grouillant d'impatience. S'il laissait paraître davantage d'agressivité, leur mère lui donnerait un de ces sermons qu'il ne serait pas prêt d'oublier, qu'il y ait ou non une étrangère dans la maison. Il ne valait pas la peine de remettre en question le membre alpha d'une meute, et particulièrement Elise Lawless. Tobias était peut-être un jeune homme d'une grande puissance dans la société, mais derrière ces portes, il était le deuxième de quatre enfants et devait respecter les lois de la meute.

— Maman, dit-il, dans l'espoir de détourner son attention du caractère bouillonnant de Ky. Puis-je te présenter lady Gretchen Thorn ?

Gretchen fit une révérence rapide. Les chiens se pressèrent contre elle, prêts à classer ses odeurs.

— Enchantée, prononça-t-elle.

— Vous êtes la bienvenue, l'accueillit Elise. L'odeur du loup est sur elle, fit-elle remarquer à Tobias.

— Oui, c'est pourquoi je l'ai conduite ici, expliqua-t-il. Je ne pouvais pas la laisser aux mains des chasseurs.

— Absolument pas.

— Les carnyx devront répondre de cette insulte, affirma Ky entre ses dents.

— Ky, silence, ordonna sa mère. Je déciderai de quoi ils doivent répondre, s'il te plaît.

On entendit des pas légers dans l'escalier, alors que Posy descendait rapidement les marches, le nez plongé dans un livre comme à l'habitude. Elle ne remarqua pas leur invitée avant d'atteindre la dernière marche. Elle s'arrêta, l'air d'être prise au piège, avant de se glisser dans l'ombre.

— C'est bon, Posy, la rassura Tobias avec un sourire d'encouragement.

Leur mère observa Gretchen avec attention pendant un long moment de silence, les narines dilatées, avant de dire :

— Ne sois pas timide, Posy. Voici Gretchen.

Tobias et Ky échangèrent un regard. Quoi que leur mère ait senti chez Gretchen, c'était suffisant pour gagner sa confiance, et Elise ne faisait pas facilement confiance. Elle se tourna à demi vers Gretchen.

— Je peux t'appeler Gretchen, n'est-ce pas ? Lady ceci et madame cela, c'est trop pénible et trop long, ne crois-tu pas ?

— Je ne pourrais être plus d'accord.

Posy s'éloigna timidement de la rampe.

— N'es-tu pas surprise ? demanda-t-elle alors que sa queue était visible.

Elle avait dû modifier certaines de ses robes pour être plus à l'aise, alors que sa queue frottait toujours contre la mousseline jaune citron.

— Ma cousine a des bois, répondit Gretchen avec un haussement d'épaules joyeux.

Tobias sut dès cet instant qu'il ne pourrait plus jamais la considérer comme une dangereuse rebelle qui bravait l'Ordre. Bon, elle était rebelle et méprisante des règles, d'accord, mais elle n'était pas dangereuse. Et assurément pas rancunière.

— Tobias, peux-tu montrer à Gretchen le salon familial et ensuite aller faire ta toilette pour que nous puissions discuter des événements d'hier soir ?

— Est-ce possible de faire dire à ma mère et à l'académie Rowanstone que je passe la nuit chez tante Bethany ? Et la vérité à mes cousines, s'il vous plaît ? demanda Gretchen. Elles seront en mesure de naviguer autour de tout le monde afin d'éviter l'envoi de gardes sur mes traces.

— Bien sûr.

Tobias fit un grand signe en direction de l'escalier.

— Après vous, ma chère.

Gretchen gravit les marches, se demandant sans aucun doute pourquoi ils ne la recevaient pas dans le grand salon au rez-de-chaussée, comme on s'y attendrait. Il la mena au petit salon, avec ses murs vert foncé et ses tapis éparpillés. Il y avait de solides chaises, des bols d'aiguilles de pin, que ramassait Posy en pot-pourri, et des livres éparpillés sur toutes les tables. Il savait ce à quoi cela devait ressembler pour elle, avec de la fourrure sur les chaises, des amas sous les meubles, les fenêtres grandes ouvertes et le petit peu de verdure que Posy apportait à l'intérieur avec insistance.

— Je sais que ce n'est pas ce à quoi vous êtes habituée, dit-il, soudainement mal à l'aise.

Une débutante bien élevée aurait été horrifiée.

Comme d'habitude, elle défiait les attentes.

Elle leva les yeux vers lui, tout sourire.

— C'est parfait, affirma-t-elle, rayonnante.

Au moins, le fantôme eut le bon sens de le guider vers une échelle, même bancale. La neige virevoltait au-dessus de sa tête, alors qu'il grimpait, les dents serrées pour résister à l'instinct de regarder en bas. Le fantôme vola impatiemment, jusqu'à ce que les barreaux de l'échelle soient couverts de givre et se brisent. Le givre lui brûla les doigts. Il se hissa au-delà de la bordure du toit, roulant sur les bardeaux.

Il s'assit, l'air renfrogné.

— Bon, alors, dit-il en direction de la jeune fille agitée.

Elle lui fit franchir deux autres toits, contourner une gargouille aux yeux peints de façon effrayante, pour atteindre finalement un petit rectangle de bardeaux et de tuyaux de cheminée.

Et Moira.

Il aurait reconnu ces longs cheveux noirs et cette petite veste rayée couverte de camées n'importe où. Elle se leva lentement, un poignard à la main. Son compagnon chat orange cracha. Il présenta ses mains pour montrer qu'il n'était pas armé. Lorsqu'elle le reconnut enfin, elle soupira.

— Que fais-tu ici ?

— On m'a guidé ici, répondit-il.

— Si tu me racontes que l'amour t'a guidé jusqu'ici, je te poignarderai.

Il s'esclaffa malgré lui.

— Pas tout à fait l'amour, mais plutôt un fantôme.

— Pardon ? s'étonna-t-elle, les yeux plissés.

Il l'admirait, même lorsqu'elle doutait de lui, qu'elle se balançait sur la plante de ses pieds, prête à fuir. Il savait qu'elle le sèmerait sans même essayer.

— Tu es si belle, la complimenta-t-il.

— Tu es ivre, répliqua-t-elle platement.

— Je ne suis pas ivre, dit-il, même si le fantôme tournait autour d'elle.

— Bon, ça ne va pas dans ta tête, grommela-t-elle. Parle-moi encore du fantôme.

— Elle a de longs cheveux blonds et une petite souris sur l'épaule.

Moira ouvrit et referma la bouche sans rien dire. Elle devint tout à coup blanche comme neige. Le poignard trembla dans ses mains.

— Est-ce que ça va ? demanda-t-il en avançant vers elle.

Elle déglutit avec difficulté.

— J'ai connu une jeune fille comme ça, dit-elle finalement d'une voix éraillée. Elle a été tuée par les sœurs Greymalkin. Elle s'appelait Fraise. C'est elle que les vagabonds ont tenté de voler, ce soir-là sous le pont.

Le fantôme hocha la tête avec un tel enthousiasme que les bardeaux sous ses pieds gelèrent et craquelèrent. Le souffle de froid donna des frissons à Moira.

— Est-elle ici, en ce moment ?

— Oui, prends ma main, répondit Godric, qui retira son gant pour la lui tendre. Si tu me touches, tu pourras la voir par toi-même.

Il constata qu'elle était aux prises avec un débat intérieur. Elle ne le croyait probablement pas. Il ne lui en voulait pas. Elle avança finalement d'un pas et glissa sa main dans celle de Godric.

— Si c'est une attrape…

Elle ne termina pas sa phrase, mais brandit plutôt le poignard effilé qu'elle tenait toujours à la main.

— Ce n'est pas une attrape, dit-il doucement. Regarde.

Elle lui tourna le dos, puisqu'une haleine froide lui soufflait dans le cou. Une brise froide fit voler ses cheveux, puis le fantôme apparut devant elle. Son compagnon chat donnait des coups de pattes dans son ourlet enneigé.

– Fraise ? interrogea Moira, qui avança d'un pas en lâchant sa main.

Elle s'arrêta et regarda furieusement autour d'elle.

– Que s'est-il passé ?

– Tu dois me tenir la main, lui rappela Godric, qui glissa sa main sur la sienne. Pour voir ce que je vois.

Moira laissa échapper un long soupir tremblant lorsque Fraise réapparut devant elle. Elle glissa le poignard dans sa ceinture et tendit la main vers son amie. Sa main passa à travers elle. La lèvre de Fraise trembla doucement.

– Tu ne devrais pas être ici.

D'un coup d'épaule impatient, Moira essuya une larme qui coulait sur sa joue.

– Elle s'ennuyait peut-être tout simplement de toi, suggéra Godric.

– Tu ne comprends pas. Nous avons brûlé ses os, expliqua Moira. Nous lui avons fait des funérailles de garçon manqué en bonne et due forme sur un bateau. Elle devrait être dans les îles des Bienheureux. Le fait qu'elle soit de retour ne peut vouloir dire qu'une seule chose. Quelque chose cloche.

Fraise acquiesça. Moira fronça les sourcils à l'intention de Godric.

– Pourquoi ne peut-elle pas parler ?

– Les fantômes ne parlent pas, dit Godric en guise d'excuse, même si ce n'était pas de sa faute. Seuls les esprits peuvent parler, apparemment. Mon professeur m'a dit que dans les récits anciens, les morts ne peuvent pas parler, pour éviter de raconter aux vivants ce qu'il y a de l'autre côté. Personnellement, je crois que les fantômes ne sont tout simplement pas assez puissants. Ils utilisent toute leur magie pour rester visibles.

On entendit un craquement de pierre et un sifflement provoqué par le cuir, tandis que la gargouille derrière eux était réveillée par la présence de Fraise. Moira ne se retourna même pas, mais claqua des doigts pour attirer l'attention de Godric.

— Donne-lui ton whisky.

Il ne prit pas la peine de nier le fait qu'il en avait sur lui, mais eut de la difficulté à ouvrir la flasque d'une seule main.

— Arrête, Tristan, demanda Moira d'un ton ferme.

La gargouille s'installa en ronchonnant sur son perchoir. La silhouette de Fraise devint plus étincelante, avant de disparaître. Elle indiqua ses meurtrissures et la cicatrice sous sa clavicule. Sa souris devint rouge.

— Est-ce à propos de Sophie ? demanda Moira, qui sautilla comme son compagnon chat. Je sais qu'elle t'a tuée au nom des sœurs Greymalkin, mais elle s'est échappée.

Son visage se durcit.

— Veux-tu plutôt que je la tue ?

Fraise fit signe que non avec un air de reproche gentil. Elle se désigna elle-même du doigt.

— Veux-tu la tuer toi-même ?

Cette fois-ci, le fantôme pâle parut tout simplement dégoûté. Moira rit à travers ses pleurs. Godric n'était pas certain qu'elle savait que des larmes coulaient sur ses joues.

— Tu sais que j'ai toujours été plus dure que toi, dit-elle.

Fraise leva les yeux au ciel avant d'adopter une expression des plus sérieuses. Elle se désigna de nouveau.

— Je suis désolée de ne pas avoir pu te sauver, s'excusa doucement Moira.

De la neige tomba sur son visage et s'accrocha à ses cils. Elle cligna des yeux pour s'en débarrasser.

— Tu n'avais pas ce petit caractère de ton vivant.

Fraise ouvrit la main, et sur son nœud de sorcière, des fleurs d'aubépine formèrent une émanation floue. La phosphorescence brumeuse se transforma en flamme bleu glacial qui l'enflamma en entier. La neige et la glace formèrent un bateau sur l'ourlet de sa robe. Godric avait lentement pris l'habitude d'interpréter le langage des fantômes, principalement à travers des images et des métaphores cryptiques. Il ne connaissait peut-être pas les fleurs, mais le bateau en feu avait une signification.

— Est-ce à propos de tes funérailles ?

Fraise acquiesça. La flamme redevint une brume étincelante.

— Et les vagabonds, suggéra Moira. Ceux qui voulaient voler tes os.

Elle hocha frénétiquement la tête, et du givre éclata tout autour d'elle et se rendit jusqu'aux bottes de Moira. Il s'accrocha à elle.

— Ils ont quelque chose à voir avec les sœurs Greymalkin ? Avec toi ?

Fraise s'estompa en hochant la tête.

— Où est-elle partie ? demanda Moira, qui serra désespérément la main de Godric. Je tiens toujours ta main ! Où est-elle ?

— Elle est partie, répondit-il.

— Fais-la revenir!

— Je ne peux pas. Je suis désolé. Elle n'est pas assez forte.

Moira lâcha sa main et se détourna avec colère.

— Elle pourrait revenir d'elle-même, toutefois, dit-il. Éventuellement.

— Pas avant que je trouve les vagabonds, promit-elle sombrement.

Godric connaissait très bien cette rage. On ne grandissait pas avec Gretchen pour sœur jumelle sans comprendre ce désir de combattre l'univers, avant qu'il vous trouve. Il sortit son propre couteau d'Ironstone de sa botte et se coupa une mèche de cheveux.

— Tiens, dit-il en s'approchant pour l'offrir à Moira. Ainsi, tu auras une part de moi pour pouvoir la voir, si elle revient. Ça vaut le coup de tenter l'expérience.

Elle la prit avec délicatesse, les sourcils froncés.

— Tu aurais pu faire en sorte que je dépende plutôt de toi, souligna-t-elle. Tu as tous les pouvoirs d'un interprète des morts.

— J'aurais pu, acquiesça-t-il. Mais ce n'est pas une preuve d'amour. Et je t'aime.

— Arrête ça, ordonna-t-elle en pointant son poignard en sa direction.

— Je suis sincère, insista-t-il.

Ses épaules se voûtèrent.

— Godric, je ne veux pas te faire de mal, mais...

Il hocha la tête avec un sourire triste.

— Tu ne ressens pas la même chose, déclara-t-il en regardant au-delà des toits de Londres plutôt que son visage espiègle et intelligent. *Si la musique est la pâture de l'amour, jouez encore, donnez-m'en jusqu'à l'excès, de sorte que ma faim gavée languisse et meure.*

— Pardon ? dit Moira.

— Désolé, c'est du Shakespeare. Il est difficile de faire fi de Penelope, confia-t-il dans un haussement d'épaules. Je peux t'attendre, Moira.

— Godric...

— Laisse-moi t'attendre, l'interrompit-il. Juste pendant un certain temps.

— Je n'ai jamais rencontré quelqu'un comme toi, dit-elle, perplexe.

— Moi non plus, sourit-il.

— Je suis désolée, tu sais, s'excusa-t-elle doucement. Vraiment désolée.

Il l'entendit s'éloigner en courant légèrement sur les bardeaux de toit en toit, mais il ne la regarda pas partir. Peut-être changerait-elle d'avis. Peut-être pas. Cela ne le regardait pas, en fin de compte. Il y avait pire dans la vie qu'un amour non réciproque.

— Qu'est-ce que tu fais ?

Penelope savait qu'il s'agissait de Cedric, même avant qu'il dise quoi que ce soit. Elle était dans la serre, dans le coin arrière, où sa mère avait installé plusieurs sofas sur tes tapis colorés, entourés d'orangers, de plants d'ananas, de jasmin et d'orchidées. Quelques minutes auparavant, une dizaine de moineaux s'étaient posés sur le toit de verre en donnant des coups de bec à travers la vitre, et trois chats s'étaient pressés contre la vitre avec espoir.

— L'armoise est conçue pour stimuler les sens magiques, l'informa-t-elle.

Sa voix était étouffée, son visage pressé contre la plante. Comme cela lui donnait envie d'éternuer, elle se dit que cela devait être efficace.

— Je ne suis pas certain qu'il soit question de t'étouffer avec la plante, fit-il remarquer.

Le col de sa chemise de lin était déboutonné, et sa peau tannée avait la teinte d'une noisette grillée. C'était tellement plus riche que la pâleur étudiée des jeunes hommes qu'elle rencontrait généralement. Son sang gitan lui donnait un air exotique que les autres n'avaient pas.

Elle le regarda à travers le feuillage.

— Les as-tu apportés ?

— Oui, répondit-il en lui tendant trois boutons ivoire identiques, qui auraient pu appartenir à n'importe qui de la maison : un comte ou un jardinier, un homme ou une femme.

La seule marque identifiable était une tache de couleur au centre. Seul Cedric pouvait en identifier la provenance.

— Peux-tu les poser sur la table, s'il te plaît ? demanda-t-elle.

Elle ne portait pas ses gants et si l'expérience devait bien fonctionner, elle devait être méticuleuse. Il les posa en ligne entre un chandelier en argent et sa tasse de thé avant de reculer pour s'adosser à l'une des fenêtres. Il pouvait rester adossé ainsi pendant des heures, les bras croisés, patient comme un arbre en hiver. Il dégageait une faible odeur de foin et de savon. Sa présence était familière et rassurante, tout comme ses yeux sombres, qui la regardaient en silence.

Elle tendit la main vers le premier bouton et, comme prévu, l'univers tangua de côté. Son estomac se pressa contre sa colonne vertébrale, comme si elle se trouvait dans une diligence renversée. Les couleurs et les textures se rapprochaient et s'éloignaient pour former de nouvelles formes.

*Elle sentit une odeur de friture d'oignon, et elle transpirait sous sa robe. Ses pieds lui faisaient mal. Sur son tablier, il y avait des taches de sang et de graisse, et elle avait à la main un lourd couperet à viande. Elle le fit tomber violemment avec un bruit sourd, coupant un chou en deux. Le bruit résonna et la tira subitement de cet instant.*

Lorsqu'elle reprit ses esprits, la première chose qu'elle sentit fut la main solide de Cedric dans son dos. Il était accroupi près de sa chaise, sans égard pour les araignées qui grimpaient sur ses hauts-de-chausses.

— Je te tiens, murmura-t-il.

Elle frissonna.

— Es-tu étourdie ? demanda-t-il, ne comprenant pas sa réaction.

— Des araignées, s'écria-t-elle.

Il baissa les yeux, puis releva le visage vers elle avec un sourire.

— Tu devras t'y faire, c'est toi qui les as convoquées, pas moi.

Il les repoussa délicatement. Elle aurait préféré qu'il les écrase du pied.

— Elles ne te mordront pas, dit-il en lisant dans ses pensées. Elles étaient bien installées dans leurs toiles, quand ton compagnon les a appelées.

— Ce n'était pas par exprès, grommela-t-elle.

La main de Cedric était toujours dans son dos, et une chaleur traversait la mince mousseline de sa robe.

— Qu'as-tu vu ? demanda-t-il en s'éloignant.

— Ce bouton appartient à la cuisinière. Je ne savais pas que manipuler un couperet pouvait être si vivifiant.

Il gloussa.

— Il me semble que la haute société te considère comme une personne tout en rayons de lune et en poésie. Ils ignorent ta soif de sang réelle.

— C'est Gretchen qui est violente, affirma-t-elle avec un orgueil feint. Je suis une dame.

— Essaie encore, l'incita Cedric, qui pouffa de rire.

— Tout le monde me croit.

— C'est parce qu'aucun d'eux n'a reçu sur la tête un seau d'eau froide et de vers que tu avais mis en équilibre sur une porte, souligna-t-il.

— Tu l'avais mérité, sourit-elle avec plus d'espièglerie que de remords.

— Probablement, acquiesça-t-il en lui tendant le bouton suivant.

La serre était un tourbillon de verdure et de pétales d'orchidées mauves, qui virevoltaient et s'arrêtaient. Elle cligna des yeux en direction de Cedric, toujours près de sa chaise. Un des chiens du quartier avait pénétré dans le jardin arrière et léchait la fenêtre derrière lui en agitant la queue.

— Rien, dit-elle à Cedric. Je n'ai rien vu du tout, cette fois-ci.

— Essaie le dernier bouton, suggéra-t-il.

Elle le prit obligeamment dans sa main. Elle était une mousse de pissenlit virevoltant dans l'écurie.

*Elle brossait un des chevaux, et un chat ronronnait sur un chevron ensoleillé. Elle aimait s'occuper des animaux, un travail simple, mais elle s'inquiétait tout de même pour Hamish. Il ne s'était pas levé ce matin-là, et ses doigts commençaient à se recroqueviller douloureusement en des griffes permanentes.*

*Puis, elle entra dans l'écurie.*

*C'était troublant. Penelope était quelqu'un d'autre qui se regardait dans l'embrasure de la porte, enveloppé de lumière. Ses cheveux tombaient en une cascade de boucles, et elle tenait à la main un nouveau livre de poésie qu'elle brandissait avec enthousiasme. Elle se sourit, et c'est alors qu'elle comprit qu'elle était* Cedric. *Il songeait qu'il n'aimait pas beaucoup la poésie de Byron, lui préférant Shelley, mais puisque Penelope l'aimait autant, il était prêt à l'écouter. Il préférait quand elle jouait du piano dans l'écurie, car la musique portait des mots qu'il ne réussissait pas à trouver. Il savait qu'elle partirait un jour ou l'autre. Un abruti huppé gagnerait son cœur en citant Shakespeare de travers. Bon, ce n'était pas tout à fait vrai. Elle ne se laisserait jamais gagner par du Shakespeare mal cité. Bon, elle lui manquerait tout de même. Mais il était garçon d'écurie, et elle était la petite-fille d'un duc. Il ne se faisait aucune illusion.*

La lumière s'intensifia, même lorsque les murs de l'écurie devinrent si sombres qu'ils disparurent. Pour la première fois depuis l'émergence du don de Penelope, elle chercha à demeurer au cœur de l'illusion. Elle voulait savoir à quoi Cedric pensait d'autre, pourquoi il y avait une certaine tristesse qu'elle n'avait jamais remarquée auparavant. Et pourquoi ne se faisait-il pas d'illusions ? Elle savait déjà qu'il ne répondrait jamais à ses questions, si elle les lui posait.

Elle tint bon le plus longtemps possible, mais ce ne fut pas suffisant. Lorsqu'elle ouvrit les yeux, elle n'était que légèrement désorientée, et il était de nouveau adossé à la fenêtre, hors d'atteinte et inexpressif.

— C'était ton bouton, dit-elle doucement.

Elle aurait voulu dire autre chose, mais elle ne savait pas quoi. Elle n'aimait pas qu'il soit triste, quelle qu'en soit la raison. Elle avait envie de lui exprimer ce qu'elle ressentait, que sa présence rendait tout plus agréable. Mais elle le lui avait déjà communiqué, alors qu'ils avaient quatorze ans. Elle avait dit qu'elle voulait l'épouser, et il avait ri. Elle n'avait jamais oublié cet instant. Elle avait pleuré en secret pendant des jours. Elle s'en servait encore pour guérir son cœur trop sentimental. Il ne l'aimait pas. Pas ainsi. Peu importe sa brève intrusion dans ses pensées, il ne l'épouserait tout de même pas. Il la voyait déjà mariée à un « abruti huppé ».

Elle s'éclaircit la voix, déterminée à avoir un ton normal. Elle n'eut pas le temps de lui montrer qu'elle était d'un grand calme. Il l'interrompit avant qu'elle puisse dire quoi que ce soit.

— Beauregard t'attend près de la grille d'entrée.

— Pardon ? dit-elle en le dévisageant un instant.

C'était sûrement mieux ainsi.

— Et tu l'as simplement laissé là ? Pourquoi ne pas m'avoir avertie plus tôt ? lui reprocha-t-elle en bondissant sur ses pieds. Pourquoi Battersea ne l'a-t-il pas fait passer au salon ?

Le sourire de Cedric fut presque suffisant.

— L'individu ne peut pas passer la grille, n'est-ce pas ?

— Zut, s'exclama-t-elle, se précipitant dans le jardin pour remonter l'allée, sans remarquer que l'un des chats la suivait.

Lucius attendait de l'autre côté de la grille. Son regard vert était hypnotique, même de loin. Il portait de nouveau un manteau vert foncé, qui faisait briller ses iris comme des phares à travers une vitre verte. Elle souleva l'ourlet de sa robe et courut les derniers mètres.

— Lord Beauregard, s'empressa-t-elle, je suis désolée de vous avoir fait attendre.

— Ce n'est rien, répondit-il, son sourire dissimulant une légère frustration.

Elle ne lui en voulait pas d'être fâché. Sa mère avait engagé une sorcière pour jeter un sort à la grille, et les résultats étaient visibles aux marques de brûlure sur sa chemise et ses jointures.

Elle grimaça à leur vue.

— Oh, je suis désolée. La maison a récemment été ensorcelée pour interdire l'entrée aux membres de l'Ordre. Le sort doit être défectueux.

Il hocha la tête, soudainement amusé.

— Tant pis pour mon plan abominable.

— Votre plan abominable ? s'enquit-elle en inclinant la tête. C'est intéressant.

— J'étais au service d'une société secrète semblable en France, ces deux dernières années, expliqua-t-il avec un sourire d'autodérision. Lorsque l'Ordre s'est retrouvé avec une volée d'anomalies magiques qui tourmentaient Londres, j'ai offert mes services.

Il s'approcha de la grille, même si celle-ci se mit à crachoter des étincelles en guise d'avertissement.

— Lorsqu'il a été mention d'une escorte magique, je me suis porté volontaire.

— Une escorte magique, dit-elle en plissant le nez. Ça semble tellement mieux que d'être sous surveillance.

Elle s'arrêta.

— Mais où est Ian ?

— J'ai bien peur qu'il ait eu un accident et qu'il ne puisse plus être à son poste.

— Est-il blessé ?

— Il s'est fracturé la jambe lorsqu'il a été attaqué par un vagabond qui ne voulait pas lui remettre une vache magique qui se promenait dans Covent Garden.

Il remarqua son expression de surprise.

— Je suis sûr qu'il s'en remettra complètement.

Elle laissa échapper un soupir de soulagement.

— Tant mieux, je demanderai à la cuisinière de lui préparer son tonique antidouleur.

— Votre cœur est bon, ma chère.

Il inclina la tête, sortit une tulipe rose de derrière son dos et la lui offrit à travers les barreaux.

Elle l'accepta et enfouit son nez dans les pétales un instant.

— Bon, si vous ne pouvez pas entrer, j'imagine que je sortirai vous rejoindre, dit-elle en ouvrant la grille pour sortir.

— Devrions-nous aller nous promener au parc ? demanda-t-il en lui offrant le bras.

Elle l'accepta, sentant les muscles de Lucius bouger sous ses doigts.

— D'accord.

Cedric se glissa hors de la grille derrière eux, commençant à perdre un peu de sa patience légendaire.

## CHAPITRE 13

Gretchen était assise sur le sol dans la chambre d'amis, au milieu d'un cercle de sel, et elle tenait un charme de loup. Elle entoura le charme de ses doigts, s'imaginant qu'elle se transformait en loup et qu'elle courait dans les rues de Londres, mordillant les talons des dames correctes en robes de soie. Elle visualisa le sort de protection d'Emma et le sort d'invisibilité que tante Bethany avait utilisé une fois pour se dissimuler, avec ses cousines, de la vue des autres. Les sorcières mortes dans sa tête étaient satisfaites.

– Le sort doit être meilleur, dit-elle d'un ton sec. Parlez-moi.

Il n'y eut pas de douleur fulgurante, pas de bruit de fer, seulement un chuchotement :

– *Porte une couronne de fleurs d'amarante pour être invisible.*

Elle ne parvint pas tout à fait à imaginer Tobias en train de chasser des jeteurs de sorts au nom de l'Ordre, avec une couronne de fleurs dans ses cheveux.

– Quoi d'autre ? demanda-t-elle. S'il vous plaît, ajouta-t-elle, juste au cas où la politesse aurait compté autant que sa mère et Tobias semblaient le penser.

— *Des fleurs de chicorée cueillies avec une faucille en or lors du solstice.*

— *Sept graines de pavot.*

Elle n'avait jamais utilisé ses pouvoirs si facilement et si efficacement. Le succès lui montant à la tête, elle décida de continuer. Elle avait assez étudié pour savoir que ce qu'elle s'apprêtait à faire était dangereux et téméraire. C'était comme choisir un seul fil dans une tapisserie au moment où l'on savait enfin quelle couleur chercher, mais elle commençait à peine à maîtriser ses dons. Tenter d'écouter un sort jeté en direct par une sorcière était cent fois pire. Pourtant, elle devait essayer.

— Allez, Sophie, dit-elle. Qu'est-ce que *tu* planifies ?

Elle ferma ses yeux, pour mieux écouter. Un faible murmure, comme une brise d'été, et rien de plus. Elle attendit assez longtemps, jusqu'à ce qu'elle s'ennuie ferme.

— Zut ! s'exclama-t-elle en ouvrant un œil.

Elle chercha un bout de papier et y gribouilla le nom de Sophie. Elle apporta une chandelle au centre du cercle de sel et alimenta la flamme vacillante avec le bout de papier.

— Sophie Truwell, parle-moi.

Des bruits de déchiquetage la tailladèrent. Elle eut un mouvement de recul et rentra instinctivement la tête. Les voix formaient une avalanche de pierres qui menaçaient de l'ensevelir.

— *Rebrousse chemin.*

— Pas question, marmonna-t-elle, les dents serrées.

Ce n'était pas la voix de Sophie. C'était ce satané chœur, encore une fois.

— *Nous sommes encore ici. Encore ici.*

— *Rebrousse chemin.*

Gretchen mit un peu de sel sur sa langue, et la pression diminua. Plus elle apprenait à suivre ses instincts, plus elle était en mesure d'améliorer ses capacités magiques.

— *Élève-toi.*

— Élève-toi, ou rebrousse chemin? demanda-t-elle sèchement. Décidez-vous.

— *Un sort de jeteur de sorts.*

— Oui, dit-elle impatiemment. Lequel?

Elle s'arrêta.

— Attendez.

Elle était presque certaine que c'était la voix de Sophie.

— *Un sort de jeteur de sorts.*

Malgré tous ses efforts, elle ne put rien entendre d'utile. Pas d'incantation, pas d'herbe, pas de pierre, pas de poésie mièvre. Rien d'autre que le sang dans ses oreilles et son pouls qui battait irrégulièrement, puis enfin, rien du tout.

Elle se réveilla avec Tobias, agenouillé à côté d'elle sur le plancher, même si cela allait froisser ses hauts-de-chausses chamois. Le lévrier de Gretchen était assis à côté de Tobias, la langue pendante.

— Allô, articula faiblement Gretchen.

— Êtes-vous blessée?

Inquiet, il se pencha sur elle.

Elle fit signe que non, les mains pressées sur ses oreilles. Quand elle les retira et vit que celles-ci n'étaient pas ensanglantées, son sourire s'élargit.

— Je m'améliore.

— Vous trouvez que s'évanouir est une amélioration?

— Je ne m'évanouis jamais, répondit-elle en plissant le nez. Je n'aime même pas le mot.

— Perdre connaissance, d'abord, corrigea-t-il sèchement.

— Beaucoup mieux, approuva-t-elle en s'appuyant sur ses coudes. Je la déteste vraiment, vous savez ?

— Qui ?

— Sophie.

— C'est ce que vous faisiez ? Tenter d'entendre ses chuchotements ?

Elle fit un signe affirmatif de la tête en grimaçant.

— J'ai entendu sa voix, mais rien d'autre.

— C'est dangereux, l'avisa-t-il en s'étirant pour repousser gentiment une boucle de son front. Vous devriez être plus prudente.

Elle déglutit, demeurant immobile alors que les doigts de Tobias effleuraient ses sourcils.

— Je dois faire quelque chose. Elle a failli tuer ma cousine, la dernière fois qu'elle a trafiqué des sorts et autres trucs du genre.

— Je ne peux même pas la traquer, dit-il, son pouce posé sur la tempe de Gretchen.

Ni l'un ni l'autre ne bougea.

— Peu importe ce qu'elle fait, c'est compliqué.

— Ma solution est simple, répliqua Gretchen, lui donner des coups de pied jusqu'à ce qu'elle arrête.

— Vous êtes aussi féroce que toutes les filles-loups que je connais, remarqua-t-il en souriant.

Elle lui rendit un sourire rêveur.

— Je crois que je ferais un loup génial.

— N'y pensez même pas, s'opposa-t-il d'une voix rauque. Ça peut se transformer en malédiction en une fraction de seconde.

— Mais je peux les briser, vous en souvenez-vous ?

Gretchen était dans une maison emplie de loups.

Était-ce une surprise qu'elle ne soit pas en mesure de dormir ? Il était bien après minuit quand elle quitta sa chambre, pleine d'entrain. Ce qui inquiétait Tobias dans le haut de la maison, soit le pelage, les charmes et les dents de bébé loup attachées à un ruban en guise de souvenir sentimental, la rassurait. Le premier étage, avec son argent étincelant et ses planchers en marbre, de même que l'escalier imposant, l'irritait exactement de la même manière que sa propre maison. Toutefois, elle était assez sûre qu'il était impossible de courir trop vite dans les couloirs ou d'être trop bruyant. Pieds nus, elle foula le tapis, consciente que personne ne serait scandalisé, et suivit son ventre bruyant vers les cuisines. La porte de la bibliothèque était ouverte, la lumière inondant le plancher. Elle s'arrêta, jetant un coup d'œil à l'intérieur.

Tobias, les sourcils froncés, arpentait la pièce, qui n'était pas très grande. Il avait des meurtrissures là où ses manches étaient relevées sur ses avant-bras. Elle présuma que celles-ci étaient le résultat de son altercation avec les chasseurs de loups. Il leva brusquement la tête.

— Qui est là ? demanda-t-il en se dirigeant vers la porte.

— C'est juste moi, répondit Gretchen, qui glissa sa tête à l'intérieur. Je suis désolée de vous avoir fait sursauter.

Il fut décontenancé.

— Gretchen.

Il avait l'air pitoyable, triste et perdu. Ce fut ce qui la convainquit, et elle s'avança davantage dans la pièce.

— J'allais simplement voir si je ne pouvais pas trouver des sucreries.

— Des sucreries, dit-il en la regardant fixement.

— Oui, pour manger, répliqua-t-elle en le taquinant.

Elle connaissait assez les humeurs sombres pour savoir que, parfois, rien n'y changerait quoi que ce soit, à moins d'être surpris pour en sortir.

— Il y a du pain d'épice sur le plateau, là-bas.

— Excellent, s'exclama-t-elle vivement tout en le dépassant comme si elle ne portait pas une robe de nuit empruntée à Posy.

Elle était juste un peu trop courte, laissant entrevoir ses chevilles pendant qu'elle marchait. Elle s'imagina que Tobias serait scandalisé plutôt que distrait. C'était bien dommage.

Vraiment, d'où venait cette réflexion ?

— Oui, nous allons manger du pain, dit-elle fermement en coupant de généreuses tranches du pain d'épicc à la mélasse foncée.

Elle ajouta quelques abricots séchés qui se trouvaient dans un bol en porcelaine. Elle lui tendit une assiette et une fourchette en argent, les dents de celle-ci scintillant dans la lumière du feu. Il les accepta, les bonnes manières faisant effet, sans égard à son état d'esprit actuel. Elle avait considéré ce genre de contenance comme une faiblesse, mais à cet instant, elle s'interrogeait.

— On dit que vous serez le prochain premier légat. Vous, ou le frère de Daphne. Comment est-ce que cela va se passer avec toutes vos autres tâches et… secrets ?

— Avec une certaine inquiétude, j'en suis persuadé, répondit-il en esquissant un sourire.

— Votre famille ne semble pas être du genre à s'incliner devant l'Ordre.

— Vous avez bien raison, dit-il en pouffant de rire.

— Je savais que je les aimais pour une bonne raison.

Elle prit une autre bouchée de pain d'épice, pendant que son esprit tournoyait parmi les loups, les sorcières et les jeteurs de sorts.

— Pourquoi Sophie volerait-elle les ossements de Lilybeth ? demanda-t-elle. Si jamais c'était elle.

— Elle doit accumuler des pouvoirs pour un sort, répondit-il.

Cette réponse titilla quelque chose dans l'esprit de Gretchen, mais elle n'arriva pas à déterminer exactement pourquoi. Ça lui semblait toutefois familier.

— Il faudrait en quelque sorte qu'elle fasse des réserves de magie, n'est-ce pas ?

— Oui, mais nous semblons incapables de la trouver. On dirait qu'elle a disparu, dit-il en avalant une autre bouchée de pain d'épice. Nous présumons qu'elle se cache à l'intérieur de la maison des Greymalkin, où nous ne pouvons pas l'atteindre.

— Comment aurait-elle pu y entrer ?

Elle avait eu besoin d'Emma pour cela, la dernière fois.

— Une autre bonne question.

Gretchen examina la pièce pendant qu'elle mangeait. Celle-ci était grandiose et imposante, emplie de livres au lettrage doré et d'odeurs de cuir et de fumée. Un globe terrestre se trouvait dans le coin avec une table de trictrac et plusieurs chaises rassemblées autour de l'âtre. Seul le feu éclairait la pièce. Elle remarqua les tasses de café vides alignées sur une tablette et se demanda ce que craignait Tobias pour l'empêcher de dormir.

— Vous n'approuvez pas ? s'étonna doucement Tobias.

— Que voulez-vous dire ? demanda-t-elle en le regardant avec surprise.

— La bibliothèque. Vous avez pratiquement fait fi des pattes de table rongées par les chiens et du désordre du petit salon en haut.

— C'est confortable. Ceci est très imposant, je vous l'accorde, et croyez-moi, j'ai vu toutes les bibliothèques de Mayfair. Mais comment pouvez-vous la préférer ?

— C'est plus sobre, répondit-il.

— Est-ce le cas ? demanda-t-elle en léchant un grain de sucre sur sa lèvre.

La fourchette de Tobias cliqueta contre son assiette.

— Pourquoi ? Je me le demande, ajouta-t-elle.

— C'est simplement le cas.

— Je me pose des questions en écoutant votre frère parler.

— Mieux vaut vous prévenir, mon frère est… radical.

— Vous êtes aussi radical que lui, Tobias, remarqua Gretchen, qui pouffa de rire. C'est seulement que vous n'avez pas la même opinion.

— J'imagine que vous avez raison. Je n'y avais jamais songé de cette manière, ajouta-t-il après avoir fait une pause.

— Il a donné l'impression que comme il l'a dit, vous « portiez le loup » rarement.

— En effet.

Elle le regarda fixement.

— Vous n'êtes pas sérieux, dit-elle, aussi bouleversée par cela que par le reste.

Plus bouleversée, en fait.

— Je me métamorphoserais tout le temps.

Il faillit sourire.

— J'imagine que vous le feriez, dit-il en fixant du regard la fenêtre sombre pendant qu'elle regardait son pâle reflet. Mais je n'avais jamais réellement porté le loup avant aujourd'hui.

— À Londres, vous voulez dire.

Elle songea aux diligences bondées et aux chevaux agités, ainsi qu'à la foule inconsciente qui se pressait partout.

— Oui, je peux comprendre pourquoi, ajouta-t-elle.

— Non. Je veux dire, jamais.

— Comment est-ce possible ? demanda-t-elle en s'avançant devant lui.

— Je me suis métamorphosé une fois à mon treizième anniversaire de naissance, dit-il. C'est la tradition. Mais jamais depuis cette fois, pas avant le poison d'aconit. Celui-ci interfère avec la maîtrise de soi, mais les métamorphes doivent porter leur animal pour éloigner les poisons et la magie noire de leur corps.

Gretchen éprouva un vertige.

— Je ne comprends pas. Pourquoi gaspilleriez-vous un tel don ? demanda-t-elle, répétant par inadvertance la même question que la famille de Tobias et Cormac lui posaient depuis des années.

— Une telle malédiction, vous voulez dire.

— Ne me dites pas que vous vivez un conflit et que vous ruminez à ce sujet. Pourquoi ne vous contentez-vous pas d'en profiter ? Vous êtes cinglé.

— Vous ne comprendriez pas.

— Dans ce cas, expliquez-moi, insista-t-elle doucement.

Elle n'était pas certaine de la raison pour laquelle c'était si important. Il y avait toutefois quelque chose à propos du conflit intérieur que vivait Tobias, empreint de tristesse, qui lui rappelait son frère quand les fantômes le poussaient à s'enivrer.

— S'il vous plaît, ajouta-t-elle parce qu'il ne répondait pas. J'aimerais vraiment comprendre.

— Le loup nous porte autant que nous le portons, dit-il d'un ton ferme. Nous pouvons nous oublier.

— Est-ce si désagréable ?

— Nous pouvons également oublier toutes nos responsabilités.

— Et pour vous, ce serait effectivement terrible, concéda-t-elle.

Ils étaient si près qu'elle pouvait ressentir la chaleur de Tobias, ce qui contrastait avec la brise fraîche qui soufflait par la fenêtre ouverte derrière eux. Le charbon bougea dans l'âtre, provoquant des étincelles.

— Vous avez remarqué les cicatrices sur le visage de ma mère.

Elle acquiesça de la tête.

— Ce sont les chasseurs de loups qui les ont faites.

— Eh bien, cela en dit certainement plus sur les humains que sur les loups.

— Peut-être, mais le danger est le même.

Il pointa vers un portrait de famille accroché entre la tablette et la fenêtre.

— C'est ma sœur aînée, Gaelen, précisa-t-il en désignant une fille aux cheveux brun foncé et aux yeux gris-vert qui était aussi jolie qu'une poupée de porcelaine. Ma famille préfère rester à la campagne ; c'est beaucoup plus facile ainsi, mais Gaelen n'a pas le choix.

— Pourquoi pas.

— Elle est devenue sauvage. Elle se donne à peine le mal de reprendre une forme humaine et, quand elle le fait, elle ne supporte pas d'être autour des gens. Elle n'arrive pas à composer avec eux.

— Qu'est-ce qui s'est passé ?

— Il y a quatre ans, elle a découvert la fourrure de son amant suspendue à une branche pour être préparée à être tannée. Un chasseur de loups l'avait trouvé dans la forêt. Il récupérait encore ses trophées, quand Gaelen est tombé sur eux.

Gretchen sentit la bile remonter sans sa gorge.

— Non.

— Elle l'a tué. Et elle n'a plus jamais été la même depuis.

La voix de Tobias s'enrouait, alors que le récit sortait de sa bouche comme de vieux clous en fer.

— J'ai juré ce soir-là que je ferais tout en mon pouvoir pour garder ma famille en sécurité. Notre race ne peut courir le risque d'aller à l'académie, à moins de maîtriser le fer. Je me suis donc entraîné à contenir ma magie.

— Et vous vous êtes ensuite joint à l'Ordre, poursuivit Gretchen d'un ton compréhensif.

Elle présumait que son frère avait décidé de se joindre aux carnyx à la même époque pour protéger les métamorphes des chasseurs de loups.

— Oh, Tobias, je suis tellement désolée pour vous et Gaelen, pour vous deux.

— Pourquoi moi ? dit-il. On ne m'a pas fait de mal.

— Vous croyez ? demanda-t-elle simplement. Ne vous a-t-on pas privé de la joie de votre véritable nature ?

Il ne semblait pas savoir quoi répondre à cela.

— Aussi, comment pouvez-vous garder cela secret ? Vous n'êtes pas exactement anonyme. Tous les chasseurs de loups de Londres doivent avoir une prime sur vous, ajouta-t-elle en frissonnant à cette idée.

Il se contenta de hausser les épaules.

— Comme gardien, je sens la magie tous les jours. Détecter le loup en moi est difficile. De plus, il y a les charmes, évidemment. Je n'ai jamais dit cela à personne, sauf à Cormac et au premier légat, ajouta-t-il en hochant la tête.

— De toute manière, qu'y a-t-il de si merveilleux dans la maîtrise de soi ? À vous entendre, vous et ma mère, c'est un bouclier magique contre les mauvaises manières, les fléaux et la maladie.

— C'est ce qui nous sépare des bêtes.

— Hum, dommage.

— Il y a une ville entière qui dépend de moi, pas juste ma famille.

Le feu avait diminué, et l'obscurité de la bibliothèque les tenait dans sa paume. Ils auraient pu prétendre être n'importe où.

— Sans maîtrise de soi, tout peut arriver, ajouta-t-il d'une voix rauque.

En parlant, il plongea son regard dans le sien et glissa ses mains sur le haut de ses bras, ce qui laissa un délicieux frissonnement dans leur sillage.

— N'est-ce pas le but ? demanda-t-elle sans reculer.

Elle n'aurait pas pu le faire.

Il la rapprocha de lui, tout contre sa poitrine, alors qu'il penchait la tête pour l'embrasser. Il emmêla sa main dans les boucles courtes qui tombaient sur le cou de Gretchen, son pouce pose contre sa mâchoire. Il mordilla sa bouche, et elle se mit sur la pointe des orteils pour se rapprocher. Elle sentait tout : le feu, le goût du pain d'épice sur sa langue, les secrets entre eux. Il pressa le dos de Gretchen contre le mur, jusqu'à ce que les loups et les jeteurs de sorts soient oubliés, jusqu'à ce qu'il ne reste que deux sorciers et un moment volé avant que la bataille éclate.

Quand le baiser se termina, trop tôt, il appuya son front contre le sien, luttant pour retrouver sa discipline habituelle.

Son souffle tremblait quand elle finit par expirer.

— Je dirais que la maîtrise de soi est surfaite, qu'en dites-vous ?

Gretchen passa les premières heures du jour dans le jardin, toujours incapable de dormir. Elle but du thé sur la terrasse, jusqu'à ce que le soleil soit trop brillant et les fleurs du printemps trop joyeuses pour les ignorer. Elle erra sur les sentiers, prenant en note les sortes de plantes qu'elle apercevait ainsi que leur fonction magique. C'était presque comme subir un examen. Elle se sentait indéniablement vertueuse.

Le jardin, à l'instar de la maison, avait à première vue des allures cérémonieuses, avec une fontaine formée de poissons qui sautaient, des haies de buis et des bancs délicats posés sur des sentiers de cailloux. Il s'altérait ensuite pour se transformer en une sorte d'étendue sauvage avec des arbres et des ombres secrètes.

Gretchen ne mit pas de temps à croiser Posy dans l'une des ombres. Elle était assise dans un peuplier avec un livre et une pomme à moitié entamée.

— Bonjour, dit-elle, la tête levée en l'air et ses yeux protégés avec sa main.

Le fait qu'elle ne portait pas son habituel bonnet quand elle avait trébuché contre la diligence de Tobias allait de soi.

— Bonjour, salua Posy avec un sourire timide.

— Je n'ai pas grimpé dans un arbre depuis longtemps, annonça-t-elle. Je dois remédier à ça immédiatement.

— Mais tu es une dame, dit Posy, qui la regarda avec des yeux ronds.

— Une raison de plus pour grimper dans un arbre, si tu veux le savoir.

Elle se hissa sur la première branche et reprit son équilibre.

— Je ne suis pas sûre que ça soit une bonne idée, commenta Posy d'une voix dubitative. Es-tu sûre que tu sais comment ?

— Oh, Posy, tu viens juste de me mettre au défi de le faire maintenant. Et je n'ai jamais pu ignorer un défi.

Elle passa de branche en branche, s'arrêtant seulement pour faire un nœud avec ses jupes entre ses jambes, parce qu'elles l'entravaient.

— C'est beaucoup plus facile en hauts-de-chausses, souffla-t-elle en se tortillant pour se glisser dans le creux où le tronc principal se séparait en deux.

Des chatons pendaient comme des tresses de cheveux blonds.

À travers les branches, elle regarda les sentiers de cailloux et le mur couvert de mousse à la limite de la propriété.

— Charmant, déclara-t-elle en désignant le mur. Comment les voisins ont-ils pu ne pas te trouver.

— Il y a des sorts et des protections, répondit Posy d'une petite voix, comme si elle n'était pas habituée de parler avec d'autres jeunes filles. Et nous avons tellement de chiens que s'ils apercevaient quelque chose, ça serait facile à expliquer.

— Astucieux.

— C'était l'idée de Tobias, dit fièrement Posy.

— Oui, j'imagine que ça l'était.

Posy enroula sa queue autour d'une branche, sa douce fourrure se froissant dans la brise. Quand elle vit que Gretchen avait remarqué, elle la retira prestement.

— Est-ce que tu savais que j'étais une chuchoteuse? demanda négligemment Gretchen. Je suis encore en train de m'habituer. Mes oreilles saignent parfois. Ce n'est pas très joli. J'aimerais bien mieux avoir une queue.

Le sourire de Posy était timide et charmant, comme des violettes. Elle semblait briller doucement, quand elle oubliait de se recroqueviller dans l'ombre. Gretchen aperçut Tobias marcher sur les sentiers sous elles. Elle se demandait à quelle fréquence Posy riait. Et si Tobias savait même comment le faire.

Elle arracha une poignée de chatons, lesquels étaient doux et légèrement collants.

— Je crois que je peux l'atteindre d'ici.

Posy gloussa avant de poser sa main sur sa bouche pour s'arrêter.

— Tu ne le feras pas.

— Oh, Posy, sourit Gretchen. Tu me mets encore au défi.

Elle attendit qu'il ait tourné le coin pour laisser tomber les chatons. Ceux-ci volèrent dans les rosiers à droite, le ratant complètement. Il tourna rapidement la tête.

— Tu l'as raté, indiqua Posy.

— C'était une feinte, soutint Gretchen. Maintenant, il est exactement où je le souhaitais. Il regarde de l'autre côté.

Elle lança une autre volée de missiles. Il fut bombardé de pluie collante verte.

Elle n'avait toutefois pas tenu compte de la fontaine.

Il se baissa rapidement pour attaquer et tira sur le tuyau d'arrosage qui se trouvait sur la pelouse pour remplir le bassin de pierre. Il le dirigea exactement dans leur direction. Elles s'empressèrent de descendre de l'arbre en hurlant de rire. L'eau froide dégouttait de leurs cheveux, et Gretchen cracha une gorgée d'eau. Tobias s'appuya contre la fontaine en souriant.

— Tu savais que nous étions là-haut, l'accusa Gretchen.

— Vous étiez difficiles à rater.

Posy tordit l'eau de ses cheveux et regarda Tobias, puis Gretchen, et de nouveau Tobias. Elle s'éloigna tout en continuant de rire. Gretchen se sentait embarrassée. Pas parce qu'elle était trempée ou parce que Tobias était un loup, et pas même parce qu'ils s'étaient embrassés, mais simplement parce qu'elle n'avait pas particulièrement envie de le frapper au visage.

— Ma sœur se sent seule. Tu sembles être bonne pour elle, dit-il, alors qu'un chaton s'agrippait à son bras comme une chenille géante.

– Je n'ai jamais été accusée de ça.

– C'est plutôt inédit.

# CHAPITRE 14

Gretchen descendait déjeuner, quand Ky fit son arrivée, taché de sang et souriant. Il exhalait une odeur de violence et de Tamise, avec un soupçon de pin qu'elle commençait à associer aux loups.

— L'as-tu trouvé ? demanda-t-elle.

— Qui, chérie ?

— Le chasseur de loups qui a attaqué ton frère, évidemment, dit-elle en levant les yeux au ciel.

— Je croyais que j'étais sorti boire un verre avec les camarades, répondit-il. N'est-ce pas ce que font les jeunes aristocrates ?

— Et je travaillais sur ma broderie, répliqua Gretchen. Parce que c'est ce que font les jeunes filles bien élevées.

Il pouffa de rire.

— Parle-moi des carnyx, ajouta-t-elle, fascinée par tous les aspects de ce nouvel univers caché.

— Mon frère a dû te dire que nous sommes sauvages.

— Oui, mais il a dit la même chose de moi, répondit-elle en souriant.

— Nous protégeons les loups des chasseurs de loups et des jeteurs de sorts. Quelqu'un doit bien le faire, dit-il, sur la défensive.

— Je suis d'accord.

— Sais-tu combien d'entre nous sont torturés et tués pour leur fourrure ou leurs dents ? Nous ne sommes même pas des animaux pour eux, simplement des trophées magiques.

— Donc, vous combattez.

— Souvent et bien. Nous ne pouvons pas tous nous incliner devant l'Ordre comme Tobias.

Elle vit alors son attitude prétentieuse, si différente de l'affabilité de son frère à elle.

— Il se bat également pour vous, dit Gretchen, qui sentit soudainement le besoin de le défendre. Il se bat pour nous tous, en fait.

— Il a honte de qui il est.

Elle hocha doucement la tête.

— Je ne crois pas que cela soit vrai. Sa façon de faire est simplement différente, dit-elle.

Elle désigna les poignards pendus à sa ceinture d'un signe de tête.

— Sont-ils magiques ? Puis-je en voir un ?

Il sourcilla à la question, mais lui en tendit un.

— Il est tranchant, fais attention.

— Il ne serait pas très utile, s'il ne l'était pas, fit-elle remarquer, le soupesant et testant sa pointe.

Le poignard n'avait rien d'ornemental comme les poignards antiques ou rituels, mais la ferronnerie sur le manche de bois avait un certain charme.

— Il est très joli, admira Gretchen, qui le lui rendit à regret.

Elle se pencha pour prendre le poignard qu'elle portait à la cheville, depuis la nuit où ils avaient croisé un kelpie.

— Le chapeau de Tobias sur la table d'appoint, annonça-t-elle avant de le lancer.

Il vola sans beaucoup de grâce, mais vola vraiment et frappa le chapeau de castor.

— Sapristi ! siffla Ky, tu ferais un bon carnyx.

— Je sais, sourit-elle.

Gretchen s'attarda à table, mais elle savait qu'il était temps de rentrer à la maison. Il se mit à pleuvoir, ce qui reflétait parfaitement son humeur. Les premières gouttes frappèrent la vitre comme des pièces de monnaie en argent. Les nuages ressemblaient à des amas de crème chantilly, couverts de glaçage à la mûre. Elle aperçut la silhouette de Posy courir en jeune louve entre les arbres, pelage détrempé et langue pendante. Elle sautillait et bondissait avec tant de plaisir que Gretchen ne put s'empêcher de sourire en la regardant.

Se souvenant de ce que Tobias lui avait dit à propos des charmes de loup, Gretchen sortit rapidement dans le jardin alors que la diligence s'avançait. Elle resta en bordure de la haie, de l'eau lui coulant le long de la nuque. Elle fit le tour du jardin jusqu'à ce qu'elle trouve une trace de pas sur le sol de l'autre côté du jardin ornemental. Elle attendit qu'elle soit remplie d'eau avant de mettre l'eau dans un petit flacon. Elle le glissa dans sa manche et rentra dans la maison.

Tobias la vit entrer par la serre, se servant de son châle pour éponger ses cheveux mouillés. Sa robe était mince et détrempée, et elle était reconnaissante pour la veste croisée bleu foncé de Posy qui gardait ses bras au chaud. La serre embaumait le parfum des lys et des fleurs blanches du jasmin.

— La diligence est prête, dit Tobias.

Elle espérait avoir entendu une pointe de déception dans sa voix, pour faire écho à la sienne. Il était vêtu de façon impeccable avec une simple veste tailleur et une cravate. Lorsqu'il baissa les yeux sur sa bouche, elle sentit son cœur lui remonter dans la gorge. Elle frissonna, soudainement envahie par une chaleur intérieure et transie par la pluie à l'extérieur.

— Vous êtes différente ici, ajouta-t-il doucement, se retournant pour regarder fixement les orangers et le terrain détrempé au-delà.

— Vous aussi, dit-elle en inclinant la tête.

Même s'il avait toujours l'air solennel et sérieux, à un certain moment, son attitude était passée d'irritante à gentille.

— Je croyais que vous défiez tout par principe.

Elle haussa une épaule.

— Parfois, c'est vrai, mais c'est seulement parce que je suis continuellement gênée par ma naissance, mon sexe ou l'étiquette sociale. J'ai toujours su que je n'étais pas qu'une jolie robe qui savait parler et bouger, mais j'ai vraiment senti cela ici. Vous ne pouvez pas savoir combien c'est libérateur.

Il détourna finalement son regard de la pluie.

— Personne ne choisirait cette vie, Gretchen.

— Vous avez tort, moi je la choisirais.

— Vous dites ça maintenant, mais les secrets vous pèseraient lourd. Vous êtes de nature ouverte. Je ne crois pas que ce serait facile.

Elle hocha la tête.

— Être discrète et correcte parce que vous gardez un secret précieux est différent d'être discrète parce que l'on considère que vous n'avez rien à dire.

Un sourire se dessina sur ses lèvres, adoucissant sa beauté sévère.

— C'était beaucoup plus facile, quand je ne vous aimais pas, vous savez.

Elle lui rendit son sourire.

— Ma foi, Tobias, c'était absolument romantique, le taquina-t-elle.

La pluie continua de marteler le toit de verre comme une ruée de chevaux dans le ciel. Le bruit enterra les mots qu'ils ne pouvaient prononcer. Tobias se redressa le premier, prêt à partir à la guerre.

— Vous êtes prête ?

Elle songea à l'eau de pluie dissimulée dans sa manche en sécurité.

— Je le suis maintenant.

Godric attendait à distance discrète de la maison des Lawless, adossé à un réverbère, l'air renfrogné. La pluie dégouttait du bord de son chapeau, lorsqu'il s'avança en la voyant. La grille des Lawless était à peine ouverte quand il frappa à la portière de la diligence. Gretchen l'ouvrit et sortit en souriant.

— Mais qu'est-ce qui se passe ? exigea Godric, alors que leurs compagnons lévriers se pourchassaient gaiement autour d'eux.

— Je croyais qu'Emma et Penelope te l'avaient dit ? répondit-elle en baissant la voix pour ne pas être entendue.

— En effet, dit-il en la regardant sévèrement. J'imagine qu'elles ont omis toutes les parties importantes.

Il se retourna pour lancer un regard noir en direction de la maison.

— J'ai presque envie de faire sortir Tobias pour lui demander des explications.

— Ne t'avise pas de le faire, lui interdit-elle.

Elle sourit au cocher et lui dit :

— Merci beaucoup, mais je vais rentrer à pied.

— Par ce temps ? s'étonna-t-il, d'un ton plus résigné qu'horrifié.

Elle avait l'impression que Tobias était le seul dans cette maison à ne pas courir partout par n'importe quel temps et à n'importe quelle heure. Il fit reculer les chevaux pour ramener la diligence dans l'entrée.

Gretchen prit le bras de Godric, la pluie ayant déjà détrempé sa robe. De la boue éclaboussait les roues des autres diligences sur la route. Le ciel était d'un gris uniforme et terne, presque assez bas pour être touché.

— Je vais très bien, assura-t-elle à son frère. En fait, j'irai mieux si tu me dis que maman ne soupçonne rien du tout.

— Non, grommela-t-il, elle croit que tu es chez tante Bethany.

— Tant mieux.

— J'allais venir te chercher moi-même, admit-il. Mais Penelope m'en a empêché.

— Tant mieux également.

Il lui jeta un long regard de côté.

— Elle est plus forte qu'elle en a l'air. Et cruelle. Elle m'a mordu.

Lorsque Gretchen éclata de rire, il sourit à contrecœur, mais seulement brièvement.

— Qu'est-ce qui s'est passé, Gretchen ?

— Je ne peux pas t'en parler, rétorqua-t-elle d'un ton d'excuse.

— Tu me dis tout, affirma-t-il en la dévisageant, incrédule.

— Je sais, mais cette histoire n'est pas la mienne, répliqua-t-elle en lui donnant un coup de coude. Ils m'ont accueillie simplement pour me protéger.

— De quoi ?

— Je ne peux te le dire non plus.

— Tu n'es pas sérieuse, s'écria-t-il avec frustration.

— Fais-moi confiance, Godric. Tout va bien.

— C'est ce que tu m'as dit quand tu tentais de me convaincre de mettre le feu à cette chaloupe pour ces funérailles de Viking. J'y ai perdu mon sourcil gauche. Il a mis tout l'été à repousser.

Chaque nuit, Gretchen rêvait de loups.

Sa mère l'avait traînée de force chez la couturière pour voir des tonnes de tissus. Même lorsqu'elle était couverte d'épingles, elle ne pensait qu'aux loups.

Elle assista à un opéra et n'entendit aucun mot, simplement des hurlements.

Elle marchait le long de Bond Street avec ses cousines pour regarder les rubans, les oranges, les épingles à cheveux et les boucles de gants, mais elle ne voyait que des loups dans les vitrines.

Elle restait éveillée tard le soir, la tête penchée par la fenêtre pour entendre les hurlements. Elle n'était pas certaine s'il s'agissait de chiens, de renards ou de loups, mais elle écoutait tout de même.

Elle lut tout ce qui lui tombait sous la main sur les loups et les métamorphes. L'eau de loup lui permettrait de se changer en loup, mais une seule fois. Elle opta pour porter le flacon dans son corset, juste au cas.

Elle cherchait Tobias des yeux dans les bals, les soirées et les interminables repas, mais les gardiens de l'Ordre n'exerçaient plus de surveillance. Tous les gardiens disponibles étaient requis pour réparer les protections brisées et restreindre la magie en liberté qui attaquait comme un orage. On avait principalement besoin d'eux pour retrouver Sophie.

La fuite de Sophie était connue de toutes les familles de sorcières, même celles qui gagnaient leur vie en vendant des teintures dans Whitehall. Il y avait tant de sorts de protection accrochés sur les portes et les grilles, les lanternes des diligences et les brides des chevaux que le brouillard grésillait. Une fois, lorsque Gretchen éternua, une nuée de gargouilles s'attaqua à son bonnet.

Les oracles et les devins travaillaient jour et nuit pour traquer Sophie, mais ne pouvaient circonscrire un secteur plus précis que Londres. La zone entourant la maison des Greymalkin était rigoureusement surveillée, et l'accès en était interdit. L'Ordre avait même opté pour fouiller des maisons et interroger des sorcières au hasard. Lorsque Gretchen remarqua un surplus de pendentifs blanc crémeux de la taille de billes, Emma lui dit qu'ils étaient censés luire en la présence d'un membre de la famille Greymalkin. Emma passait la majeure partie de son temps à éviter quiconque portait un tel pendentif, ce qui s'avérait difficile.

Gretchen observa un troupeau de pégases noirs voler au-dessus de la rue. Ou était-ce une volée ? De toute façon, cela n'augurait rien de bon pour la tentative de l'Ordre de maîtriser les éclats de magie, pas plus que le faisaient les cours de défense contre les malédictions et la magie noire, même si Gretchen appréciait beaucoup plus ces derniers.

Penelope descendit de la diligence, un tablier épais noué autour de sa robe.

— Nous ne préparons pas de gâteaux, lui dit Gretchen en souriant.

Elle ajusta ses gants.

— C'est Daphne qui lance des sorts, aujourd'hui, annonça-t-elle. Je veux être prête, cette fois-ci.

Elle avait un fichu de dentelle glissé dans le décolleté de sa robe, couvrant chaque centimètre de sa poitrine et de sa gorge.

Les couloirs de l'école étaient anormalement tranquilles, le plancher craquant alors qu'elles se dirigeaient vers la salle de bal. L'odeur de la fumée et du sel brûlé piqua les narines de Gretchen. Elles rejoignirent Emma.

— Qu'avons-nous raté ? murmura Gretchen.

— Rien pour l'instant, dit Emma, qui jeta un regard à Penelope. Prévois-tu ouvrir des poissons dans cet uniforme ?

— Tu peux rire, mais c'est moi qui rirai quand tu seras couverte de betteraves bouillies, répondit vertement Penelope. N'est-ce pas l'objectif de ce cours ? D'être fin prêtes ?

Daphne s'installa devant la classe, près de Mlle Hopewell. Elle levait le menton de façon hautaine, mais Gretchen apprenait à voir l'incertitude de son geste. Cela ne l'aiderait toutefois pas à éviter les betteraves bouillies.

— Mesdemoiselles, votre attention, s'il vous plaît, exigea Mlle Hopewell, qui tapa dans ses mains. Aujourd'hui, nous jetterons des sorts de protection, comme l'ont fait les élèves d'Ironstone lors de la démonstration.

Elle fit une pause, lorsqu'une des plus jeunes filles leva la main.

— Oui, Agatha, qu'est-ce qu'il y a ?

— Mon pendentif luit ! dit-elle en tendant son cristal, les yeux écarquillés.

Les jeunes filles autour d'elle s'éloignèrent, comme si elle était contagieuse. Des murmures frénétiques éclatèrent. Emma pâlit, même lorsque Gretchen et Penelope se placèrent furtivement devant elle.

Mlle Hopewell soupira.

— Ne vous inquiétez pas. Ce genre de sorts de protection s'anime toujours dans la salle de bal, expliqua-t-elle. Si vous aviez écouté en classe, vous le sauriez. Il y a trop de résidus de magie et de sorts qui bouillonnent. Regardez autour de vous, la plupart de vos pendentifs luisent.

Emma relâcha son souffle. Gretchen et Penelope s'éloignèrent d'un air innocent. Mlle Hopewell avait déjà repris son cours.

— Tu voudras un bouclier de lumière pour t'envelopper. Une bulle est encore mieux, mais nous commencerons petit et partirons de là. La lumière bleue fonctionne mieux. Prenez le temps de la visualiser dans votre tête, puis sortez votre magie. Il est utile de se concentrer sur votre nœud de sorcière. Il peut servir de canalisateur.

— Et les poignards ? demanda Gretchen. Si vous en lancez un, tout va bien.

— Les jeunes femmes ne s'amusent pas à poignarder les gens, répondit sévèrement Mlle Hopewell.

— Mais elles s'amusent à se faire tuer, n'est-ce pas ?

— Vous n'allez pas mourir, Gretchen, dit Mlle Hopewell d'un ton exaspéré. J'aimerais bien que vous ne soyez pas si violente. Il n'y a aucune raison de l'être. L'Ordre nous protège.

— Mais…, dit Gretchen d'un air renfrogné.

— Et si vous manquez votre coup avec votre poignard adoré, poursuivit-elle, vous venez de donner une autre arme à votre opposant, n'est-ce pas ?

— Je n'ai pas l'intention de rater mon coup.

— Personne n'a cette intention, dit-elle.

Elle fit un signe de tête à Daphne.

— Allez-y.

Daphne lança une poignée de rondelles de cire rouge dans les airs, comme celles qu'on utilise pour sceller les lettres. Chacune d'elle avait un mot gravé dessus. Elles flottèrent un moment dans les airs avant de se transformer en frelons, en pies et en moineaux aux becs effilés.

D'un coup de poignet, Daphne les libéra. Sa magie les propulsa avec une précision mortelle. Les jeunes filles reculèrent d'un pas et lancèrent des boucliers d'énergie avec différents degrés de réussite. Une lumière bleue monta et descendit dans la salle de bal. L'odeur de fenouil et de pommes brûlés était importante. Catriona et Clarissa avaient les meilleures protections ; elles repoussaient tous les sorts, jusqu'à ce que les rondelles de cire fondent. Olwen, la sœur de Cormac, apparaissait et disparaissait, même si sa protection demeurait en place, luisant brillamment.

— Bien, interrompit Mlle Hopewell, alors que toutes les jeunes filles étaient rouges et essoufflées. Daphne, vous pouvez aller rejoindre les autres, maintenant, pour travailler sur votre protection. Si vous êtes fatiguées, tirez de l'énergie de la terre, des arbres du jardin et de l'eau de la fontaine, mais jamais les unes des autres.

— Pourquoi pas ? demanda une des jeunes filles.

— Parce que cela épuiserait l'énergie de l'autre, sans mentionner que c'est plutôt grossier.

Mlle Hopewell arpenta les allées comme un général ; elle lançait des éclairs d'elfe, qui laissèrent des marques où ils touchaient et tiraient l'énergie jusqu'à ce que la personne soit fiévreuse et malade. Une des jeunes filles s'évanouit. Gretchen dut éteindre ses cheveux qui s'étaient enflammés accidentellement. Les bois d'Emma furent pris dans une volée d'éclairs d'elfe et laissèrent couler une sève verte. Furieuse, Emma fit griller les éclairs d'elfe avec des éclairs qui jaillirent du lustre.

La magie de Gretchen s'évanouit avant celle des autres. Elle s'efforça de garder sa protection active, mais celle-ci disparut dans une pluie d'étincelles bleues. Elles tombèrent au sol et laissèrent des marques rouges. Elle essuya furieusement la sueur de son front.

— Les protections ne seront d'aucune utilité contre Sophie, remarqua Daphne à ses côtés, d'un ton aussi frustré que celui de Gretchen. Je l'ai dit à mon père.

— Et qu'a-t-il répondu ?

— Que les protections ne sont là que pour nous protéger assez longtemps pour qu'un gardien s'occupe de tout.

— C'est n'importe quoi, répliqua Gretchen, qui se pencha pour détacher le poignard de sa cheville.

Elle le lança en direction d'une des cibles de foin.

— Bon, voilà qui m'intéresse, dit Daphne, qui alla le chercher malgré le regard désapprobateur de Mlle Hopewell.

Gretchen testa la pointe du poignard sur son index en souriant.

— Ce n'est pas comme de la broderie.

— Je l'espère bien. Donne-le-moi.

— Oublie Sophie, murmura Penelope à Emma. Le fait que ces deux-là s'entendent est plus inquiétant.

# CHAPITRE 15

Danser la valse au bal de mai semblait encore plus ridicule qu'à l'habitude.

Le premier jour de mai était un jour de seuil, aussi puissant que la veille de la Toussaint et les solstices d'été et d'hiver. Tout le monde était persuadé que Sophie passerait à l'action, après avoir recueilli suffisamment de magie pour jeter le sort de son choix.

Selon Gretchen, cela faisait de la danse un choix étrange.

Cependant, la société des sorcières croyait qu'il était plus sécuritaire de se regrouper, et plusieurs gardiens avaient été envoyés pour couvrir la soirée. Gretchen y participerait, comme tout le monde, parce qu'on s'y attendait. Mais il valait mieux enfiler une robe de bal en soie, des boucles d'oreilles en topaze et des gants qui refusaient de tenir en place que de se sentir inutile. Elle mit du sel dans ses chaussures et le flacon d'eau de loup dans son corset, juste au cas.

Elle passa d'abord à l'académie, déterminée à faire une nouvelle tentative d'écoute des sorts de Sophie. Peut-être que le fait d'être dans sa chambre l'aiderait. La plupart des élèves pensionnaires étaient déjà parties ou terminaient frénétiquement leur coiffure. Emma était déjà partie, et Penelope était accompagnée par Lucius.

Avant que Tobias l'ait embrassée, Gretchen aurait trouvé étrange d'être accompagnée par un gardien. En vérité, elle trouvait tout de même cela un peu étrange, mais elle se demandait simplement si Tobias allait être au bal. Il ne l'avait pas suivie à l'école depuis que l'Ordre avait cessé la surveiller, elle et ses cousines. Trouver et arrêter Sophie constituait désormais son unique objectif.

Gretchen entra dans les anciens appartements de Sophie avec détermination. Cette fois-ci, elle réussirait. Elle s'assit sur le lit et ferma les yeux. Elle respira lentement et profondément, jusqu'à ce que son cœur batte davantage dans ses oreilles. Elle écouta, mais ne put qu'entendre les mêmes mots à répétition :

– *Seul un sort de jeteur de sorts.*

– J'ai besoin de plus que cela, dit-elle.

– *Seul un sort de jeteur de sorts.*

– Oui, cela, je l'ai compris.

– *Seul un sort de jeteur de sorts.*

– Franchement, vous pourriez essayer d'être utiles, leur reprocha-t-elle d'un ton sec et maussade. *Quel* sort…

– Qu'est-ce que tu fais ? demanda Daphne, qui referma la porte derrière elle.

Son don pour viser des sorts exactement où ils étaient nécessaires passa au-dessus de Gretchen. Le chœur des sorcières mortes lui fit basculer la tête en arrière.

– *Hélas, pas de poésie de sorcière.*

Gretchen mit les mains sur ses tempes et tenta de ne pas être malade.

— Hélas, pas de poésie de sorcière, répéta-t-elle d'une voix ténue et lointaine.

Daphne se figea.

— Qu'as-tu dit ?

— *Pour remonter le temps.*

Il y eut plus de paroles, mais elles parlaient les unes par-dessus les autres, comme dans une chanson.

— Pour remonter le temps ? répéta Daphne, qui interrompit la litanie psychique. Je connais ce sort.

D'un coup, la psalmodie cessa. Gretchen cligna des yeux.

— Tu le connais ?

— Bien, c'est une poésie, en fait, précisa-t-elle. Tout le monde le connaît.

Gretchen fronça les sourcils.

— Je ne suis pas une sorcière depuis très longtemps, Daphne. Je n'ai pas grandi dans cet univers.

— Ah oui, c'est vrai, il va ainsi : *Hélas, pas de poésie de sorcière pour remonter le temps; seul un sort de jeteur de sorts peut suspendre le tintement. Pour éveiller ceux qui sont éteints, courtiser les sept sœurs Greymalkin.*

Elle fit une pause, tandis que la poésie faisait son chemin en elle. Gretchen ne croyait toutefois pas qu'elle avait un sens. Daphne fit les cent pas, les yeux écarquillés.

— Sophie cherche à réveiller les morts.

Gretchen se leva lentement.

— Peut-elle faire cela ?

— Oui, répondit-elle doucement, mais cela nécessite le sacrifice d'une sorcière afin que l'esprit de la personne morte qu'elle veut rappeler ait un endroit où s'installer, entre autres.

– Comme les ossements d'une sorcière assassinée? tenta Gretchen.

– Oui, et les sept sœurs Greymalkin, ajouta-t-elle. Les sœurs Greymalkin étaient plus puissantes, lorsqu'elles étaient toutes les sept réunies. Elle a dû invoquer les trois sœurs en premier parce qu'elles étaient plus faciles à maîtriser et à prévoir.

– Je crois que c'était commode, tout simplement. Lorsqu'Emma a ouvert la grille, elles étaient là pour en profiter.

Elle frissonna.

– Les sept sœurs Greymalkin n'ont pas été réunies depuis le grand incendie de 1666. On disait que les rues étaient pleines de sang, ajouta-t-elle en tirant son châle sur ses épaules. Elle doit convoquer les sept sœurs Greymalkin pour que le sort fonctionne.

– Est-ce possible?

– Oui, répondit-elle. J'ai bien peur qu'elle en soit capable.

– Mais elle ne le fera pas, affirma Gretchen d'un ton résolu. Parce que nous allons l'en empêcher.

Daphne croisa son regard et hocha la tête.

– Absolument, nous l'en empêcherons. Mon père est au bal; nous lui parlerons du sort.

– Je ne comprends pas pourquoi ils tiennent ce bal, grommela Gretchen alors qu'elles se précipitaient dans le couloir.

– Parce que le jour de seuil amplifie notre magie, tout comme celle de Sophie, expliqua Daphne, qui leva le menton de façon hautaine, ce qui était impressionnant, puisqu'elle courait dans le couloir. Et parce que nous ne céderons pas au mal.

Les diligences allaient et venaient à la maison Grace pour amener les élèves au bal. Gretchen poussa de l'épaule un groupe de jeunes filles qui gloussaient, sur le point de monter à bord d'une diligence qui montait l'allée.

— Désolé, il y a urgence, s'imposa-t-elle.

— C'est notre diligence ! riposta une jeune fille.

Daphne la dévisagea tout simplement, jusqu'à ce qu'elle abandonne le combat en faisant la moue. Daphne monta à bord, et Gretchen relevait ses jupes pour la suivre lorsqu'une brume argentée filtra entre elle et la marche. Elle tituba vers l'arrière.

Le lévrier de son frère.

Encore.

Il était encore plus agité que la dernière fois où il était venu la trouver et l'avait menée sur le pont de Londres, alors que Sophie avait envoyé les vagabonds pour voler les ossements d'un garçon manqué assassiné sur le point d'être brûlé. Elle grimaça en se demandant dans quel bourbier se trouvait Godric à cet instant.

— Sapristi, lança-t-elle. Daphne, mon frère a des ennuis. Je te rejoins dès que possible.

Daphne referma tout simplement la portière, criant au cocher qu'il pouvait partir. Gretchen allait trouver son frère pour le sauver.

Puis, elle allait le frapper sur la tête avec sa flasque de whisky.

Lorsqu'un oiseau avec d'étranges yeux vert grenouille se posa sur le bord de sa fenêtre et laissa tomber un pépin de pomme qu'il tenait dans son bec, Emma sut qu'il était temps de rendre visite à la mère crapaud.

Elle mit dans une sacoche la silhouette grossière de cerf, la poupée de Sophie et divers articles de voyage. Le pont était tranquille, la plupart des sorcières préparant leurs festivités du premier mai. Des nuages s'accumulaient dans le ciel, et les lanternes de grenade oscillaient sous un vent constant. Du sel et des sorbes bloquaient les caniveaux de chaque côté de la route. Des carillons éoliens de ciseaux et de couteaux pendaient des poteaux des boutiques, accrochaient la lumière et s'entrechoquaient comme des ustensiles lors d'un repas.

Elle eut des papillons dans l'estomac, quand elle compta trois allées avant de virer à droite, puis à gauche, puis de nouveau à droite pour aboutir dans l'allée des Interprètes des morts. La cabane de la mère crapaud semblait identique, mais moins vivante. Aucune fumée rose ne sortait de la cheminée, ce jour-là. La dernière fois qu'elle était venue à cet endroit, la cabane bourdonnait de magie. On aurait pu se couper sur l'herbe, s'étouffer de fumée rose et se perdre dans la multitude de crapauds vert acide. À cet instant, un seul crapaud croisa sa route, alors qu'Emma franchissait les pierres devant la porte. Et la légion de gargouilles qui observaient les clients approcher pour sonner la cloche n'y était plus. Le sol était jonché de morceaux de bardeaux.

Quelque chose clochait.

— Allô ? dit-elle d'un ton hésitant, en poussant la porte d'entrée, très anxieuse. J'ai reçu votre message.

Pour toute réponse, elle entendit le grincement d'une porte.

Un petit trou dans le mur servait de foyer, et la majorité de la fumée était recrachée dans la maison vers les linteaux.

La fumée n'était pas la seule chose à monter au plafond. Des dizaines de petites gargouilles virevoltaient au-dessus de sa tête, se percutaient les unes les autres, grattaient les murs et laissaient des marques. Elles se dirigèrent vers elle, et elle abandonna l'illusion qui dissimulait ses bois. Moins elles sentaient de magie sur elle, moins elles risquaient de l'attaquer. Elles s'éloignèrent, déroutées. L'une d'elles se solidifia avant de rejoindre une poutre de bois et tomba au sol avec un bruit sourd.

Il y avait des étagères du plancher au plafond. Les pots d'herbes, de fleurs séchées, de sel de mer, de terre de cimetière, d'yeux de verre, de clous de fer, d'os et de tresses de cheveux qui étaient habituellement placés en ordre sur les tablettes étaient ouverts, renversés et brisés sur le sol. Il y avait une table, un banc renversé et un lit dans le coin de la pièce.

Et la mère crapaud.

Elle était sur le plancher, ses longs cheveux étalés en éventail sur le foyer, derrière un rouet. Les os de crapaud cousus dans le bord de son châle avaient été écrasés par une botte. Les os laissaient une fine poudre diffuser une faible lueur jaune à l'instar des lucioles. Lorsqu'Emma arriva à ses côtés, la mère crapaud ouvrit les yeux. Ils lancèrent des éclairs verts.

— Emma, coassa-t-elle.

Le pendentif de crapaud en argent qu'elle portait autour du cou flottait dans le sang qui s'accumulait dans une cavité entre ses clavicules. Des compagnons crapauds luminescents étaient accroupis autour d'elle, luisants d'humidité.

— Qu'est-ce qui s'est passé ? demanda Emma.

Elle ne savait pas comment l'aider. Il y avait tant de sang, et sa peau était déjà cireuse et humide. La poignée du couteau planté dans sa cage thoracique était en jais.

— Qu'est-ce que je dois faire ?

Lorsqu'elle tenta de retirer le couteau, la mère crapaud hocha la tête.

— Non, c'est trop tard.

— Ce n'est pas trop tard, je vais chercher un médecin.

— C'est trop tard, insista-t-elle. On n'a pas pu me dérober ma magie, toussa-t-elle, avec un sourire suffisant malgré la douleur. Ce n'est pas la première tentative. Je me suis jeté une malédiction la première fois quand j'avais ton âge et que mon amoureux a tenté de me la voler pour lui-même. J'ai décidé que quiconque s'y essaierait se retrouverait avec une sorcière morte sur les bras.

— Mais qui a fait cela ?

— Je ne l'ai pas reconnu. J'ai seulement vu son pendentif de roue.

— Un gardien ? l'interrogea Emma, qui s'assit sur les talons. Pas une débutante ? Sophie Truwell ?

— Attention que les barbes grises ne te trouvent pas ici, l'avisa-t-elle en grimaçant, la main pressée sur sa blessure.

— Qu'est-ce qu'il cherchait ? demanda Emma, qui observait les ingrédients répandus dans la poussière.

Les paupières de la mère crapaud battirent, tandis qu'elle s'efforçait de garder les yeux ouverts. Emma n'était pas certaine de pouvoir encore la voir.

— Il voulait la branche d'argent que je t'ai promise, siffla-t-elle, du sang au bord des lèvres. Mais je l'ai cachée. Tu dois t'en servir ce soir. C'est un jour de seuil. Je l'ai cachée dans…

Ses yeux se révulsèrent. Les crapauds phosphorescents devinrent rouges, puis disparurent.

Elle était morte avant de pouvoir terminer sa phrase.

Le lévrier de Godric entraîna Gretchen vers un groupe de boutiques à l'extrémité de Mayfair. Du regard, elle chercha une taverne ou un gentleman affalé de façon disgracieuse par terre et empestant le gin. Elle le trouva étalé sous l'ombre d'une gargouille.

— Sapristi, Godric, grommela-t-elle en se précipitant à ses côtés.

Il était étendu dans une drôle de position, et elle dut s'accroupir pour le retourner.

— Quand cesseras-tu de boire…

Il était couvert de sang.

— Mon Dieu, Godric, m'entends-tu ?

Il n'avait aucune meurtrissure au visage pour indiquer s'il s'était bagarré. Elle le fouilla frénétiquement pour trouver des blessures. Ses poches étaient encore pleines de pièces de monnaie, et sa montre en or était glissée dans la poche de sa veste. Ce n'était pas un vol, et il n'avait pas été poignardé.

Mais pourquoi tout ce sang ?

— Godric, réveille-toi. Tu dois te réveiller.

C'est alors qu'elle remarqua l'angle étrange de son cou et la bosse sous son genou où sa jambe était cassée. Elle leva les yeux pour mieux voir à travers ses larmes. Il avait dû tomber du toit.

Son lévrier s'évanouit.

— Non ! s'écria-t-elle, s'efforçant de l'attraper tout en sachant pertinemment qu'on ne pouvait pas retenir la magie ainsi.

La silhouette du compagnon scintilla de rouge un instant, avant qu'il n'en reste plus rien du tout. Le nœud de sorcière de Godric s'illumina, aussi rouge que des baies écrasées.

Il n'était pas tombé ; il avait été poussé.

Il n'était pas que mort ; il avait été assassiné.

Une ombre passa. Quelqu'un lui parlait, mais elle n'entendait rien à cause du bourdonnement dans ses oreilles. Rien ne semblait réel, ni le trottoir sous ses genoux, ni l'obscurité de l'allée, ni le sang de son frère, chaud sur ses mains.

Même elle n'avait rien de réel sans Godric. Elle n'était qu'une poupée de chiffon, de la poussière, des cendres, rien.

Il l'avait empêchée de s'écraser sous le poids imposant de la bonne société et des attentes de leur mère, et elle l'avait gardé ancré lorsqu'il menaçait de trop s'éloigner de la réalité dans ses rêves éveillés.

En fin de compte, il ne s'était pas éloigné.

Il était tombé.

Son frère.

Il avait toujours été là pour elle, pour la défendre contre des accusations de conduite inappropriée. Il lui avait prêté ses fusils jouets, ses vêtements, même son nom lorsqu'elle avait eu des problèmes. Il la comprenait comme personne. Il était la seule personne au monde qui la comprenait vraiment.

Et il n'était plus.

Emma se releva, les mains tremblantes. Le sang de la mère crapaud souillait le sol, les fleurs séchées et le foyer poussiéreux. Elle regarda autour d'elle et se sentit encore plus impuissante. La mère crapaud était morte pour protéger la branche en argent, mais Emma ignorait où elle était cachée. Elle fouilla parmi les pots et les bouteilles cassés emplis d'onguents épais et étranges avant de décider que si le voleur ne l'avait pas trouvée dans la cabane, c'est qu'elle n'y était sûrement pas.

Il ne restait que tout le marché des gobelins.

Et toute la ville de Londres.

Elle fouilla le jardin avant que la futilité de la situation devienne évidente. Elle tira sur les nuages jusqu'à ce qu'ils se transforment en brume et s'en enveloppa. Elle prit un bâton pour fouiller les herbes en pots et soulever les pierres du sentier.

Rien.

Le dernier crapaud encore dans le jardin coassa.

Elle s'arrêta et le dévisagea. Il n'était pas fait de magie comme un compagnon, mais il avait baigné dans la magie dans ce jardin pendant si longtemps qu'il scintillait. Ses yeux étaient de la même teinte vert pâle que ceux de la mère crapaud : avide, brillante et mortelle. Il bondit dans un buisson de sureau près de la fenêtre.

Emma le suivit, principalement par instinct et par curiosité. Le crapaud se dissimula dans l'ombre fraîche, la regardant quand elle s'agenouilla pour ramper sous les branches. À côté de lui, il y avait une petite gargouille en pierre, inclinée comme si elle était tombée du toit.

Elle tendit la main pour la prendre avec précaution, prête à la retirer, si elle tentait de la mordre. Elle resta silencieuse et immobile, avec ses ailes nervurées et son museau gris. Ses serres étaient recourbées sur le néant. Il y avait une petite fissure dans l'argile. Elle y glissa l'ongle de son pouce pour tenter de l'ouvrir. Comme cela ne donnait rien, elle prit une de ses épingles à cheveux pour l'utiliser comme un couteau. Elle la glissa dans la fissure et la tortilla violemment, jusqu'à ce que la fissure s'élargisse lentement, s'effrite et révèle une feuille de pomme argentée.

La branche d'argent.

Elle referma ses doigts autour d'elle, sortit des buissons et regarda alentour. La brume était toujours accrochée à la cabane et au garde-fou. Elle pouvait entendre les clapotements de la Tamise sous le pont, les cris des goélands, les cliquetis de carillons éoliens s'entrechoquant.

Et des pas.

Elle bondit sur ses pieds, le cœur battant la chamade.

Cormac jaillit soudainement de l'ombre.

– Emma ! s'exclama-t-il. Dieu merci.

Elle cligna des yeux, encore étouffée par la panique.

– Qu'est-ce que tu fais ici ?

Il tenait un petit sac de poudre de bannissement et un poignard en argent. Les amulettes qu'il portait autour du cou s'allumèrent et clignotèrent comme de la braise. La dureté implacable des traits de Cormac était effrayante.

– C'est ma petite sœur qui m'envoie. Elle a dit que tu étais en danger.

Moira avait noué la mèche de cheveux blonds de Godric avec un fil et l'avait glissée dans un vieux médaillon qu'elle avait trouvé dans un des paniers de Joe-le-borgne. Elle le portait autour du cou, même si le reflet d'une lampe à gaz sur l'étain risquait de la trahir. Le risque en valait la chandelle. Elle n'avait vu Fraise qu'une seule fois, même si elle la cherchait sans arrêt. Elle était restée éveillée toute la première nuit à fouiller l'obscurité. Elle avait aperçu ses cheveux blonds au coin de l'édifice où elle était morte. Une fois, elle avait senti les baies mûres tout en restant en équilibre sur un tuyau d'écoulement instable, dans la rue Cat's Hole, où personne ne pouvait se permettre des fraises depuis une centaine d'années.

Après cela, Moira présuma qu'on ne pouvait plus la surprendre.

Évidemment, elle avait tort.

De la glace lui bloqua les narines, et elle s'étouffa, perdant presque l'équilibre.

Fraise flottait, tout juste hors de portée.

– Fraise, dit-elle, la main tendue pour prendre la sienne, même si elle savait que le geste était inutile.

Fraise apparaissait et disparaissait, sa silhouette luisant comme de l'argent en fusion, alors qu'elle tentait d'apparaître.

Moira tenait le médaillon si serré dans sa main qu'il lui tranchait la peau.

– Le gage de Godric a ses limites, dit-elle les yeux plissés.

De la glace lui couvrit les bottes en même temps que des fleurs d'aubépine arrachées d'un arbre trop loin pour être vu s'abattaient sur Moira. Fraise oscillait et flambait comme une chandelle sous le vent violent. Elle tentait de toute évidence de dire quelque chose à Moira.

– Est-ce au sujet de Godric ? demanda-t-elle.

D'autres pétales d'aubépine. La silhouette scintillante apparut trois édifices plus loin. La lampe à gaz à proximité éclata, et la flamme alimentée par le gaz s'éleva dans le ciel comme un clocher.

Moira la suivit le plus rapidement possible.

— Nous devons partir d'ici.

— Mais la mère crapaud est morte, protesta Emma. Ne devrions-nous pas faire un rapport ?

— Crois-moi, l'Ordre le saura bien assez vite, rétorqua-t-il. Et si elle est vraiment morte, nous ne pouvons rien faire pour elle en ce moment, ajouta-t-il en jetant un regard inquiet à travers le brouillard épais. Allons-y.

Il la prit par la main, remarquant la branche en argent. Il s'immobilisa.

— Que fais-tu avec cela ? demanda-t-il en croisant son regard avant qu'elle puisse répondre. Oublie ça. Tu comptes t'en servir pour descendre dans les Enfers retrouver Ewan.

Il la connaissait peut-être un peu mieux que nécessaire pour l'instant. Elle n'avait pas eu envie d'admettre ses projets. Il haussa un sourcil à son intention.

— Bon, soupira-t-elle, sans même tenter de mentir, puisqu'il ne la croirait pas de toute façon. Oui.

— Parce que tu es complètement cinglée, poursuivit-il avec ce calme calculé qui indiquait tout, sauf cela. Tes cousines le savent-elles ?

Elle hocha la tête. Il la dévisagea.

— Tu comptais y aller seule ?

— Oui. Cela me paraissait plus prudent.

— Pour qui exactement ?

— Pour tout le monde.

— Tu es la seule qui compte pour moi, déclara-t-il d'un ton égal. Nous devons te conduire dans un endroit plus sécuritaire.

Ils émergèrent sur le pont. La brume était assez épaisse pour que seules les lueurs des vitrines et les chaînes de fer des enseignes des boutiques soient visibles. Elle pouvait simplement apercevoir les vagues silhouettes des gens qui se promenaient dans le marché, mais elle pouvait entendre les roues de charrettes et le bruit du marteau du forgeron.

— Virgil ne devrait-il pas se pointer juste maintenant, en se couvrant de ridicule ? s'enquit-elle à voix haute.

— Avec un peu de chance, il sera si perdu dans ce brouillard qu'il tombera par-dessus le garde-fou.

Ils passèrent sous l'arche de sortie du marché, avec ses symboles magiques et d'énormes gargouilles montrant les dents du haut de la tour. La brume les suivait. Cormac dut marcher dans la rue pour appeler un fiacre. Elle remit l'illusion sur ses bois, avant que le fiacre s'arrête.

— Promenez-vous tout simplement, dit Cormac au cocher.

— D'accord, dit-il en souriant à l'intention d'Emma.

Cormac serra la mâchoire, puisque cela signifiait une insulte, mais il ne fit qu'ouvrir la portière pour elle.

— Si nous ne savons pas où nous allons, personne ne peut donc nous trouver. Mais nous avons besoin d'un plan.

Elle regarda par la fenêtre, dont la vitre était maculée d'empreintes de doigts et de nez. Le brouillard était jaune et épais. La diligence avançait au ralenti, tandis que les chevaux tentaient de se frayer un chemin à travers la brume.

— Ça, au moins, j'y peux quelque chose, dit-elle.

Elle ferma les yeux et imagina un vent violent souffler la brume, s'effiler sans se dissiper. Le vent s'engouffra dans la petite diligence comme une harde de bêtes sauvages.

Elle ne s'était jamais rendu compte comment la magie circulait doucement en elle, jusqu'à ce qu'elle se retourne contre elle.

Ce qui aurait dû être un léger changement sous-cutané, une charge d'énergie dans son ventre, un picotement de son nœud de sorcière, se fit violent. Elle était transpercée d'aiguilles et de pointes de douleur de l'intérieur.

La magie augmenta et, sans porte de sortie, se retourna contre elle-même. Elle la parcourut, la grignota de l'intérieur avec des dents puissantes. Elle ignorait combien de temps elle cria ; elle sentait simplement que sa gorge lui faisait mal et que Cormac la soutenait, le regard fou et désespéré.

— N'utilise pas ta magie, la supplia-t-il. Emma, arrête !

Elle s'effondra contre lui, pour mieux trouver la force de continuer à respirer. La douleur diminua tranquillement, petit à petit, comme une marée descendante. Elle était vide et meurtrie. Il glissa une main dans ses cheveux et elle grimaça ; la peau autour de ses bois était tendre et irritée. Il retira immédiatement sa main.

— Tu as été contrainte, ma chérie, expliqua-t-il doucement en l'aidant à s'adosser aux coussins.

Le brouillard se pressa contre la fenêtre.

— Quand ont-ils pris tes mesures ?

— Je ne sais même pas ce que cela signifie, répondit-elle d'une voix rauque.

— C'est une tradition qui vient des assemblées anciennes. Durant l'Inquisition, les gens ont été contraints au secret, parce que si on mesure ta longueur exacte avec une corde noire, on peut lier tes pouvoirs magiques, expliqua tristement Cormac. Et ta magie peut être utilisée contre toi, si tu apparais comme une menace.

Emma écarquilla les yeux.

— Virgil m'a mesurée.

Cormac jura.

— Quand ? Pourquoi ? Pourquoi ne m'en as-tu pas parlé ?

— J'ignorais ce qu'il faisait, se justifia-t-elle. Il était fâché que je l'aie drogué.

— Il a dû faire un nœud dans la corde, expliqua Cormac, qui l'observait attentivement, comme si elle pouvait se mettre à crier n'importe quand.

— Peut-être les sorts de dissimulation de ma mère ont-ils disparu et qu'ils savent maintenant qui est mon père.

— Peut-être.

— Comment puis-je retrouver ma magie ? demanda-t-elle, les yeux écarquillés.

Tout son corps aurait pu être piétiné par une harde de chevaux qu'elle aurait moins souffert.

— Je dois ouvrir un portail, ce soir, Cormac. C'est un jour de seuil. Et je dois être en mesure de me défendre, si Sophie revient contre moi !

— Nous devons défaire le nœud, lui conseilla-t-il. Ça fait longtemps que cela n'a pas été fait. La corde doit être sur le bateau, où toutes les mesures sont gardées.

Elle avait besoin de retrouver sa magie. Elle avait besoin des éclairs et de la force du vent.

— Laisse-moi essayer encore une fois, le supplia-t-elle, les poings fermés et les dents serrées.

Elle se concentra pour créer un conduit à partir de la sensation du vent qui lui arrachait les cheveux et de la grêle qui tombait à travers les feuilles du printemps.

La douleur.

— Emma…

Les aiguilles étaient plus longues, plus effilées et plus malicieuses. Elles lui piquaient l'intérieur du crâne. Cormac était à peine plus gentil en la secouant par les épaules. Elle ouvrit grand les yeux, la sueur coulant dans son cou. La douleur lui donnait légèrement la nausée. Le fait qu'il la secouait n'aidait en rien.

— Arrête ! Tu ne peux que te faire du mal.

Elle haletait, sa peau était froide de sueur. Elle repoussa des cheveux humides de son visage.

— J'imagine que nous savons maintenant où nous devons aller. Au bateau.

Il jura.

— Tu n'as pas besoin de venir avec moi, dit-elle doucement. Je peux y aller toute seule.

— Ce serait plus logique, si j'y allais tout seul, répliqua-t-il en la dévisageant de son regard sombre. Mais si tu crois que je te laisserai loin de moi, avec une branche d'argent dans ta sacoche, tu es cinglée, ma chère. Et nous trouverons la corde plus rapidement, si tu es là.

— Bon, tu as dit que je devais me rendre en lien sûr, souligna-t-elle en souriant faiblement. Existe-t-il un endroit plus sécuritaire que le bateau de l'Ordre du clou de fer ?

— Que dirais-tu de n'importe où ailleurs ?

— Au moins, c'est le dernier endroit où ils me chercheront.

Le bal de mai était bondé de sorcières avides de se prouver les unes les autres que personne n'avait peur d'une jeune fille, qu'elle soit une jeteuse de sorts ou non. Des aubépines en fleurs étaient peintes sur les murs, et des guirlandes vertes décorées de digitales, de clochettes et d'orchidées étaient suspendues au lustre et pendaient du plafond. Des camées bleus étaient accrochés aux guirlandes et offraient une protection sous la forme de nymphes alertes et spectrales et de satyres aux pieds poilus qui dansaient parmi les invités.

Des rubans rouge et blanc étaient suspendus à un énorme lustre en cristal au centre de la salle de bal, créant ainsi un arbre de mai. Accroché au centre, il y avait des fleurs d'aubépines pâles. Des sculptures en sucre d'amants célèbres encerclaient les invités, de Cléopâtre et Jules César à Roméo et Juliette. Penelope ne put s'empêcher de faire claquer sa langue.

— Cela n'a rien de romantique, grommela-t-elle. Il s'agit d'une tragédie. Quelqu'un a-t-il au moins lu la pièce ?

D'ordinaire, elle aurait apprécié un bal d'une telle extravagance, particulièrement avec le beau Lucius qui l'accompagnait. Il lui apporta de la limonade, lui jeta des regards fiévreux et lui fit faire le tour des sculptures. Elle aurait aimé pouvoir apprécier, se perdre dans ses yeux verts et savourer le décor somptueux, mais les festivités semblaient fausses. C'était une simple bravade.

Lucius restait près d'elle, dans son odeur de bois de santal et de champagne.

— Ça va ? demanda-t-il doucement, son souffle lui caressant l'oreille, ce qui lui donna des frissons agréables dans le dos et à l'arrière des genoux.

— Cela me paraît étrange, tout simplement, dit-elle en se frottant les bras. Je ne vois mes cousines nulle part. Et la musique est jolie… mais j'en ai des frissons. Comme si elle givrait tout au passage. Tu dois me prendre pour une oie, ajouta-t-elle, hochant la tête avec un sourire contrit.

— Pas du tout. Le premier mai a cet effet, expliqua-t-il en s'inclinant pour lui offrir le bras. Peut-être que si tu danses, la sensation s'atténuera.

Elle le laissa la guider vers la piste de danse. Les autres couples leur firent un peu de place, alors qu'une valse se faisait entendre du balcon où l'orchestre jouait. Le parfum de l'aubépine était puissant et lui donnait envie de s'assoupir, un peu comme l'ivresse. Lucius glissa son bras autour de sa taille, et elle posa une main sur son épaule, se tenant fermement tandis qu'ils se mettaient à virevolter en cercles gracieux. Les couleurs des robes des dames, la soie blanche des débutantes, les habits noirs des gentlemen et les vestes colorées des dandys se brouillèrent. Elle se concentra sur Lucius, sur son regard vert perçant et son sourire malicieux. Elle rit, sentant finalement la magie du premier mai l'envelopper de ses anneaux langoureux et lustrés.

Lorsque la musique s'arrêta enfin, elle était à bout de souffle et pressée contre la poitrine de Lucius. Quelqu'un prononçait un discours au sujet de la reine de mai. Il y eut des applaudissements et des bribes de chanson. Penelope le remarqua à peine. L'univers s'était restreint au sourire de Lucius, à l'angle de ses pommettes et à sa bouche sur la sienne. Elle remarqua à peine que la lumière avait changé et que son visage se trouvait dans l'obscurité.

*Il la regardait toujours tendrement, songeant qu'il aimerait bien l'embrasser. Mais il était également préoccupé de savoir si son chagrin la quitterait un jour.*

Cela n'avait aucune logique.

Le baiser l'emporta, la vision disparut sous la sensation de la langue de Lucius contre celle de Penelope.

Il l'embrassait dans la salle de bal, au milieu de tout le monde. Le scandale la chasserait des résidences de la haute société avant le lever du jour. Peu importait. C'était le baiser de son véritable amour. Les lèvres de Lucius étaient douces et habiles, et il la savourait comme une pâtisserie givrée. Elle lui rendit son baiser, la tête remplie de musique, exactement comme lorsqu'elle avait mangé le bonbon au citron que Cedric avait acheté au marché des gobelins.

Cedric.

Pour une raison ou une autre, cette pensée l'arrêta, et elle se dégagea légèrement. Elle était tout de même assez près pour voir les éclairs ambrés dans le regard de Lucius.

— Penelope, murmura-t-il.

— Oui ? dit-elle, incapable de détourner le regard.

— Tu as été couronnée la reine de mai.

Les invités les encerclaient. Lucius les avait entraînés sous la couronne d'aubépine pendue au lustre sans qu'elle s'en rende compte. Elle se sentit mal à l'aise.

Quelque chose clochait.

Un valet attrapa un grand bâton pour décrocher la couronne. Lucius la prit ; les longs rubans oscillaient comme s'ils étaient sous l'eau, animés par une sorte de charme. Ils lui rappelaient les serpents qui avaient suivi Emma. Ils étaient aussi jaunes que le brouillard empoisonné qui flottait sur Londres.

Elle tenta de reculer, mais la main de Lucius posée dans le bas de son dos la retenait en place. Elle n'eut pas l'occasion de dire quoi que ce soit. La couronne fut posée sur sa tête. Elle se sentait exactement comme la fois où elle avait mangé trop de friandises à la foire, au point où ses dents lui faisaient mal.

Toutefois, elle sourit, incapable de faire quoi que ce soit d'autre.

Moira trouva Gretchen juste au bout d'une allée. Elle serait passée à côté d'elle sans la voir, si Fraise n'avait pas fait éclater toutes les lampes à gaz, comme Hansel et Gretel avaient laissé derrière eux des miettes de pain. Pip volait frénétiquement, s'efforçant d'absorber toute la magie.

— Ne sais-tu pas qu'il vaut mieux…

Moira jura doucement. Gretchen, le visage inexpressif, était agenouillée à côté du corps disloqué de Godric. Elle aurait pu être de glace : froide et superbe, sans une once d'animation.

— Tonnerre de Dieu, qu'est-il arrivé ? se demanda Moira, qui leva les yeux vers le bord du toit. Il n'était pas très habile sur les toits, ajouta-t-elle, surprise par la colère et le chagrin qui grandissaient en elle.

Elle n'était peut-être pas amoureuse de lui, mais il était gentil.

— À quoi a-t-il pensé ?

Gretchen ne répondit pas. Elle restait simplement sur le sol poussiéreux, les joues sèches et le regard aussi rouge que la braise.

Moira n'eut pas besoin des avertissements de Fraise ni de la démangeaison soudaine de ses pieds pour savoir qu'il était temps de partir.

— Gretchen, il faut y aller. *Maintenant*.

Lorsqu'Emma et Cormac descendirent de la diligence, le crépuscule enveloppait d'ombres bleues les réverbères, les trottoirs et la route derrière eux. Emma commença à traverser la rivière vers l'énorme bateau avec ses rinceaux bleus et sa tête de proue. Elle se servit légèrement de sa magie, murmurant les mots du sort de protection pour dissimuler ses bois. Une douleur l'envahit, jusque sous la peau. Ses os fondaient. Elle poussa un cri de surprise, de la sueur lui coulant dans les yeux.

— J'aimerais que tu arrêtes de faire cela.

— Je ne peux pas m'en empêcher, répondit-elle.

On aurait dit la dent branlante la plus douloureuse qui soit et qu'elle ne pouvait s'empêcher de pousser de la langue. Toutefois, le caractère inévitable de la situation lui donna un certain courage.

— Prête ? lui demanda-t-il en lui tendant la main, qu'elle prit rapidement. N'oublie pas : si quelqu'un dit quoi que ce soit, tu es là pour que je t'interroge. Fais semblant d'avoir peur de moi.

Elle lui serra fermement la main avant de la lâcher. Il la mena vers un quai étroit, qui glissait à moitié dans l'eau sombre et fétide de la Tamise. Une chaloupe y était attachée, un simple œil bleu peint à sa proue. Cormac dénoua les amarres, qui émirent brièvement une lueur argentée.

— Elles ont trempé dans l'eau salée au clair de lune trois soirs d'affilée, puis ont été roulées dans la poussière de gargouille et des os de sorcière broyés, expliqua-t-il.

— Génial, dit-elle en retirant sa main.

Le bateau tanguait sur l'eau, son bois poli brillant et la bouche de ses canons pointée à travers les canonnières. Les globes oculaires dans des pots posés sur la rampe se retournèrent à l'unisson à leur approche. Cormac rama vers l'échelle où il amarra la chaloupe. Il grimpa le premier, disparaissant par-delà la rampe. Après un long moment tendu, il sortit la tête et lui fit signe de le suivre. Elle grimpa prudemment, sa sacoche de cuir en bandoulière et sa jupe d'équitation volant autour de ses chevilles. Cormac l'aida à traverser, puis s'éloigna d'elle, le menton penché et les jambes bien plantées au sol, l'air arrogant. Deux gardiens sur le pont levèrent les yeux de leur jeu de dés.

— Comme nous, tu as tiré la courte paille, n'est-ce pas, Blackburn ? lui dit l'un d'eux. Obligés de rester ici, alors que les autres se soûlent avec les jolies filles. Quel premier mai, n'est-ce pas ?

— J'ai trouvé celle-ci qui rôdait, répondit Cormac avec aisance en faisant un signe du menton en direction d'Emma.

Elle déglutit et tenta de paraître effrayée et fragile.

— Sapristi ! siffla le gardien. Regarde-moi ces bois sur sa tête !

Cormac posa la main sur le haut du bras d'Emma.

— Avance, aboya-t-il en la tirant brusquement.

Puisque les autres ne les suivaient pas et ne sourcillaient même pas, Emma souffla en tremblant. Il y avait d'autres gardiens sur le bateau, mais ils ne leur accordèrent aucune attention. Cormac était un des leurs, après tout, et il avait tout fait pour cacher ses sentiments à son égard.

Il lui fit descendre une autre échelle menant à la cale. Elle vit le paravent familier en bois sculpté, derrière lequel les magistrats étaient installés pour proclamer leur jugement à son égard. La cale était vide pour l'instant, sauf les cages, les chaînes et les filets qui retenaient les bouteilles de sorcière. Des plumes, des pattes et des yeux étaient collés contre le verre. Les bouteilles de terre cuite étaient scellées de cire. Seule une gargouille malveillante témoignait de leur contenu.

Ils se penchèrent sous le plafond bas, passèrent à côté d'amas de boulets à canon, de rouleaux de lourdes cordes et du fouillis général de l'intérieur d'un bateau imposant. Cormac s'arrêta dans un espace étroit où se trouvait une armoire construite dans un cagibi. Elle était en merisier, munie de dizaines et de dizaines de tiroirs étroits avec des poignées en corne de licorne.

— Ce devait être le parc à boulets, expliqua-t-il, mais il a été converti. Les mesures sont pires que les bouteilles de sorcière. Les bouteilles te rendront cinglé, mais si la mauvaise personne endommage ta corde, elle peut retourner ta magie contre toi. Elle peut te tuer.

— Et la mienne est-elle là ? demanda-t-elle, un nœud dans l'estomac.

Il ne restait que quelques heures avant minuit. Elle devait se rendre au portail bien avant.

— Laquelle est-ce ? demanda-t-elle en cherchant des plaques en étain ou des lettres peintes.

— Voilà le problème, répondit Cormac, seul lord Mabon le sait. Les autres ne sont techniquement pas autorisés à manipuler les mesures.

Il regarda autour d'eux une fois de plus pour s'assurer qu'ils étaient bien seuls.

— Mais ils ne cessent de me sous-estimer parce que je n'ai pas de magie, ajouta-t-il.

Elle comprit exactement comment il se sentait, et elle se dit qu'elle n'avait pas du tout envie de se sentir si vulnérable.

— Les protections magiques installées n'ont aucune emprise sur moi, précisa-t-il avec un sourire contrit.

Il ouvrit un tiroir pour le prouver. Le bateau continua de tanguer doucement, et les barils d'eau empilés dans le coin craquèrent faiblement. Il n'y eut aucune brûlure de magie, pas de tintement de cloche ni d'attaque soudaine de gargouilles.

Dans le tiroir, il y avait une corde noire, exactement comme celle qui avait servi à la mesurer, sauf qu'à en juger par la poussière dont elle était couverte, elle devait être là depuis beaucoup plus longtemps. Il ouvrit un autre tiroir, puis un autre, révélant d'autres cordes noires. Il y avait quelque chose de sinistre dans l'air, comme s'il s'agissait de serpents venimeux endormis, prêts à bondir à tout moment.

Elle déglutit.

— Comment puis-je savoir laquelle est la mienne ?

— J'ouvrirai tous les tiroirs, et tu tiendras ta main gauche ouverte au-dessus des cordes. Ton nœud de sorcière luira, quand tu trouveras la bonne.

— Puis ?

— Puis, nous la dénouerons et nous nous enfuirons le plus rapidement possible, parce que cela déclenchera à coup sûr une alarme, l'informa-t-il en haussant les épaules et en souriant pour la rassurer. Je t'avais dit que c'était une mauvaise idée.

Elle lui rendit son sourire, feignant l'insouciance.

— Je connais Gretchen depuis toujours. Cela n'a rien d'une mauvaise idée.

Elle essuya sa paume gauche un peu humide et la tint au-dessus de la corde. Rien.

Cormac ouvrit un autre tiroir, révélant une autre corde. Toujours rien.

Il ouvrit encore une dizaine de tiroirs, puis il en tira d'autres le plus rapidement possible. Le crépuscule s'assombrissait dehors, et ils pouvaient à peine voir. Il fouilla l'armoire, jusqu'à ce que la panique s'empare d'elle.

Le tiroir du coin inférieur gauche contenait une corde noire avec un nœud en son centre. Le simple fait de la voir lui noua l'estomac. La bile lui remonta dans la gorge. Elle sut que c'était la bonne, bien avant que son nœud de sorcière luise faiblement et lui brûle la main.

Cormac l'arrêta, alors qu'elle s'apprêtait à la prendre. Ses doigts étaient chauds sur son poignet.

— Attends, ordonna-t-il à Emma, qui s'impatientait. Dès que tu y toucheras, les protections céderont. Ils sauront que nous y avons touché. Laisse-moi la porter jusqu'à terre.

Elle savait qu'il avait raison, mais tout en elle protestait. Le besoin de dénouer la corde lui était pénible.

— Vite, répondit-elle tout simplement.

Ils contournèrent les barils, les cordes et les sacs de sel. La lueur d'une lampe fut visible au haut de l'échelle. Un seul trait de lumière filtra dans l'obscurité silencieuse de la cale.

— Tiens, tiens, ricana quelqu'un. Qu'avons-nous là ? Un traître et une voleuse.

Virgil.

# CHAPITRE 16

Au début, Gretchen remarqua à peine que Moira glissait une longue chaîne avec un médaillon au-dessus de sa tête.

— Gretchen, dit Moira d'un ton sec, ne la laisse pas gagner. Elle a tué Fraise et ton frère, et ne t'avise surtout pas de la laisser gagner.

Gretchen cligna lentement des yeux, s'apercevant qu'ils brûlaient. De la glace scintillait sur les murs de l'édifice devant elle. Du givre couvrait le manteau de Godric et glissait sur son cou. Ses cheveux avaient gelé comme des aiguilles. Les ongles de Gretchen, douloureux, étaient devenus bleus, jusqu'à ce qu'elle cesse de serrer les épaules de Godric. Un éclair de lumière brûla la neige éparpillée autour d'eux. La neige fondit presque aussi vite qu'elle s'était formée.

Gretchen leva les yeux et aperçut la silhouette vacillante de Moira. La neige se transformait alors en pétales d'aubépine.

— Ton frère avait coupé une mèche de ses cheveux pour que je puisse la voir quand je le voulais, expliqua doucement Moira. Je la garde dans le médaillon.

— Godric ?

Elle se rassit sur ses talons, l'espoir la traversant comme un poignard. Elle fouilla désespérément l'obscurité de l'allée, l'air glacial au-dessus du corps de Godric, le trottoir de chaque côté de la route. Puisqu'elle ne voyait pas son esprit, la déception l'étouffa.

Moira parla de nouveau lorsque les épaules de Gretchen se voûtèrent de nouveau.

— Il a dit que parfois les fantômes sont assez puissants pour se montrer complètement.

Elle hocha la tête, se mordit violemment la lèvre inférieure pour ne pas pleurer. Un vent froid, accompagné de neige, de givre et de pétales d'aubépine frappa Gretchen si violemment qu'elle fut éloignée de Godric. Elle se releva avec difficulté. Son pendentif en forme de pointe de flèche était couvert de petits glaçons délicats. Il ne la protégeait pas comme il l'avait fait lorsqu'elle avait été attaquée, il reconnaissait plutôt avoir appartenu à Godric, qui s'en servait pour lui faire comprendre qu'il était toujours là.

Et qu'il voulait qu'elle laisse son corps là, pour suivre Fraise, qui virevoltait autour d'elle et de Moira en criant silencieusement, la bouche pleine de glaçons.

La silhouette de Fraise se brouilla, et Gretchen ne pouvait pas savoir si elle les guidait ou si elle était traînée.

Cormac se plaça devant Emma.

— Dégage, Virgil.

— Oh, je ne crois pas. Pas cette fois, affirma-t-il. Je sais tout, maintenant. C'est une Greymalkin, espèce d'idiot.

Emma se figea.

— Qu'as-tu dit ?

— Tu m'as bien entendu, dit-il d'un ton brusque.

Il sortit une lettre pliée de sa poche.

— On m'a averti. Et en tant que gardien attitré, il est de mon devoir de t'arrêter.

— Tu l'as *contrainte*, siffla Cormac. Tu l'as rendue vulnérable, alors que Sophie est en liberté.

Il se précipita soudainement vers Virgil, qui tituba vers l'arrière, son nez craquant avec le bruit du bois éclaté. Il grogna de douleur, mais ne tomba pas. Ils se bagarrèrent brutalement, se donnèrent des coups de poing dans les reins, les côtes et au visage. Cormac était un meilleur combattant, mais il n'avait pas de magie.

Lorsque le poing de Virgil frappa Cormac au visage, le coup fit basculer sa tête contre le mur. Cela ne l'aurait pas arrêté longtemps, si Virgil n'avait pas fait suivre le coup d'une poignée de poudre, qui se gonfla en une flamme rose à l'odeur de brûlé.

— Emma, sauve-toi, toussa-t-il, alors qu'Emma poussait le paravent des magistrats contre Virgil.

Il le blessa à l'épaule, sans toutefois le faire tomber. Il donna un coup de pied dans les reins de Cormac.

— Si tu te sauves, je le tue, dit Virgil.

Emma, qui se précipitait vers Virgil, s'arrêta net.

— Qu'il aille se faire foutre ! s'écria Cormac, qui tenta de se relever, mais glissa dans son propre sang.

Le nuage s'était dissipé, mais il était couvert d'une fine poudre d'or. Elle lui sapait son énergie. Il virait rapidement à une étrange teinte de gris.

— Ne bouge pas, lui ordonna Virgil.

Elle n'avait pas de magie. Elle ne pouvait pas le réduire en cendres d'un coup d'éclair. Elle ne pouvait même pas faire tomber la pluie sur sa tête.

Du moins, pour l'instant.

Tandis que Cormac combattait les effets du sort jeté par Virgil, il se débattait, à l'agonie. La corde noire glissa de son épaule.

— Je peux l'attacher, ou je peux le tuer, à toi de choisir, avertit Virgil.

Emma se remit rapidement sur pieds.

— Qu'est-ce que tu fais ? demanda-t-il d'un ton brusque. Arrête.

— Je…

Elle battit des paupières et s'effondra. Elle laissa son bras tomber juste au bon angle pour se couvrir le visage et pouvoir ouvrir les yeux pour le regarder. Il devenait rouge. La corde noire était à portée de main. Elle pouvait presque y toucher. Elle s'étira lentement, prudemment, alors que Virgil s'approchait d'elle. Cormac employa ce qu'il lui restait de force pour donner un coup de pied à la cheville de Virgil. Emma eut donc juste assez de temps pour attraper le bout de la corde.

Le bateau tangua violemment sur la gauche avant de se redresser. Cormac glissa de quelques centimètres en direction de l'échelle. Virgil tomba violemment sur un genou, son équilibre déjà rendu précaire par le coup de Cormac sur sa cheville.

Emma égratigna le nœud, jusqu'à ce que la magie explose en elle. Elle remplit sa cage thoracique, au point où elle eut l'impression d'être faite de papier. Sa peau s'étira, ses veines brûlèrent, et ses os craquèrent. Elle ne pouvait pas bouger, encore moins combattre Virgil.

Il tira Emma par le dos de ses vêtements d'équitation. Elle grogna en montrant les dents, mais il se passait trop de choses dans son propre corps. La magie la secoua avant de pouvoir la libérer. Ses bois rougeoyèrent si férocement qu'ils semblaient être de feu. Virgil cligna des yeux sans lâcher prise. Il la traîna en direction des bouteilles de sorcière.

Cormac détacha un talisman de la chaîne qu'il portait autour du cou, s'efforçant de le briser en morceaux sur le plancher de bois. Il bougeait faiblement, lentement ; ses yeux se révulsèrent, alors qu'il tentait de rester conscient. L'amulette craqua finalement, soufflant la brume empoisonnée.

Alors que la magie vibrait toujours à l'intérieur d'Emma, les bouteilles réagirent, frissonnant dans leurs cages. Emma tenta de projeter son pouvoir, de transformer la Tamise en un océan déchaîné, de faire tomber un éclair dans la cale, de provoquer la pluie… rien. Sa magie n'était pas prête, elle ne provoquait qu'un rougeoiement de ses bois. Virgil la souleva contre une cage à oiseaux recouverte de chaînes de fer. Il avait un poignard à la main.

La serrure de fer fut ouverte. Les chaînes étaient libres et cliquetaient les unes contre les autres.

À l'intérieur, il y avait une simple bouteille en terre cuite.

Elle la reconnut, et la douleur la transperça de nouveau, pendant qu'elle dirigeait sa magie au bon endroit. Elle claqua des dents.

Cormac se releva à l'aide de l'échelle. Il semblait étourdi et nauséeux. Et furieux. Il se précipita vers eux.

— Éloigne-toi d'elle.

Les autres amulettes autour de son cou étincelèrent et sifflèrent.

Virgil ouvrit de force la main gauche d'Emma et trancha son nœud de sorcière avec une lame. La douleur et le sang explosèrent. Il la poussa vers l'avant, traîna sa paume au-dessus de la bouteille de sorcière. Son sang tacha la terre cuite.

Le pot vibra et trembla. Une lumière brumeuse filtra à travers les fissures comme des aiguilles glacées. Le bouchon de fer vibra, alors que la force de la magie embouteillée remontait lentement le col. Une fumée argentée suivit la lumière, formant des papillons de nuit luminescents, des serpents et un immense oiseau blanc aux griffes dentelées.

Emma tenta de reculer, mais Virgil la tenait fermement. Elle lui planta vivement un coude dans le sternum, alors que Cormac lui attrapait le dos de son col pour le tirer vers lui. Virgil se servit de l'élan pour déstabiliser Emma et la pousser sur Cormac, pour qu'ils se soutiennent l'un l'autre.

— Qu'as-tu fait ? cracha Cormac à Virgil en se servant de son bras pour mettre Emma à l'abri, derrière lui.

Elle s'accroupit pour prendre la corde noire sur le plancher et la glisser dans sa sacoche.

Virgil sourit, du sang sur les dents.

— J'ai libéré les sœurs Greymalkin, annonça-t-il. Je vous conseille de vous sauver.

Cette fois, le coup de poing de Cormac l'assomma net.

Penelope n'était pas certaine de savoir comment elle s'était retrouvée dans une diligence.

Il lui était difficile de réfléchir de manière lucide. Elle ne sentait que le parfum des fleurs d'aubépine. Lucius était assis sur l'autre banquette, avec un sourire charmant, mais également un nouvel enthousiasme vibrant. Elle pouvait le voir à ses yeux brillants ; elle ne savait tout simplement pas ce que cela signifiait ni pourquoi il avait insisté pour qu'ils quittent le bal.

Le trajet fut de courte durée. Penelope tenta de mémoriser le mouvement de la diligence, un virage à droite, un à gauche, puis l'arrêt. D'un côté se trouvait Hyde Park, avec ses fleurs, ses secrets et ses kelpies.

De l'autre côté, la maison des Greymalkin.

Une part d'elle reconnut qu'il s'agissait d'une maison grise et lugubre, qui avait presque tué Emma, mais elle était tout de même attirée par elle. Cela aurait pu être un manoir somptueux avec des colonnades et un jardin entretenu, plutôt que du bois tordu, des briques ébréchées et de la peinture écaillée. Une rafale fit claquer les volets sur les murs comme pour étayer ses propos.

Le givre se glissa à l'intérieur des fenêtres de la diligence, et des vrilles de glace se déroulèrent comme des doigts pâles s'accrochant à tout sur leur passage. L'haleine de Penelope faisait de la buée. La neige tomba violemment, la diligence vibra, et ils s'entrechoquèrent comme des pièces de monnaie dans une tasse. Lucius ouvrit la porte d'un coup de pied pour se libérer. Il y avait de la glace sur son col et dans les plis de sa cravate.

Les pétales de la couronne d'aubépine de Penelope se givrèrent et gelèrent au point d'éclater en une poussière argentée.

Elle n'était plus étourdie ni déroutée.

— Penelope, viens avec moi, ordonna Lucius, qui lui tendit la main par la portière ouverte.

— Non, répliqua-t-elle lentement.

— Pardon ?

Elle retira un de ses gants, et il l'observa attentivement.

— Viens avec moi, maintenant, répéta-t-il de façon impérieuse.

Il lui prit solidement le poignet, prêt à la tirer dehors. Au lieu de se débattre, elle recourba ses doigts nus sur les jointures de Lucius et le tint fermement ; l'anneau en or qu'il portait tranchait la peau de Penelope. Elle maîtrisa son pouvoir pour voir ce qu'il pensait réellement.

Les yeux de Penelope se révulsèrent.

Les éclats de la bouteille de sorcière étalés au sol libéraient de la magie. La substance était à la fois gazeuse, liquide et lumineuse, et se fondait lentement sous la forme de trois femmes. Au début, leurs silhouettes étaient floues, mais elles devinrent de plus en plus claires, tandis qu'Emma et Cormac regardaient, impuissants et horrifiés.

La plus vieille, Magdalena, était couverte de cafards, de guêpes et de papillons de nuit luisants, tous en fusion pour finalement former l'esprit de la jeteuse de sorts Greymalkin en robe médiévale et aux cheveux dénoués. Lark fut la suivante, avec sa robe écossaise tachée de sang et son sourire tragique. Rosmerta avait peur des plantes vénéneuses qui la drapaient, les mêmes baies et fleurs que Colette, la sœur de Cormac, avait retournées contre elle. Même sa faucille avait l'air rouillée, et ce n'était encore qu'une simple émanation.

— Toi, siffla-t-elle à Emma.

Magdalena et Lark s'arrêtèrent et tournèrent la tête.

— J'imagine qu'elles se souviennent de moi, dit-elle.

La peur et l'anxiété qui l'envahissaient se traduisirent par un fou rire qu'elle ne pouvait contenir.

— Tu dois te sauver ! lui commanda Cormac, qui la poussa vers l'échelle.

— Et toi ? demanda Emma, qui s'accrocha au barreau sans toutefois gravir l'échelle.

— Quelqu'un doit les arrêter, répondit-il.

Les sœurs Greymalkin possédaient suffisamment de pouvoir à elles trois, même après avoir été embouteillées, pour faire s'entrechoquer toutes les autres bouteilles de sorcière dans leurs cages. Elles tirèrent de l'énergie de l'atmosphère si rapidement et si avidement que le givre adhéra aux cils d'Emma. Le sol se couvrit de glace, et elle en eut le souffle coupé. Elle claqua des dents sous cette bouffée glaciale d'hiver surnaturel.

Les bouteilles de sorcière éclatèrent, firent voler des éclats de verre et de terre cuite dans toute la cale. Un compagnon sous la forme d'un lapin gras s'enfuit en bondissant. Un chat avec une cicatrice sur un œil siffla en montrant les dents, le poil hérissé alors qu'il s'éloignait.

— Elles libèrent les autres, dit Cormac, qui attrapa une épée sur le mur à côté de l'échelle.

Des nœuds étaient gravés dans sa poignée, incrustée de jais. Une sphère de cristal remplie de sel et de sorbes était au centre du pommeau.

— Va-t'en, Emma !

Les éclats de bouteilles et de pots planaient, vibrants de magie malveillante. Les sœurs Greymalkin les lancèrent en direction d'Emma et de Cormac. Il lança son épée en se servant de la lame comme d'un bouclier. Lorsque les éclats heurtèrent le métal, ils explosèrent et furent réduits en poussière.

— Une épée magique, expliqua-t-il laconiquement.

Emma recueillit sa magie en elle, et celle-ci se contenta de chatouiller légèrement. Le vent fouetta et souffla dans la cale, traîna les sœurs Greymalkin, tira leurs cheveux et leurs vêtements, jusqu'à ce qu'il faille toute leur concentration pour éviter de se dissiper comme la brume. Cormac fouilla dans sa veste pour trouver le petit sac rouge et lancer la poudre de bannissement sur le plancher couvert de neige entre eux et les sœurs Greymalkin. Un cheval blanc se forma, et ses sabots jetèrent des éclairs alors qu'il se cabrait. Les sœurs Greymalkin reculèrent, hurlant des malédictions.

— Ce ne sera pas suffisant pour les retenir, déclara-t-il avec une certitude sombre. Pas un seul cheval.

— Viens avec moi, dit Emma.

— Je ne peux pas leur laisser le bateau. Ne discute pas, Emma. Va-t'en !

— Je ne discutais pas, j'ordonnais. Tu viens avec moi, insista-t-elle, tandis que ses cheveux volaient dans son visage. Parce qu'elles viennent avec moi, n'est-ce pas ? cria-t-elle par-dessus le bruit du vent et des malédictions.

Les sœurs Greymalkin se retournèrent vers elle d'un seul coup, leurs cous d'une longueur surnaturelle, leurs têtes pivotant beaucoup trop.

— Sapristi, fut tout ce que Cormac eut le temps de dire.

Fraise guida Gretchen et Moira vers le bal de mai.

— Pourquoi est-ce toujours à un bal ? grommela Gretchen, qui gravissait à la course les marches menant à la porte d'entrée.

Les fenêtres du rez-de-chaussée brillaient sous la lumière des lampes. Le parfum des roses et des lys était puissant. Tout semblait normal.

— Je ne crois pas qu'elle soit là, dit-elle, même si la neige lui fouettait l'arrière de la tête et qu'elle titubait sur le perron à l'intérieur.

Les planchers de marbre reluisaient, couverts de glace. Moira suivit prudemment, les épaules voûtées en guise de protection.

— Un satané bal mondain avec des barbes grises.

Elle tira un poignard de fer de sa ceinture. Sa petite gargouille trapue virevoltait au-dessus de sa tête en faisant claquer ses mâchoires.

— Je préférerais être dans le quartier de Seven Dials.

— Je ne te blâme pas, grogna Gretchen.

Le majordome était à son poste, regardant fixement devant lui. Moira haussa un sourcil en sa direction.

— Qu'est-ce qui lui prend ?

— Il fait son travail de majordome, expliqua Gretchen, qui fronça légèrement les sourcils en sa direction. Si on peut dire.

Une inquiétude remonta le long de son épine dorsale.

Elles suivirent la gargouille affamée dans le couloir menant à la salle de bal. Le parfum des fleurs et de la cire fondue flottait dans les airs. Des pétales d'aubépine et de la neige volèrent derrière elles. Des invités dansaient une valse, même s'il n'y avait pas de musique. D'autres étaient debout près du mur, à boire du champagne mécaniquement. Des valets continuaient de circuler, même si leurs cabarets étaient vides.

— Ils ont été ensorcelés, dit doucement Moira. Sapristi !

Gretchen circula entre les invités, se sentant mal. Ils souriaient d'un sourire figé, le regard délirant. Même les gardiens positionnés près des portes du jardin s'étaient mis au garde-à-vous, incapables de bouger. Elle en secoua un, en gifla un autre au visage. Il n'y eut aucune réaction. Gretchen hurla, dans l'espoir de sortir quelqu'un de sa stupeur. Ce ne fut pas un petit cri de demoiselle effrayée par une araignée, mais bien un beuglement de guerre.

Personne ne le remarqua.

Elle hurla si fort que le chien du voisin jappa, et la gargouille de Moira se cacha dans le lustre jusqu'à ce que ce soit terminé.

Moira se frotta les oreilles.

— As-tu fini ?

— Ça valait la peine d'essayer ?

Et pourtant, personne n'avait même regardé dans leur direction. Les invités valsaient en rond comme les figurines d'une boîte à musique. Le frottement de leurs chaussures sur le sol était le seul bruit. Elle en eut des frissons, même si une partie d'elle avait presque envie de se joindre à eux. Elle pourrait rester là, gelée, et prétendre que Godric était encore en vie.

Elle s'efforça de demeurer dans l'instant présent, de chasser l'image du sang de Godric sur ses mains, et se fraya un chemin entre les invités.

— Pourquoi n'arrêtent-ils pas ?

Elle vit Daphne chuchoter à l'oreille de son père. Quelques mètres plus loin, Tobias se tenait debout devant la sculpture de sucre de deux amoureux enlacés, aussi contraint que les autres. Il avait l'air aussi distant et sérieux qu'à l'habitude, mais ce n'était pas sa contenance qui le maintenait en place, cette fois; c'était de la magie noire. Elle le connaissait désormais, assez bien pour pouvoir lire le désespoir dans ses traits. Elle lui prit le bras.

— Tobias! dit-elle en le secouant, même si elle savait que cela ne donnerait rien. Peux-tu m'entendre?

Évidemment, il ne pouvait pas répondre. Sa gorge lui brûlait. Il y avait trop de sentiments en elle : le chagrin, la fureur et l'inquiétude. Elle craignait d'éclater. Elle enfouit ses doigts dans la veste de Tobias.

— Réveille-toi, sapristi!

— Nous devons trouver le sort, lança Moira, qui fouilla les poches des vestes des gentilshommes.

Elle ne trouva pas d'amulettes ni de paquets de sorcière, mais elle mit tout de même la main sur plusieurs pièces de monnaie et trois épingles à cravate en or.

Gretchen s'éloigna de Tobias pour fouiller les plantes en pot. Elle tira les feuilles et les fleurs des guirlandes. Elle ne trouva rien, même pas ses propres cousines, encore moins un paquet de sorts caché. La peur lui tordit l'estomac comme cela ne s'était pas produit devant le bal silencieux. Elles pouvaient être n'importe où. Il aurait pu leur arriver n'importe quoi. Elle redoubla d'efforts, cherchant frénétiquement.

La gargouille de Moira se mit à attaquer le lustre, déclenchant une pluie de cristal sur les invités qui tournoyaient. Moira l'observa un instant avant de traîner une chaise sur le plancher pour la placer sous le lustre.

— Je crois que Pip a trouvé quelque chose, dit-elle en grimpant sur la chaise.

Elle s'étira en tremblant.

— Je n'y arrive pas, jura-t-elle.

Gretchen suivit la chaîne enroulée de soie du lustre, jusqu'à son point d'ancrage, un des rideaux de brocart.

— Attention, dit-elle en attendant que Moira s'éloigne, avant de décrocher la chaîne pour descendre le lustre au sol.

Il s'entrechoqua en descendant. Une chandelle roula sur le plancher et faillit enflammer l'ourlet de la robe d'une dame avant de s'éteindre. Pip s'attaqua au lustre comme si c'était une vipère. Moira la poussa de côté, fouillant dans le verre brisé jusqu'à ce qu'elle en ressorte avec des doigts ensanglantés, mais rien d'autre.

Gretchen ferma les yeux, les poings fermés même si elle tentait de se détendre.

— Comment peut-on les réveiller ?

Elle écouta attentivement, à l'affût d'une réponse chuchotée, mais elle ne put entendre que le battement sourd de son cœur.

— Demande à Fraise, suggéra Moira. De toute évidence, elle avait Sophie à l'œil.

— Fraise, chuchota Gretchen. Aide-nous de nouveau. Comment pouvons-nous rompre ce sort ?

— *Hélas, pas de poésie de sorcière.*

— Non, pas celui-là, dit-elle d'un ton sec. Concentre-toi. Comment rompre cette hypnose ?

— *Franchir l'eau qui coule.*

Elle hocha la tête.

— Impossible. Quoi d'autre ?

Avant que Gretchen obtienne une réponse avec laquelle elle pouvait travailler, elle devint tremblante et pâle, et ses cheveux se trempèrent de sueur. Ses oreilles lui brûlaient.

— Nous avons besoin de malachite, dit-elle. Et de l'essence d'absinthe pour l'infection magique, ainsi que du sel. Le tout doit être mélangé avec de l'eau de tonnerre.

Elle haussa les épaules sombrement.

— Je ne sais pas comment nous pourrons recueillir de l'eau de tonnerre ; il ne pleut même pas.

Moira sourit de manière insolente.

— Je peux trouver tout cela. C'est ce que je fais. Et nous sommes dans une maison de sorcières, après tout. Des gens si riches doivent tout avoir à portée de la main.

Elle partit fouiller la maison, laissant Gretchen seule avec des centaines d'invités silencieux. Elle tenta d'ignorer le doux frottement de leur danse mécanique forcée.

— Nous allons rompre ce sort, leur assura-t-elle à voix haute, se demandant si seulement ils pouvaient l'entendre. Je vous le promets.

Elle commençait à peine à y croire, lorsque Tobias l'attrapa par-derrière, la pressant contre sa poitrine. La trahison la figea sur place un instant. Elle était incapable de saisir ce qui se passait. Elle sentit son souffle sur sa joue. Il ne pouvait toujours pas parler, mais il pouvait l'empêcher de rompre le sort.

— Hé, cria Moira, qui descendait en trombe l'escalier.

Elle glissa dans la salle de bal, deux bouteilles remplies d'eau et d'herbes à la main.

— Nous avons un problème plus important encore.

Gretchen, prise au piège du regard vide de Tobias, ne savait pas comment cela pouvait être possible.

Emma se tassa sur le côté pour éviter de percuter le frénétique gardien qui se précipitait vers l'échelle menant dans la cale. Cormac émergea derrière elle, l'épée magique luisante à la main.

— Invoquez les chevaux blancs, ordonna-t-il en passant en trombe devant les gardiens étonnés qui suivaient le premier. Et cachez-vous !

La malveillance qui émanait de la cale les convainquit, même avant que les sœurs Greymalkin commencent à flotter à travers le pont. Des cafards et des guêpes luisantes polluaient l'air, donnant une étrange lueur bleue aux gardiens qui tentaient de se cacher et cherchaient leur poudre de bannissement. Emma et Cormac glissaient déjà le long de l'échelle menant à la chaloupe. Les sœurs Greymalkin avaient un avantage ; elles pouvaient flotter au-dessus de l'eau.

Par contre, les chevaux blancs le pouvaient également.

Ils chevauchaient les vagues comme si c'était un champ de verdure. L'un d'eux planta ses dents puissantes dans le bord du châle écossais de Lark, et le déchira. Elle pâlit, passant d'un blanc de lune à un gris maladif.

Cormac rama aussi vite que possible, les muscles tendus. Emma était debout à l'arrière de la chaloupe et regardait ceux qui les poursuivaient, invoquant le vent pour les attaquer et les vagues pour les confondre. Elle portait la foudre comme une couronne. La chaloupe tanguait dangereusement, et Emma faillit tomber par-dessus bord. La pluie tombait dru ; elle se changeait en neige, à mesure qu'elle approchait des sœurs Greymalkin.

Ils atteignirent la rive, et Emma rappela le brouillard à l'ordre. Elle l'envoya envelopper les ombres, les maisons et les diligences, cachant le tout au regard des sœurs Greymalkin. Elles ne verraient pas les hangars, les tavernes sur les quais ni les rues achalandées de Londres, seulement elle.

Cormac traqua le premier cheval croisé et le libéra de la diligence qu'il tirait. Le cocher était endormi et ne se réveilla pas à temps pour l'en empêcher. Cormac bondit sur le dos du cheval et tira Emma derrière lui. L'épée trempée d'eau de pluie luisait toujours de façon surnaturelle.

La foudre tomba au sol derrière eux comme des lances. Elle apercevait à peine les sœurs Greymalkin se précipiter sur leurs traces, une traînée de lumière derrière elles, à l'instar des étoiles filantes. Le givre se forma et fondit, refermant ses doigts autour des réverbères, des enseignes de rue et des piétons peu méfiants. Des fenêtres volèrent en éclats sous la pression violente soudaine.

Derrière les sœurs Greymalkin, une harde de chevaux blancs galopait frénétiquement. Personne ne les voyait, mais les gens sentaient tout de même qu'ils devaient libérer la route, puisqu'il y avait de la glace un premier mai et que le bruit des sabots fantômes effrayait même les rats qui grignotaient des ordures dans les caniveaux.

Magdalena disparut et réapparut à côté d'eux, une traînée de lumière glaciale derrière elle. Le flanc du cheval se souleva, et de la glace craquela dans sa crinière. Il ignora les directives de Cormac et vira à droite pour s'éloigner de Magdalena.

— Elle nous attroupe, cria Cormac par-dessus la tempête tourbillonnante.

Il s'efforça de diriger le cheval affolé.

— Où ? demanda Emma, même si elle croyait bien connaître la réponse.

— À la maison des Greymalkin.

— Tobias, qu'est-ce que vous faites ? s'étonna Gretchen, qui se tortilla dans ses bras et fit le même bruit qu'un blaireau blessé.

Tobias resserra son emprise.

— Vous devez arrêter !

— Gretchen, l'avertit Moira d'une voix étranglée. Il y a des vagabonds qui approchent.

— Je me fous bien qu'ils dévalisent l'endroit, dit Gretchen.

— Ils ne sont pas là pour ça, répliqua sombrement Moira. Quelqu'un les a envoyés parce que les barbes grises sont hors d'état de nuire. Et nous ne pouvons pas les retenir à deux.

— Il ne faut les retenir qu'assez longtemps pour rompre le sort, affirma Gretchen, qui s'efforçait de se libérer de l'emprise de Tobias.

— Je devrai lui casser le bras pour qu'il te libère, dit Moira.

— J'ai une meilleure idée, ajouta Gretchen.

Ou peut-être la pire idée qu'elle n'ait jamais eue. Ou la meilleure. C'était difficile à dire.

Tobias était un métamorphe. Elles avaient besoin de lui pour combattre les vagabonds et réveiller les autres. Il lui avait déjà dit que de se métamorphoser en loup brûlait tout résidu de magie malveillante qui se trouvait dans un métamorphe. Elle pouvait le libérer. Elle n'avait qu'à le forcer à porter son loup. La puissance de sa propre magie devait être inexorable, devait le remplir de façon telle qu'il n'y ait plus de place pour aucune autre magie.

Elle fouilla dans son corset, où elle avait caché le flacon d'eau de loup. Elle s'attendait presque à ce que la potion ait un goût de neige, de feu ou d'herbes sauvages. Elle avait plutôt le goût exact de ce qu'elle était : de l'eau boueuse. Pendant un instant suspendu, rien ne se produisit.

Il continuait de la tenir étroitement contre lui. Les vagabonds s'approchaient de plus en plus. Les invités dansaient sans cesse.

Au début, elle sentit un picotement, puis un brûlement froid dans son ventre, comme si elle avait mangé trop de crème glacée, trop rapidement. Un frisson lui parcourut le corps, dans une douloureuse démangeaison.

La métamorphose fut fluide et atroce. Elle était comme de la glace qui fondait et gelait de nouveau. Ses os se déformèrent. Elle glissa comme l'eau dans un tuyau d'écoulement, et Tobias la lâcha. Il n'y avait plus rien d'elle à tenir.

Elle tomba à quatre pattes, désorientée. Elle était toujours Gretchen, mais tout semblait et sentait différent. Son point de vue était plus bas, elle ne voyait que des hanches, des jambes et des vestes qui se gonflaient. Ses articulations fonctionnaient différemment, son centre de gravité changea. Et lorsqu'elle agita la queue, elle faillit tomber. Elle pouvait tout sentir : la cire d'abeille, la mélisse officinale, la sueur, l'huile pour les cheveux et la cire à plancher.

Le loup en Tobias.

Il recula, le regard bleu et fou. Elle avança vers lui, en chasse.

Un vagabond passa par l'une des fenêtres. Pip l'attaqua, le frappa au dos de la tête jusqu'à ce qu'il s'écrase de l'autre côté, inconscient. Deux autres entrèrent en trombe dans la salle de bal. Gretchen donna un coup de dents en direction de l'un d'eux, et sa mâchoire se referma sur sa jambe, déchira le lin et la chair. Le goût du sang aurait dû lui lever le cœur, mais ce ne fut pas le cas. Il hurla, titubant. Moira lui cassa une chaise sur la tête.

— Merde ! ajouta-t-elle en évitant le loup géant qu'était devenue Gretchen.

Gretchen se précipita sur Tobias et le renversa. Il tomba sur le dos, et elle lui piétina la poitrine en grognant.

Finalement, finalement, son loup répondit.

# CHAPITRE 17

Alors que Gretchen était maladroite dans son nouveau corps, l'instinct donnait à Tobias une grâce sauvage indéniable. Il se déplaça furtivement entre un couple qui dansait encore dans son propre moment figé, effleurant à peine les jupes de la dame. Il bondit par-dessus la chaise brisée et tomba sur le troisième vagabond, qui tenait une poignée des cheveux de Moira à la main. Pip plongea vers le visage du vagabond et lui brisa le nez, qui saigna sur son menton, sans toutefois lâcher prise. Tobias lui flanqua un grand coup de griffes qui lui déchira les hauts-de-chausses et les muscles de ses jambes. Il chuta, la main sur une marque de griffe. La blessure irrégulière était si profonde qu'on apercevait l'os à l'intérieur. Moira le libéra vivement.

— J'en ai vu au moins six autres dans le jardin, l'avertit Moira. Gretchen, il te faut redevenir Gretchen.

C'était plus agréable d'être un loup. Elle ne sentait pas aussi vivement la perte de Godric. Elle ne sentait plus de brûlure dans sa moelle parce que celle-ci s'était métamorphosée. Elle était finalement aussi sauvage à l'intérieur qu'à l'extérieur. Elle pourrait rester ainsi pour toujours.

Tobias retrouva sa forme humaine, elle pouvait sentir son odeur humaine reprendre le dessus sur le loup. Il s'accroupit près d'elle, nu et calme.

– Gretchen, dit-il doucement. Vous m'avez sauvé. Maintenant, il nous faut sauver les autres.

Elle gémit du désir de passer des nuits entières à courir dans la forêt avec les étoiles pour seule compagnie. Sa robe de bal était en loques sur le sol, où elle se devait d'être.

– Vous êtes plus forte que ça, insista-t-il. Et vous êtes la seule qui puisse rompre le sort. Revenez.

Elle n'en avait pas envie.

– S'il vous plaît, Gretchen. Nous avons besoin de vous.

Son appel combiné à la sensation du cristal glacé se formant sous ses pattes la convainquit, mais seulement parce qu'elle imaginait que c'était Godric qui lui gelait les pattes en signe de désapprobation.

Le pelage redevint peau, les os se reformèrent, des doigts réapparurent. Elle laissa le loup derrière elle, permit à la jeune fille en elle de reprendre le dessus avec son chagrin pour son frère, sa peur pour ses cousines, sa frustration de ne jamais pouvoir trouver sa place dans ce monde où la jeune fille l'emportait sur le loup.

Elle hurla presque cette perte.

Tobias tira sur la nappe du buffet et en drapa Gretchen avant de se glisser dans l'intimité des ombres. Claquant des dents, elle sentit la lourdeur de ses jambes, la fragilité confinée de son corps. Mollement, elle prit une des bouteilles des mains de Moira. Des éclats de cristal vert et du sel tourbillonnaient autour de feuilles d'angélique et d'armoise.

— Il faut en appliquer sur leur troisième œil, murmura-t-elle.

Sa voix lui paraissait étrange dans sa gorge.

Tobias revint, portant une chemise de lin et des hauts-de-chausses chamoisés qu'il avait pris dans la chambre des hôtes. Il portait des vêtements pour Gretchen.

— Je me suis dit que vous préféreriez ceci, lui présenta-t-il doucement, lui tendant des hauts-de-chausses. Ils appartienent au fils de la maison. Cela devrait vous aller.

— Merci, répondit-elle, touchée.

Moira leva les yeux au ciel.

— Peux-tu faire le joli cœur plus tard ? On est sur le point d'être envahis !

Consciente qu'elle ne rougissait pas simplement parce que ce genre de sottises ne convenaient pas à la situation, Gretchen se glissa derrière un rideau pour s'habiller.

Une torche allumée fracassa une fenêtre.

Moira la piétina, alors que Gretchen se précipitait pour oindre le premier légat, appliquant la potion entre ses sourcils. Il fut secoué comme une marionnette dont les fils étaient tendus subitement. Pendant que Tobias expliquait ce qu'il savait de la situation, Gretchen réveilla Daphne. Elle tressauta, de nouveau consciente mais furieuse.

De la fumée filtrait du couloir, de même qu'une odeur de tapis brûlé.

— Ils vont mettre le feu à la maison, avec tout le monde figé à l'intérieur, déclara durement Tobias. Nous sommes le sacrifice.

Le feu continuait de consumer la maison et se rapprochait de la salle de bal. Les rideaux s'enflammèrent, claquèrent et craquèrent en dégageant de la fumée noire. Moira toussa, tirant sa cravate sur sa bouche et son nez.

— Le feu se répand, dit-elle en jetant un œil dans le couloir.

Ils ne réussirent à réveiller que quelques autres gardiens avant l'arrivée de la vague suivante de vagabonds. Ils étaient dans le jardin, bloquaient toute fuite et lançaient d'autres torches dans la maison. Moira et Gretchen continuèrent de distribuer de la potion le plus rapidement possible.

Les premiers gardiens sortirent par les fenêtres pour combattre les vagabonds. Des sorcières désorientées se réveillèrent dans une maison en feu, qui dévorait tout sur son passage. La fumée s'accrochait au plafond, et la lumière jaune-orange clignotait violemment. Des cris et le bruit des épées qui s'entrechoquaient provenaient de l'extérieur. Le premier légat envoya d'autres personnes combattre ou chercher de l'eau.

— Et une issue, pour l'amour, ordonna-t-il d'un ton ferme, dégagez une issue.

— Nous devons trouver le sort d'enchaînement, dit Tobias, alors que le chaos des invités qui tentaient de fuir le feu atteignait son apogée.

— Nous devons rompre le lien afin que Sophie ne puisse s'alimenter du sacrifice.

— Faites d'abord sortir tout le monde, ordonna le premier légat. En commençant par elle, dit-il en désignant sa fille.

Daphne hocha la tête malgré la fumée qui la faisait tousser.

— Je peux aider à trouver le sort.

— Ne discute pas, ma fille, lui cria son père. Sors !

Un gardien la prit par la taille et la hissa sur son épaule.

Gretchen avait utilisé toute la potion, mais elle devait encore libérer quelques personnes demeurées dans la salle de bal et les différents domestiques de la maison, et ce, avec ce qui restait de la deuxième bouteille. Le véritable danger maintenant était la panique qui grandissait et la fumée inexorable, impossible à combattre. Les fenêtres de la serre avaient été brisées comme passage pour fuir. Elle vit une grand-mère tenir un chandelier comme un bâton pour combattre les vagabonds. Elle semblait prête à fracasser le crâne de l'un d'eux.

— Les gardiens font sortir les dernières personnes, dit Tobias, qui tendit à Gretchen un bout de tissu mouillé pour se couvrir le nez. Sauvez-vous !

La fumée sombre et les éclairs violents de flammes leur donnaient l'impression qu'ils n'en sortiraient pas vivants. Les cris avaient été remplacés par des toussotements et des sanglots étouffés, alors que les gens cherchaient à tâtons comment sortir de là. Gretchen accrocha une poignée de porte en métal, qui lui marqua violemment le bras. Des débris carbonisés tombèrent du plafond, et Tobias se pencha par-dessus elle, utilisant son corps comme un bouclier.

Ils se glissèrent à travers la fenêtre brisée, la porte étant tenue fermement de l'extérieur par un vagabond. L'air était frais et doux, et Gretchen en avala comme s'il s'agissait d'une crème glacée.

Daphne se faufila à travers la foule pour les rejoindre.

— Je suis plus habile que quiconque avec un pendule, dit-elle en retirant un pendentif opale de son cou. Peu importe ce que mon père en pense, je peux aider.

Elle laissa pendre son collier comme un pendule avec sa main droite, le faisant osciller au-dessus de son nœud de sorcière.

— Est-ce que le sort de contrainte est ancré à la maison Grace ? demanda Daphne.

Le pendule oscilla dans le sens horaire.

— Est-il dans la salle de bal ?

Le pendule oscilla en direction inverse.

— La maison Grace doit bien avoir une vingtaine de chambres, dit Gretchen. Cela pourrait prendre des heures.

— Alors, ne m'interromps pas, demanda Daphne d'un ton ferme. Tu ne feras qu'empirer les choses.

Elle reporta son regard sur le pendule.

— Le sort de contrainte se trouve-t-il dans la bibliothèque ? La cuisine ? Le grenier ?

Le pendule oscilla dans les deux directions, puis d'un côté à l'autre, déréglé.

— Essaie le toit, interjeta Moira, le visage couvert de suie. Où d'autre pourrait-il être en sécurité assez longtemps pour être employé, alors que tout et tout le monde brûlent ?

Daphne ouvrit la bouche pour s'opposer à recevoir des ordres d'un garçon manqué, mais la referma subitement.

— C'est logique, dit-elle à contrecœur. Le sort est-il sur le toit ?

Le pendule fit de grands cercles dans le sens horaire.

— Bon, j'y vais, offrit Moira en hochant de tête.

— Laisse-moi faire, dit Tobias. Ce pourrait être dangereux.

Moira grogna avec dédain.

— Une barbe grise en équilibre sur un toit en pente ? Tu tomberais sur ta jolie petite tête. Non, c'est ce que font les garçons manqués, après tout !

— Aider les barbes grises ? se moqua gentiment Gretchen.

— Ne raconte pas cela aux autres, lui lança Moira, avant de se recouvrir le nez avec sa cravate.

Le feu sortait par les fenêtres de la maison comme des langues de dragon léchant le ciel. La lumière pulsa avidement. Les voisins évacuèrent leurs maisons, de crainte que le feu se répande de bâtiment en bâtiment. La plupart des invités se ruaient dans la rue en quête de leurs diligences. Les vagabonds, surpassés en nombre, s'étaient enfuis.

Gretchen aurait dû être soulagée.

Cependant, elle ne ressentait qu'une peur plus profonde et plus froide.

— Quelqu'un a-t-il vu Emma ?

— Elle n'était pas là, répondit Tobias, des marques de suie dans les cheveux et la chemise marquée de brûlures.

— Et Penelope ?

— Je croyais que tu étais au courant, dit Daphne, qui lança un regard à Gretchen.

— Au courant de quoi ?

— C'est la faute de Lucius Beauregard, répondit-elle. Il nous a tous ensorcelés. Et lorsqu'il nous en a donné l'ordre, nous sommes devenus des pantins de boîte à musique, figés dans le temps.

— Espèce de salaud, explosa Tobias, dont le regard bleu devint glacial. Je ne l'ai pas vu activer le sort. Et on vient à peine de faire de lui un gardien honoraire. Qui d'autre a-t-il hypnotisé ?

— Il a emmené Penelope, répondit Daphne.

Gretchen se retourna pour partir sans prononcer une parole, le verre brisé des fenêtres de la serre craquant sous ses chaussures.

— Gretchen, attends, cria Daphne, qui sortit de son réticule la poupée de Sophie qu'elles avaient fabriquée et la lui lança. J'ai pris ça dans la poche de mon père. Tu en auras besoin.

Penelope s'immisça dans les souvenirs de Lucius. Comme toujours, ils étaient en désordre, et elle tourbillonna entre eux comme un kaléidoscope dont toutes les couleurs et les formes n'étaient logiques qu'un bref instant.

*Il se pressait dans un tunnel souterrain. Il devait se pencher pour éviter de se cogner la tête sur la pierre humide. Les vieilles mines de Paris avaient été converties en catacombes durant la Révolution française. Les cimetières avaient été vidés pour faire place à des édifices et des maisons. Une rivière d'os s'étirait dans les tunnels des mines. Des chevaliers, des maîtres fromagers, des marchands de vin, des professeurs de danse, des marchands et d'anciens rois étaient tous réunis, sans titres ni richesse.*

*De façon plus importante, on y trouvait également les ossements de ceux qui étaient morts durant les émeutes de la place de Grève, et ceux qui avaient perdu la tête sous la guillotine.*

*Seraphine, l'une des sept sœurs Greymalkin, était morte à Paris durant la Révolution.*

*Lucius avait passé une année à trouver les bons gardiens et les bons gamins des rues pour les ensorceler et les convaincre de l'aider, et une autre pour explorer les catacombes.*

*Le clapotis de l'eau des aqueducs et des sources était son compagnon de tous les instants. Des fossiles luisaient sur le calcaire humide avant que le tunnel s'ouvre sur les catacombes. Il passa devant des murs et des murs de tibias, et de crânes alignés au sommet. Des doigts, des mâchoires éclatées traçaient des dessins aussi délicats que de la dentelle. Il les remarqua à peine. Enfin, enfin, il trouva ce qu'il cherchait.*

*Une phalange de Seraphine était en sécurité au fond de la poche de sa veste.*

*Il n'avait trouvé personne pour interpréter les ossements, mais trois interprètes des morts lui avaient assuré que son fantôme errait, avide et triste.*

*– Tu retrouveras bientôt tes sœurs, murmura-t-il.*

*Sa voix trouva écho dans le tunnel, alors qu'il remontait vers les rues de la ville.*

*– Et je te retrouverai, mon amour.*

*Il lui fallut une autre année pour naviguer la Manche rendue trop dangereuse à traverser en raison de la guerre et de Napoléon. Il s'ennuyait de la maison. Il s'ennuyait des collines vertes, de la pluie argentée et du brouillard jaunâtre de Londres.*

Et il s'*ennuyait* d'elle.

Les couleurs se brouillèrent sur la palette de son esprit; Penelope tourbillonna et se promena d'un souvenir à l'autre.

*Lucius avait appris l'existence d'un vieil homme qui vivait dans une allée derrière la place de Grève. Il se parlait tout seul jour et nuit, riant et offrant son vin dans le vide. Lucius savait reconnaître un interprète des morts lorsqu'il en croisait un. La barbe du vieillard était longue et emmêlée, et les rides de son visage formaient des marques profondes remplies de suie. Son regard délavé suivait des mouvements que Lucius ne pouvait voir. Lucius s'accroupit près de lui, ignorant l'odeur nauséabonde des vêtements et des cheveux sales. Il posa un pot de vin et un panier de fromage, de raisins et de saucisses devant lui.*

– J'ai besoin de ton aide[3].

3. N.d.T.: En français dans le texte original anglais.

*L'homme regarda le panier de nourriture, puis plissa les yeux en direction de Lucius et lui dit :*

– Va-t'en, salaud[4].

*Il n'était ni gentil ni volontaire. Peu importait.*

*Il avait regardé Lucius dans les yeux.*

*Lucius sourit, son nœud de sorcière s'activa. Il prit la main gauche de l'homme et pressa leurs nœuds de sorcière ensemble.*

– *Tu feras ce que je te dis, le vieux.*

Même si elle savait qu'elle ne pouvait rien y changer, Penelope tenta de prévenir le vieil homme, mais le souvenir changeait déjà.

*L'anneau fut glissé à son doigt par une jeune fille aux joues trempées de larmes. Pas n'importe quelle jeune fille.*

*Sophie.*

*Elle sourit à Lucius ; la lèvre inférieure tremblante.*

– *Ainsi, nous serons toujours ensemble. Je t'attendrai.*

*Il la serra contre lui. Elle lui manquait déjà.*

– *Je trouverai les ossements, murmura-t-il dans ses cheveux, qui sentaient toujours la lavande. Nous la ramènerons.*

– *Je t'aime, dit-elle, se levant sur la pointe des pieds pour l'embrasser. Reviens vite.*

Penelope ouvrit les yeux, furieuse.

– Espèce de vilain crapaud.

– N'essayez pas de m'en empêcher, dit Gretchen à Tobias d'un ton ferme, alors qu'il arrivait soudainement à ses côtés.

– Faites-moi un peu confiance, dit-il doucement. Je peux la traquer, n'oubliez pas.

Ses narines se dilatèrent, alors qu'il percevait les odeurs qu'elle ne pouvait pas sentir. Elle ressentit de nouveau vivement la perte de son propre loup.

4. N.d.T.: En français dans le texte original anglais.

— Qu'est-ce que Lucius peut bien avoir à faire dans tout cela ? demanda-t-elle en grinçant des dents. Je peux généralement déceler que quelqu'un dissimule un si gros mensonge.

— Vous êtes encore en période d'apprentissage, lui souligna Tobias. C'est aussi nouveau pour vous que ma métamorphose en loup pour moi.

Elle hocha la tête.

— Pourtant, je…

Elle songea à chacune de ses rencontres avec Lucius. Lors de la comédie musicale quand il avait renversé du vin sur les gants de Penelope, au marché des gobelins, à l'extérieur de chez Gunter, alors qu'elle avait entendu un avertissement qu'elle avait attribué au point défait sur le réticule de Penelope.

— Tout ce temps, c'était lui, dit-elle alors que la frustration bouillonnait en elle. Que lui veut-il ? Ou Sophie ? Où est Emma ?

— Nous les retrouverons, lui promit Tobias. Par ici.

La traque de Tobias les mena à la maison des Greymalkin. Celle-ci était aussi délabrée qu'auparavant. Même les vignes qui grimpaient aux murs semblaient grises. Même l'air était empreint de poussière, de toiles d'araignée et d'obscurité.

Lucius était devant la grille, tordant le bras de Penelope derrière son dos. Des gardiens étaient debout de chaque côté, le regard vide. Sans réfléchir, Gretchen attrapa le premier objet qui lui tomba sous la main et le lança à la tête de Lucius. La pierre lui frôla la joue. Il fut surpris, mais pas suffisamment pour que Penelope se libère. Il la tira vers lui, et elle cria de douleur.

C'est alors que Sophie émergea de la diligence qui attendait. Le toit de la diligence était couvert de moineaux et de pigeons. Elle portait une robe en mousseline jaune pâle avec une rangée de boutons en topaze. Elle flottait avec une grâce de débutante, son sourire poliment effacé. Elle portait un collier de perles et de diamants qui chatoyaient joliment. Gretchen regarda le collier de plus près. Ce n'était pas simplement des perles. Le médaillon de Godric lui donnait la capacité de vraiment voir ce qui pendait autour de son cou, et ce n'était pas de jolies pierres. Les perles avaient une lueur bleu et violet, qui provenait des chaînes de lumière derrière elle.

Enchaînés à cette lumière virulente se trouvaient les fantômes de toutes les personnes qu'elle avait assassinées et dont elle avait volé les ossements.

Gretchen reconnut Margaret York, la première victime de Sophie. Elle portait toujours sa robe de bal en soie couverte de sang.

À ses côtés, il y avait Alice, la couturière, dans sa robe simple, avec ses doigts marqués de piqûres d'aiguille.

Lilybeth, avec son regard surpris et triste, tirait sur la laisse qui lui brûlait le poignet.

Fraise était également là, sauf qu'elle n'était pas enchaînée. Les fouets de lumière claquaient comme des serpents, mais elle se débattait. Sa silhouette était brouillée, nébuleuse. Sophie n'avait pas réussi à voler ses os avant que Moira les brûle avec le bateau funéraire. Godric était aussi là, avec sa veste rayée et ses cheveux pâles. Les fouets le rudoyaient avidement et impatiemment.

– *Nous sommes encore là.*

Gretchen en eut le souffle coupé.

– *Tu* l'as tué, croassa-t-elle finalement tout en titubant alors qu'elle commençait à voir rouge.

La main de Tobias sur son bras l'empêcha de s'effondrer. Elle se demanda si elle n'avait pas complètement abandonné le loup, parce qu'elle pouvait à peine s'empêcher de hurler.

— C'était pour te distraire, dit Lucius. Nous t'avions prévenue, mais tu as retourné la malédiction de la poupée contre nous. Il fallait faire quelque chose, n'est-ce pas ?

— Qu'est-ce qu'elle fait ici ? demanda Sophie à Lucius. C'est la pire d'entre elles. Je croyais que nous avions convenu de les distraire et de les séparer.

— Pourquoi ? demanda catégoriquement Gretchen.

— Pour éviter de vous avoir dans les pattes, répliqua-t-elle d'un ton sec. Toi et tes cousines avez tout détruit pour moi. Et je n'échouerai pas de nouveau. C'est impossible.

— Alors, réveiller les morts est une bonne excuse pour tuer mon frère ? cracha-t-elle. Pour tuer toutes ces jeunes filles ?

Elle était vaguement consciente que Tobias la retenait, principalement parce que chaque fois qu'elle tentait de se précipiter vers eux, Lucius resserrait son emprise douloureuse sur Penelope. Son bras était maintenant autour de son cou pour l'immobiliser. Il y avait des pétales d'aubépine dans les cheveux foncés de Penelope.

— Que veux-tu dire, Godric est mort ? demanda Penelope, le visage pâle.

— *Hélas, pas de poésie de sorcière pour remonter le temps ; seul un sort de jeteur de sorts peut suspendre le tintement. Pour éveiller ceux qui sont éteints, courtiser les sept sœurs Greymalkin,* récita Gretchen.

Tobias oublia qu'il empêchait Gretchen d'attaquer Sophie et avança lui-même d'un pas.

— Honnêtement ? Vous croyez pouvoir dominer les sept sœurs Greymalkin ?

— J'accumule de la puissance, au cas où tu ne l'aurais pas remarqué. Je peux accomplir n'importe quoi.

— Ignore-le, mon amour, dit doucement Lucius. Il ne comprend pas. Il ne comprendra jamais.

— Mais tu m'as courtisée, murmura Penelope. Tu m'as dit que tu m'aimais.

— C'est moi qu'il aime, cria farouchement Sophie. *Moi.*

— Lucius, libère lady Penelope, dit doucement Tobias. Sinon, je te garantis que ça ne se terminera pas très bien pour toi.

— Tu ne peux rien contre moi sans l'attaquer également, rétorqua-t-il. Elle est maintenant mienne.

— Oh, je ne crois vraiment pas, dit Gretchen. Tu es aussi cinglé que Sophie. Et tu seras tout aussi mort, s'il arrive quelque chose à Penelope.

— Je ne suis pas cinglée, insista Sophie.

Les fantômes de ses victimes flottaient derrière elle. Du givre couvrait le trottoir.

— Et je suis désolée, tu sais, mais je fais tout cela par amour.

— Par amour, cracha Gretchen. Pour un homme qui a courtisé ma cousine ?

Ses yeux brillèrent.

— Ma *sœur* est morte de fièvre quand j'avais douze ans. Elle n'avait que dix ans. Et je n'ai pas pu la guérir. Moi et mon don de guérison ! Au moins, maintenant, je peux la ramener.

— C'est elle que j'ai vue, comprit Penelope.

— Mon frère pour ta sœur? émit furieusement Gretchen. En sacrifiant une maison remplie de sorcières?

— Par n'importe quel sacrifice, n'importe lequel! répondit-elle amèrement. C'est ça, la famille, non? Peux-tu vraiment me dire que tu ne ferais pas de même? Pour ton frère? Pour tes cousines?

— Où est Emma? demandèrent en chœur Gretchen et Penelope.

La voix de Penelope était plutôt un râlement.

— Elle s'en vient, dit Sophie. Les sœurs Greymalkin la cherchent en ce moment.

— Pourquoi? Pourquoi encore les sœurs Greymalkin? demanda Penelope. Pourquoi fais-tu cela?

— Peu importe, dit Gretchen. Elle est égoïste et cinglée. Que quelqu'un la frappe, par pitié.

Instantanément, Gretchen ressentit une douleur vive à un genou. Elle sentit la meurtrissure se former, comme quand elle avait sept ans et qu'elle était tombée de son poney. Une blessure s'ouvrit sur son bras, du sang macula sa manche. Elle fut prise d'étourdissement, et un mal de tête se fit sentir. Elle s'était blessée exactement comme lors de sa chute de cheval.

— Oh, ma chérie, on dirait que tu étais plutôt maladroite quand tu étais petite, dit Sophie. C'est bien regrettable.

— Qu'est-ce que tu lui fais? demanda Penelope, qui se débattait, mais Lucius resserra son emprise, et elle pâlit. Gretchen, sauve-toi!

Tobias se plaça légèrement devant elle, mais cela ne bloqua pas la magie de Sophie. Gretchen grinça des dents en raison de la douleur et des coups qui l'assaillaient comme une nuée de frelons invisibles. Elle se souvint de la poupée de Sophie dans la poche de ses hauts-de-chausses empruntés, mais elle n'avait pas d'épingles. Et elle avait le souffle coupé en se rappelant exactement la sensation de la chute en bas d'un pommier dans le verger familial.

— Tu as oublié ? dit Sophie avec un joli sourire de débutante. Je peux te faire ressentir toutes tes anciennes maladies et blessures. C'est beaucoup plus utile que de pouvoir les guérir, crois-moi. Et lorsqu'Emma sera là pour ouvrir la grille, tout sera terminé.

Elle observa Gretchen se débattre avec amusement.

— Tu te crois peut-être assez forte pour ignorer la douleur, mais quand toutes ces blessures te reviendront d'un seul coup, tu feras comme tout le monde. Tu t'évanouiras.

— Je ne m'évanouis jamais, répondit Gretchen, qui goûtait le cuivre et la mélisse officinale.

— Pourquoi as-tu besoin de moi ? croassa Penelope pour tenter de distraire Sophie. Je ne peux pas faire revivre les morts.

— Non, mais tu peux me dire quels os appartiennent aux sœurs Greymalkin dans l'ossuaire de la famille. Lucius a trouvé les ossements de Seraphine à Paris, mais les autres sont dans la maison. J'en ai besoin pour qu'elles ne soient pas que de simples esprits.

— Le livre de Shakespeare, comprit Penelope.

— Je devais m'assurer que tes pouvoirs étaient assez forts, dit doucement Lucius, dont l'haleine lui donna des frissons dans le cou.

— Et le fait de renverser du vin sur mes gants ce soir-là n'avait rien d'un accident non plus, ajouta-t-elle en retenant ses larmes. Comment as-tu pu faire cela, Lucius ?

— Tu es une romantique, Penelope. Tu comprendras sûrement qu'on peut tout faire par amour.

— Pas ça, s'opposa-t-elle. Pas des meurtres.

— J'ai passé des années à chercher les ossements de Seraphine, loin de Sophie. Je l'ai fait pour soulager sa douleur. Si c'était un de tes romans, tu me considérerais comme le héros.

— Je te considérerais comme un…

Le pouce de Lucius lui bloqua la trachée, l'empêchant de parler alors que le premier légat arrivait avec une petite unité de gardiens couverts de cendres et de suie. Ils portaient des pendentifs de roue sertis de jais, des poignards de fer et des sorts.

Ce ne serait pas suffisant.

D'autres gardiens sortirent de l'ombre pour rejoindre Lucius. Ils regardaient droit devant eux, les armes au poing. Ils avaient un avantage, puisqu'ils n'avaient aucun problème à combattre leurs frères d'armes. Les autres s'arrêtèrent, désemparés. Ils n'avaient pas le droit de se battre les uns contre les autres. Cependant, les gardiens de Lucius n'étaient plus contraints par cette loi. Et ils étaient plus nombreux.

Puis vint lord Mabon, le chef de l'Ordre.

Et Theodora Lovegrove, la mère d'Emma, qui portait une robe en lambeaux et des feuilles dans ses cheveux noirs. Ses yeux lançaient des éclairs.

— Où diable est ma fille ?

Moira gravit le grand escalier à toute vitesse, s'efforçant de voir à travers l'obscurité et de ne pas perdre pied. L'incendie était encore confiné au rez-de-chaussée, mais il faisait rage, et ce n'était qu'une question de temps avant qu'il commence à monter les escaliers et à lécher le plafond. La fumée pressait de tout bord tout côté et s'infiltrait par les fissures dans le plancher.

En toussant, Moira poursuivit sa route, une main au mur. Elle n'était jamais entrée dans la maison d'un noble avant, mais elle s'imagina qu'un grenier était un grenier, peu importe le quartier. Elle dut parcourir des acres d'épais tapis tissés pour atteindre l'escalier des domestiques qui menait à l'étage supérieur. Il était étroit et tortueux, avec des marches trop petites pour ses pieds. Elle ne pouvait s'imaginer les gravir avec un panier de lessive ou de charbon. Elle préférait sa vie de garçon manqué passée à éviter les pigeons et les barbes grises.

Elle pouvait sentir la fumée, mais celle-ci était assez légère pour pouvoir baisser sa cravate. Elle traversa la chambre d'une domestique et se servit du tisonnier pour fracasser la vitre afin de pouvoir sortir par la fenêtre. Il lui était facile de se hisser sur le surplomb et d'attraper la rampe. Elle était en fer décoratif et peinte en noir, même si personne ne devait jamais venir là. Les gargouilles de la maison avaient la tête tranchée. Leurs gros corps de pierre se terminaient par des éclats de roches.

— Va, Pip, l'encouragea-t-elle. Trouve le sort.

La petite gargouille trapue vola rapidement et avec détermination, l'air soudainement féroce avec ses dents effilées et ses griffes recourbées. Elle fit le tour du toit, plongea et remonta vers le ciel. Elle guida finalement Moira vers le coin le plus éloigné.

Sur un miroir rond se trouvait un nid fait de trois brindilles d'if nouées ensemble avec du fil rouge et noir. Au cœur de la toile, il y avait un œuf de rouge-gorge, aussi bleu qu'un ciel d'été. Un cercle de sel noir était tracé autour.

Lorsqu'elle s'approcha pour le défaire, les grains volèrent en sa direction et la piquèrent comme des insectes. Des marques roses sanglantes apparurent instantanément sur sa peau. Pip grogna et donna des coups de bec dans le sel, attrapant les grains au vol comme une grenouille attrape des mouches. Moira se frotta les mains pour redonner des sensations à ses doigts. Lorsque Pip eut dégagé le chemin, Moira défit le sort. Elle ne se servit pas de poésies complexes ou d'herbes cueillies à minuit. Elle utilisa simplement sa botte.

Elle piétina avec acharnement, brisa l'œuf et cassa le miroir en morceaux. Sous son talon, elle réduisit le tout en poussière.

Sous elle, le feu avait consumé une bonne partie de la maison. Elle sentit les planchers céder. Elle s'accrocha à la rampe en jurant. De la fumée filtra à travers les bardeaux. Ses pieds lui brûlaient. Elle ne pouvait pas redescendre par la fenêtre. Les flammes léchaient le verre brisé, lui bloquant le chemin. Elle regarda par-dessus le bord de la maison, vers les pierres. Les branches d'un chêne frottaient contre le stuc.

Elle devrait sauter.

Elle bondit, la plante de ses pieds lui démangeant. Elle atterrit précairement sur une branche qui plia sous son poids. Elle se tortilla et attrapa une autre branche, avant de tomber de la première. Elle se glissa le long du tronc, l'écorce lui grattant l'intérieur de son coude et sa mâchoire. Une fois stabilisée, elle descendit dans les ruines du jardin, sauta par-dessus le mur pour se retrouver dans l'allée et fonça directement dans Atticus.

— La nuit pouvait-elle être pire ? grommela-t-elle.

Marmelade siffla en sortant de sa cage thoracique.

Atticus sourit avec un petit air narquois, ses yeux lavande pâle comme l'eau sous l'éclat du feu.

— Où cours-tu comme ça, chérie ?

— Dégage, dit Moira. Je ne suis pas d'humeur.

Ogden sortit de l'obscurité, et avant qu'elle ait le temps de réagir, il la frappa à l'arrière de la tête. Elle s'effondra, la douleur lui embrouillant la vue.

— Nous n'avons pas terminé avec toi, déclara Atticus pendant qu'Ogden la posait sur son épaule.

Elle rebondit douloureusement alors qu'il courait, jurant de nouveau qu'elle ne remettrait plus jamais les pieds dans Mayfair.

— La boulangerie près de l'imprimerie Hogarth, cria Emma à l'oreille de Cormac.

Lorsqu'il comprit pourquoi elle avait choisi ce toit en particulier, il se raidit.

— C'est la seule façon de leur échapper, insista-t-elle. Elles n'arrêteront pas. Et si elles ont besoin que je sois à la maison des Greymalkin, je dois donc absolument être n'importe où ailleurs.

Elle déclencha de plus en plus d'éclairs. Elle était épuisée et vidée, mais elle refusa de s'arrêter. Ils ne pouvaient courir le risque de se faire prendre. Et ils ne pouvaient se permettre que les sœurs Greymalkin soient de nouveau en liberté.

Cormac dirigea le cheval vers l'allée sombre, même s'il se cabrait. Ils descendirent de selle, et il se dirigea vers une pile de palettes de bois qui servaient à transporter les amas de parchemin et les pots d'encre. Il les poussa contre le mur de l'imprimerie, perpendiculaire au tuyau d'écoulement pour faire un escalier de fortune. L'échelle que Moira leur avait descendue la première fois était en pièces au sol. Ils ne l'avaient pas vue dans le coin.

Cormac la plaqua contre les briques.

— Va !

Emma s'empressa de gravir les barreaux, tentant d'éviter de trébucher sur ses jupes. Cormac la suivit, alors que la glace commençait à transformer les bardeaux en patinoire. La gargouille s'étira et se réveilla, puis grommela en sentant la magie de sœurs Greymalkin. De la glace craquela quand la gargouille déroula ses griffes.

Emma tenta de se remémorer toutes les instructions de la mère crapaud depuis le jour où elle avait été libérée des compagnons des sœurs Greymalkin. Elle laissa tomber la sculpture de cerf qu'elle avait prise dans la hutte d'Ewan. Elle jeta un regard frénétique autour d'elle pour trouver quelque chose pour la réduire en poussière. La gargouille pourrait tout aussi bien l'avaler que la réduire en miettes pour elle. Le manche du poignard de Cormac n'était pas assez solide.

— Qu'attends-tu ? lui cria Cormac.

Le piaffement des sabots fantômes retentissait dans l'allée.

— J'ai besoin de quelque chose d'assez solide pour la faire éclater, dit-elle frénétiquement.

La sculpture de bois était solide et étonnamment lourde pour quelque chose de si petit. Les sabots étaient taillés en demi-lunes parfaites.

Des sabots.

En raison du sang d'Ewan et de la magie de Theodora, Emma avait désormais des bois sur la tête. Une fois, brièvement, sa jambe s'était également transformée, alors qu'elle était au centre d'une harde de cerfs. Un sabot serait assez solide pour faire éclater la sculpture.

Elle mit ses mains autour de ses bois, pressa son nœud de sorcière contre les pointes. Elle regarda fixement la sculpture de cerf, se souvint de la métamorphose de sa mère, de la transformation de son père en cerf, de la douleur des bois qui poussaient dans ses cheveux. Elle songea à l'herbe, aux arbres et au bruit des sabots sur le sol.

Ses os s'allongèrent, et ses pieds se solidifièrent, se soudèrent. C'était pénible et étrange à la fois. D'un seul coup, elle posa son sabot pour faire éclater le cerf en bois. Elle le piétina avec assez de force pour le réduire en poussière.

Les sœurs Greymalkin remontèrent le côté de l'édifice en poussant des cris stridents.

— Maintenant ! cria Cormac. Fais-le maintenant !

Elle libéra la magie et tomba à genoux, trop faible pour rester debout. Ses mains tremblèrent quand elle empila le sel, les pépins de pomme écrasés, la terre de cimetière et une pousse de fougère sur les éclats de bois. Elle alluma le tout et se pencha sur la petite flamme pour éviter que le grésil l'éteigne.

L'allée en bas était bondée de chevaux fantômes qui piaffaient. Le froid était vif et laissait des marques de morsures sur la peau exposée. La gargouille attaqua, déchira les papillons de nuit et les cafards fantômes qui entouraient Magdalena. Cormac donna de grands coups à l'oiseau blanc de Lark. Les chevaux réapparurent, faisant fondre la glace.

Emma secoua la branche de pommier, et les cloches en argent carillonnèrent doucement. Le bruit vibra, laissant des traces d'étincelles.

Le feu émit une faible lueur, aspirant l'énergie de tout ce qui se trouvait à proximité. Emma se fana. Cormac tituba, perdant presque pied. La gargouille tomba sans élégance sur les bardeaux. Les sœurs Greymalkin s'effacèrent, des vrilles de brouillard épais s'élevant au-dessus d'elles.

Les flammes s'élevèrent comme une épée éclatante, tranchant l'obscurité froide. Le centre s'élargit, repoussa l'obscurité du toit. Les bords se déroulèrent en éclairs de lumière mauve.

Le portail s'ouvrit comme la bouche d'une bête.

Des serpents luminescents rampèrent sur les bardeaux. Ils étaient très nombreux. Ils s'enroulèrent aux chevilles d'Emma, la prenant au piège. Leur magie brûlait, laissant des marques à travers ses bas. Cormac les frappa, jusqu'à qu'ils s'éloignent en sifflant. Elle se redressa péniblement. Cormac la prit par la taille, alors qu'ils chancelaient au bord du portail. Des étincelles violettes brillèrent. Il y avait du sang sur son menton et son col, et il tenait une épée puissante dans son autre main.

— Emma ?

— Oui.

Il sourit, inclinant la tête si près d'elle qu'elle put voir des éclairs ambrés dans son regard sombre.

— Tu veux m'épouser ? demanda-t-il, juste avant de plonger dans le vortex.

Gretchen et Penelope échangèrent un regard, alors que leur tante, qu'elles n'avaient jamais rencontrée, traversait la route en trombe vers elles. Les sorts d'illusion qui protégeaient la maison des Greymalkin et la discussion qui avait cours à sa porte ne les protégeaient pas d'une autre sorcière. Theodora Lovegrove était furieuse et couverte de boue. Elle avait passé des mois sous forme de cerf et s'était finalement métamorphosée de nouveau en humaine, juste à temps pour venir au secours de sa fille. Mais Emma n'était pas là.

Les trois sœurs Greymalkin, elles, y étaient.

Un hiver surnaturel inhabituel les accompagnait, refermant ses doigts glacés en un poing sans merci. Les lèvres de Gretchen se gercèrent sous la baisse de température. Ses ongles lui faisaient mal et devinrent bleus.

Les gardiens de Lucius attaquèrent en premier, donnant de grands coups à leurs frères avec des poignards de fer. La magie perça l'obscurité entre eux, étincelant de vert acide et de jaune virulent. Les sorts se cognèrent les uns aux autres. Les lampes à gaz du coin éclatèrent d'un coup, même quand la neige tomba aussi fort que la pluie. Tobias tenta de séparer ses frères, utilisant des branches qu'il glissait entre eux. Gretchen en fit tomber autant qu'elle le put en s'efforçant d'atteindre la grille.

Des glaçons dégouttaient de la rampe, aussi brillants que des couteaux d'argent.

Elle resta penchée, rampa entre les gardiens et tenta d'éviter d'être piétinée. Elle faillit perdre un doigt sous une botte, mais retira sa main à la dernière seconde. Un gardien la percuta, et elle s'étendit de tout son long. Elle frappa la grille de plein fouet. Elle leva la main pour attraper un des glaçons.

– Où est Emma ? demanda Sophie, le dos contre la grille.

— Elle s'est sauvée, siffla Rosmerta, tandis que des serpents rampaient sous sa robe.

— Retrouvez-la ! dit Sophie d'un ton brusque. J'ai besoin d'elle.

— Elle est dans les Enfers pour l'instant, déclara Lark, qui haussa tristement les épaules.

Il y avait du sang au bout de ses cheveux.

Le joli visage de Sophie se décomposa.

— Du calme, mon amour, murmura Lucius. Nous trouverons un autre moyen.

Le regard de Sophie se porta sur Theodora.

— Tu as raison, nous trouverons un autre moyen.

Theodora se raidit quand des meurtrissures apparurent sur sa peau et que des plaies s'ouvrirent comme de petites bouches affamées. Du sang coula sur son bras, qu'elle tenait avec précaution. Elle eut l'air désemparée un instant, comme si elle ne savait plus où elle était.

Gretchen se servit du glaçon comme d'une aiguille et poignarda la poupée.

Sophie hurla en se tenant le côté.

Gretchen sourit d'un air grave et poignarda de nouveau la poupée. Sophie tituba en gémissant.

— Arrête, ordonna Lucius. Arrête, ou je lui brise le cou.

Il inclina la tête de Penelope, jusqu'à ce qu'elle geigne.

— Tu as besoin d'elle, dit Gretchen. Tu l'as dit toi-même.

— Arrêtez-la, ordonna Lucius aux gardiens.

Les deux qui étaient le plus près d'elle abandonnèrent leur combat contre les autres pour se tourner vers elle. Tobias sauta par-dessus deux gardiens qui luttaient pour s'arrêter devant elle.

Gretchen continua de poignarder la poupée. Malheureusement, Sophie continuait également, à sa façon.

Theodora tomba à genoux. Sa manche déchirée était maculée de sang. Quelle que soit sa blessure, elle était profonde.

Le glaçon de Gretchen fondit. Elle eut du mal à en attraper un autre avec des doigts engourdis. La rampe était lustrée sans être gelée. Les sœurs Greymalkin s'immiscèrent dans le combat, lançant de la neige et de la grêle, qu'elle ne pouvait pas atteindre.

À ses côtés, l'ombre pâle de Godric ferma sa main sur la rampe de fer. Le givre s'amoncela, hérissé comme de la dentelle rongée par des mites. Les fantômes prisonniers de Sophie tirèrent sur leurs chaînes, tendant des doigts luminescents. Un mince film de glace progressa sur le filigrane, jusqu'à ce que le fer noir étincelle de blancheur. Ils n'avaient plus assez de pouvoir pour créer des glaçons. Elle pressa plutôt ses doigts sur le givre dentelé, jusqu'à ce qu'ils lui fassent mal et que l'eau s'y accumule. C'était un travail lent et pénible.

— Tu as porté une Greymalkin, après tout, dit Sophie en rampant vers Theodora pour arracher sa manche. Ton sang devrait fonctionner aussi bien.

Gretchen exhala sur le givre, jusqu'à ce que davantage d'eau s'accumule, assez pour créer une flaque qui pourrait remplir une tasse de thé. Elle pressa la tête de la poupée dans l'eau.

Sophie gargouilla de surprise.

Gretchen s'efforça de ne pas ressentir la faiblesse de la fièvre qu'elle avait attrapée trois ans auparavant. Ses mains tremblaient, alors qu'elle maintenait fermement la poupée la tête dans l'eau. Lucius s'avança vers elle. Penelope lui donna un coup de coude dans le sternum et un coup de talon sur le pied en même temps. Elle réussit à se libérer de son emprise.

Sophie cracha de l'eau, les mains sur la gorge. Elle jeta à Gretchen un regard haineux. Gretchen tenta de ne pas se sentir coupable de noyer une jeune fille.

Ce n'était toujours pas suffisant.

S'étouffant, Sophie réussit à presser le tissu gorgé de sang sur l'image de pie brûlée qui joignait les deux côtés de la grille de fer.

La grille éclata dans un feu lilas.

Sophie tomba vers l'avant et disparut, traînant ses fantômes derrière elle.

Lucius traqua Penelope sans se préoccuper de la magie et du sang qui les entouraient. La maison des Greymalkin se dressait derrière elle comme un troll. Elle s'écrasa contre la clôture, pas coincée, mais pas libre non plus.

— Penelope, viens avec moi, dit Lucius, ouvrant grand la grille ornée d'une pie.

La grille grinça et des flocons de rouille tombèrent dans l'herbe morte. Sophie avait été transportée à l'intérieur grâce au sort qui s'accrochait encore à la grille. Gretchen était affalée sur le sol, couverte de meurtrissures et d'anciennes blessures. Plus tôt durant la soirée, Penelope aurait suivi Lucius n'importe où. Elle s'était fait berner.

— Tu m'as ensorcelée, murmura-t-elle.

Elle s'éloigna légèrement, s'efforçant de voir à travers la confusion des gardiens qui combattaient d'autres gardiens.

Les sœurs Greymalkin les abandonnèrent et volèrent vers le jardin fané.

— Tu ne me laisses pas le choix, dit-il. Si tu ne viens pas avec moi dès maintenant, Gretchen mourra. Emma mourra, et ces gardiens qui combattent si vaillamment pour vous sauver mourront. Et, ma chère, ton petit ami gitan si têtu mourra.

Elle hocha la tête. Des araignées luisantes grimpèrent frénétiquement sur son ourlet.

— Je ne te crois pas.

— Cedric, qui te gardait loin de moi depuis trop longtemps, a connu une soirée plutôt regrettable. Vois toi-même, Penelope.

Cedric fut tiré hors de la diligence d'où était sortie Sophie plus tôt. Il était bâillonné, et ses mains étaient liées ensemble. Pire, il était inconscient, hissé sur l'épaule d'un gardien à l'air sévère bâti comme un taureau.

Penelope se précipita vers Cedric, mais il y avait trop de gardiens entre eux.

D'autres gardiens mouraient à ses pieds.

Ses cousines étaient en danger.

Cedric était en danger.

Son expression fit sourire Lucius.

— Et voilà. La capitulation désespérée. Tellement plus efficace que n'importe quel sort.

Penelope fit la seule chose qu'elle pouvait faire.

— Penelope, non ! cria Gretchen, la connaissant trop bien.

Elle prit la main de Lucius et le laissa la guider vers la maison des Greymalkin. La grille se referma derrière eux. La maison s'anima une fois, lançant des flèches de lumière entre les volets et sous la porte abîmée. Elles firent reculer tout le monde, les aveuglant. Penelope ne pouvait qu'être témoin du changement tout en se protégeant les yeux.

Plutôt que des volets brisés, de la peinture écaillée et le sombre désir de la maison, elle resplendissait maintenant d'élégance et de sophistication. Le jardin perdait ses talles de mauvaises herbes au profit de pétales de couleurs vives. Des jonquilles, des lilas, des tulipes et des violettes fleurissaient gaiement dans les urnes, les boîtes à fleurs et de la bouche d'un satyre posé sur le mur joliment effrité qui séparait la maison de l'allée menant à l'écurie.

La moulure autour des fenêtres et les vasistas avaient des accents de bleu, de crème et de prune. Les rampes en fer forgé avec des rinceaux sur les balcons étaient fraîchement peintes en noir, décorées de pies en vol. Chaque coin du toit accueillait deux imposantes gargouilles, et deux autres soutenaient le balcon du troisième étage, les ailes grandes ouvertes. Le heurtoir en laiton en forme de pie était accroché au milieu de la porte d'entrée, qui était maintenant d'un bleu vibrant.

Les pierres blanches auraient pu tout aussi bien être faites de pâte d'amande ou de meringue, avec du glaçage en guise de mortier. Le toit était un assemblage de biscuits givrés. Elle ne ressemblait plus à la maison d'une famille de jeteuses de sorts bannies. Elle était chaleureuse et accueillante, comme la maison d'une sorcière, comme celle fabriquée de pain d'épice, qui servait à attirer les innocents, jusqu'à ce qu'ils se retrouvent pris dans une toile d'araignée.

— Bienvenue, Penelope, dit Lucius avec un sourire qui lui donna des frissons.

# ÉPILOGUE

Gretchen regarda Penelope pénétrer dans la maison des Greymalkin et disparaître.

Une traînée de glace et de givre s'accrochait à la rampe et coulait sur le sentier de pierre jusqu'à la porte. Elle ne pouvait plus voir Godric. Pour ce qu'elle en savait, il était à l'intérieur, entraîné par le sort de Sophie.

La peur et la rage lui piquèrent la gorge. Elle se précipita vers la grille, mais il était trop tard. Le sort qui la verrouillait la repoussa avec une pluie d'étincelles jaunes. Tobias la rattrapa avant qu'elle percute un réverbère. Les gardiens les entouraient, abasourdis. Leurs frères de l'autre côté de la grille étaient impassibles et froids.

Et la nuit londonienne fut ensuite traversée par des éclats de lumière. Le feu fut propulsé dans le ciel, comme des colonnes de feux d'artifice qui faisaient jaillir des étincelles violettes au-dessus de la Tour, du Temple Bar et du Blackfriars Bridge. Une fumée lavande monta dévorer les étoiles.

— Les portails s'ouvrent, dit Tobias avec un air grave. Elle a presque réussi à faire passer les sept sœurs

Greymalkin. Avec leurs os, elle peut les matérialiser complètement.

— Londres est condamnée, murmura l'un des gardiens.

Le dernier portail s'ouvrit sur le trottoir devant eux. La lumière jaillissant de l'ouverture du portail était trop brillante pour la regarder directement. Gretchen se couvrit les yeux, attendant que le jet de lumière diminue d'intensité. Il ne cracha pas l'une des sœurs Greymalkin. Un homme avec des bois sortit plutôt de la lumière violette.

— Ewan ! s'exclama Theodora d'une voix fragile.

Son compagnon oiseau laissa tomber des plumes rouges autour d'elle.

Ewan se figea sur place, clairement désespéré et terrifié à la fois en comprenant qu'il l'avait enfin retrouvée. Il tourna la tête. Theodora s'efforça de se relever, mais elle n'était pas encore remise de l'attaque magique de Sophie.

— Emma est dans les Enfers, dit Gretchen.

Elle se serait peut-être sentie mal pour eux, mais toutes ses énergies étaient consacrées à s'inquiéter pour ses cousines et son frère.

— Il faut l'en faire sortir.

Ewan s'arrêta. L'air autour de lui sembla frissonner, et son expression était glaciale. Des éclairs bleus fusèrent entre ses bois. Le portail vibra, commençant à se refermer.

— Je reviendrai, ma princesse, dit-il à Theodora, inclinant la tête en sa direction avant de revenir dans le portail.

La fissure se referma derrière lui.

— Non ! s'écria Theodora, qui rampa vers lui, brisée. Emmène-moi !

Gretchen se retourna, son esprit concoctant déjà des plans et des intrigues.

La main de Tobias était chaude sur son épaule.

— Nous l'en sortirons, lui promit-il.

— Nous les en sortirons *tous*, le corrigea-t-elle en levant le menton.

# NOTE DE L'AUTEURE

La sorcellerie de cet ouvrage est purement littéraire. Elle ne cherche pas à représenter les systèmes de croyances modernes ou anciens.